U0648595

王承略　劉心明　主编

二十五史藝文經籍志考補萃編

第十八卷

新唐書藝文志注

佚名　撰
朱新林　宋志霞　整理

清華大學出版社　北京

圖書在版編目（CIP）數據

二十五史藝文經籍志考補萃編．第18卷/王承略，劉心明主編．—北京：清華大學出版社，2012.7

ISBN 978-7-302-29225-8

Ⅰ.①二… Ⅱ.①王… ②劉… Ⅲ.①中國歷史—古代史—紀傳體 ②《二十五史》—研究 Ⅳ.①K204.1

中國版本圖書館 CIP 數據核字（2012）第 143355 號

責任編輯：馬慶洲
封面設計：曲小華
責任校對：宋玉蓮
責任印製：楊 艷

出版發行：清華大學出版社
網 址：http：//www.tup.com.cn，http：//www.wqbook.com
地 址：北京清華大學學研大廈A座 **郵 編**：100084
社總機：010-62770175 **郵 購**：010-62786544
投稿與讀者服務：010-62776969，c-service@tup.tsinghua.edu.cn
質 量 反 饋：010-62772015，zhiliang@tup.tsinghua.edu.cn
印 刷 者：清華大學印刷廠
裝 訂 者：三河市金元印裝有限公司
經 銷：全國新華書店
開 本：148mm×210mm **印 張**：13.375 **字 數**：327千字
版 次：2012年7月第1版 **印 次**：2012年7月第1次印刷
印 數：1～3000
定 價：42.00元

產品編號：043545-01

《二十五史藝文經籍志考補萃編》編纂委員會

目　　録

新唐書藝文志注
佚名 撰
朱新林
宋志霞 整理

底本:《二十四史訂補》影印民國時期鈔本
校本:《四庫未收書輯刊》影印清藕香簃鈔本

卷　一

甲部經録，其類十一。一曰易類，二曰書類，三曰詩類，四曰禮類，五曰樂類，六曰春秋類，七曰孝經類，八曰論語類，九曰讖緯類，十曰經解類，十一曰小學類。凡著録四百四十家，五百九十七部，六千一百四十五卷。不著録一百一十七家，三千三百六十卷。

甲部經録，十二家，五百七十五部，六千二百四十一卷。

易類一，書類二，詩類三，禮類四，樂類五，春秋類六，孝經類七，論語類八，讖緯類九，經解類十，詁訓類十一，小學類十二。

連山十卷　司馬膺注。《隋書·經籍志》無。夏《易》。《北史·劉炫傳》："牛弘購求天下遺書，炫遂僞造《連山易》録上，送官取賞，後事發除名。"胡應麟云："《隋志》不録其書，尚傳於後，《唐志》首列。"

歸藏十三卷　《隋志》："《歸藏》十三卷，晋太尉參軍薛真注。"沈炳震云："《舊書》脱'連山'而以膺注歸之《歸藏》，誤。"今有王謨、洪頤煊、嚴可均、馬國翰輯本。

歸藏十三卷　殷《易》，司馬膺注。

周易卜商傳二卷　陸德明《釋文·叙録》："《子夏易傳》三卷，卜商，字子夏，衛人，孔子弟子。"《隋志》："二卷。魏文侯師卜子夏傳，殘缺。梁六卷。"今存别本十一卷。又孫堂、張惠言、張澍、馬國翰輯本。

周易二卷　卜商傳。

孟喜　章句十卷　《釋文·叙録》："《孟喜章句》十卷，無《上經》。《七録》云：'又《下經》無《旅》至《節》，無《上繫》。'"《隋志》："八卷。漢曲臺長孟喜章句，殘缺，十卷。梁十卷。"喜，見《漢·儒林傳》。今有惠棟、王謨、孫堂、張惠言、馬國翰輯本。

周易十卷　孟喜章句。

京房　章句十卷　《釋文·叙録》："《京房章句》十二卷。"《隋志》："十卷，漢魏郡太守京房章句。"房，《漢書》有傳。今有惠棟、孫堂、王謨、張惠言、嚴可均、馬國翰輯本。

又十卷 京房章句。

費直　章句四卷 《釋文·叙録》:"《費直章句》四卷,殘缺。"《隋志》:"梁又有單父長費直注《周易》五卷,亡。"直,見《漢書·儒林傳》。其本皆古文,號曰古文《易》。今有張惠言、馬國翰輯本。[①]

又四卷 費直章句。

馬融　章句十卷 《釋文·叙録》:"《馬融傳》十卷。《七録》云:'九卷。'"《隋志》:"梁又有漢南郡太守馬融注《周易》一卷,亡。"融,范《書》有傳。融傳《費氏易》。今有孫堂、馬國翰辑本。

又十卷 马融章句。

荀爽　章句十卷 《釋文·叙録》:"荀爽注十卷。《七録》云:'十一卷。'"《隋志》:"十一卷,漢司空荀爽注。"爽,見范書《荀淑傳》。爽傳《費氏易》。

又十卷 荀爽章句。

鄭玄　注周易十卷 《释文·叙録》:"《周易鄭玄注》十卷,《録》一卷。《七録》云:'十二卷。'"《隋志》:"九卷,後漢大司農鄭玄注。"玄,范《書》有傳。玄傳《費氏易》。今有王應麟、惠棟、孫堂、臧庸、張惠言輯本。

又九卷 鄭玄注。

劉表　注五卷 《釋文·叙録》:"劉表《章句》五卷。《中經簿録》云:'注録十卷。'《七録》云:'九卷,《録》一卷。'"《隋志》:"五卷,漢荆州牧劉表章句。"表,范《書》有傳。《魏志》本傳注引謝承《漢書》云:"表受業於同郡王暢,大約傳《費氏易》。"今有孫堂、張惠言、馬國翰輯本。

又五卷 劉表注。

董遇　注十卷 《釋文·叙録》:"董遇《章句》十二卷,字季直,弘農華陰人,魏侍中、大司農。《七志》、《七録》並云:'十卷。'"《隋志》:"梁又有魏大司農董遇注《周易》十卷,亡。"遇,見《魏志·王肅傳》。遇傳《費氏易》。

又十卷 董遇注.

宋忠　注十卷 《釋文·叙録》:"《周易宋衷注》九卷。《七録》云:'十卷。'"《隋

① "輯"原誤作"刻",清藕香簃本同,依本書體例改。

志》："梁又有漢荆州五業從事宋忠注《周易》十卷，亡。"忠即衷。蕭常《續漢書》曰："忠字仲子，南陽人，其子與魏諷謀誅曹操，不克，父子俱遇害。"①今有孫堂、張惠言、馬國翰輯本。

又十卷 宋忠注。

王肅　注十卷 《釋文·叙録》："《周易王肅注》十卷。字子邕，東海蘭陵人，魏衛將軍、太常、蘭陵景侯。"《隋志》："十卷。"肅，見《魏志·王朗傳》。肅傳《費氏易》。今有張惠言、馬國翰輯本。

又十卷 王肅注。

王弼　注七卷 《釋文·叙録》："《王弼注》七卷。字輔嗣，山陽高平人，魏尚書郎，年二十四卒。注《易》上、下《經》六卷，作《易略例》一卷。"《隋志》："《周易》十卷，魏尚書郎王弼注六十四卦六卷，韓康伯注《繫辭》以下三卷，弼又撰《易略例》。②"弼，見《魏志·鍾會傳》。弼傳《費氏易》。謹按此《志》七卷，即指上、下《經》六卷，《略例》一卷，合爲七卷，後又收王弼、韓康伯注十卷，似複。今存。

又七卷 王弼注。

又　大衍論三卷 《魏志·鐘會傳》注引《弼别傳》，潁川荀融難弼《大衍義》，作《周易大演論》一卷。謹按"演"即"衍"，一卷與三卷，或字訛。

虞翻　注九卷 《釋文·叙録》："《周易虞翻注》十卷。字仲翔，會稽餘姚人，後漢侍御史。"《隋志》："九卷，吴侍御史虞翻注。"翻，《吴志》有傳。翻傳《費氏易》。今有孫堂、張惠言、馬國翰輯本。

又九卷 虞翻注。

陆績　注十三卷 《釋文·叙録》："陸績《述》十三卷，《七志》云：'《録》一卷。'"《隋志》："十五卷，吴鬱林太守陸績注。"績，見范書《陸康傳》。績傳《京氏易》。今有明姚士粦、孫堂、張惠言、馬國翰輯本。

又十三卷 陸績注。

姚信　注十卷 《釋文·叙録》："《周易姚信注》十卷，字德祐。《七録》云：'十二卷，字元直，吴興人，吴太常卿。'"《隋志》："十卷。"説《易》與荀、虞相似。今有孫堂、張惠言、馬國翰輯本。

---

① "害"下，藕香簃本有"忠傳費氏易"五字。

② "例"，原誤作"同"，據藕香簃本改。

又十卷 姚信注。

荀輝　注十卷 《釋文·叙録》:"張璠《易集解·序》云:'荀煇字景文,潁川潁陰人,晋太子中庶子,爲《易義》七卷。注云:'注《易》十卷。'"《隋志》:"梁有魏散騎常侍荀煇注《周易》十卷,亡。"謹按"輝"當作"煇",《魏志·荀彧傳》注作"煇",①《舊志》作"暉"。

又十卷 荀暉注。

蜀才　注十卷 《釋文·叙録》:"蜀才注十卷。《蜀李書》云:'姓范名長生,一名賢,隱居青城北,自號蜀才,李雄以爲丞相。'"《隋志》十卷, 今有孫堂、張惠言、馬國翰輯本。

又十卷 蜀才注。

王廙　注十卷 《釋文·叙録》:"王廙注十二卷。字世將,瑯琊臨沂人。《七志》、《七録》云:'十卷。'"《隋志》:"《周易》三卷,晋驃騎將軍王廙注,殘缺。梁有三卷。"廙,《晋書》有傳。今有孫堂、張惠言、馬國翰輯本。

又十卷 王廙注。

干寶　注十卷 《釋文·叙録》:"《周易》干寶注十卷。字令升,新蔡人,東宫散騎常侍,領著作。"《隋志》:"十卷。"寶,《晋書》有傳。寶傳《京氏易》。今有姚士粦、孫堂、張惠言輯本。

又十卷 干寶注。

又　爻義一卷 《隋志》:"一卷。"胡一桂云:"其學以卦爻配月,或以配日,時傳諸人事而以前世之迹證之。"《舊志》"文"當作"爻"。

周易文義一卷 干寶撰。

黄穎　注十卷 《釋文·叙録》:"《黄穎注》十卷。南海人,晋廣州儒林從事。"《隋志》:"《周易》四卷,晋儒林從事黄穎注。梁有十卷,今殘缺。"今有馬國翰輯本。

又十卷 黄穎注。

崔浩　注十卷 《隋志》:"《周易》十卷,後魏司徒崔浩注。"浩,《魏書》有傳。《魏書·張湛傳》引浩《注易序》。《舊志》"顥"當作"浩"。

又十卷 崔顥注。

---

① "惲"原誤作"煇",據藕香簃本改。

崔覲　注十三卷　《隋志》:"《周易》十三卷,崔覲注。"覲,見《北史·儒林傳序》:"自魏末大儒徐遵明門下講鄭玄所注《周易》,遵明以傳盧景裕及清河崔瑾。"

又十三卷　崔覲注。

何胤　注十卷　《隋志》:"《周易》十卷,梁處士何胤注。"胤,見《梁書·處士傳》。

又十卷　何胤注。

盧氏　注十卷　《隋志》:"《周易》一帙十卷,盧氏注。"馬國翰考爲盧景裕。景裕,《魏書》有傳。今有馬國翰輯本。

又十卷　盧氏注。

傅氏　注十四卷　《隋志》:"《周易》十三卷,傅氏注。"傅氏,始末未詳。今有馬國翰輯本。

又十四卷　傅氏注。

又十卷　王玄度注。《新志》無。《册府元龜》:"王玄度爲校書郎,貞觀十六年十月上其所注《尚書》、《毛詩》、《周易》,並《義次》三卷。"

王乂玄　注十卷

又十卷　王乂玄注。

王凱沖　注十卷

又十卷　王凱沖注。

荀氏九家集解十卷　《釋文·叙録》:"《荀爽九家集注》十卷,不知何人所集,稱荀爽者以爲主也,其序有荀爽、京房、馬融、鄭玄、宋衷、虞翻、陸績、姚信、翟子玄。子玄,不詳何人,爲《易義注》。内又有張氏、朱氏,不詳何人。"《隋志》:"《周易荀爽九家注》十卷。"今有孫堂、王謨輯本。

又十卷　荀氏九家集解。

馬鄭二王集解十卷　《隋志》:"《周易馬鄭二王四家集解》十卷。"謹按:不知何人所集馬融、鄭康成、王弼、王肅四家之説爲一書。《隋志》又云:"梁有《集馬鄭二王解》十卷,亡。"蓋即是書。

又十卷　馬鄭二王集解。

王弼韓康伯注十卷　王六卷,《略例》一卷。韓三卷,説見上。

又十卷　王弼、韓康伯注。

二王集解十卷　《隋志》:"《周易楊氏集二王注》十卷。"楊氏,始末未詳。

又十卷　二王集注。

張璠　集解十卷　又　略論一卷　《釋文・叙録》:"張璠《集解》十二卷。安定人,東晋祕書郎,参著作。集二十二家。序云鐘會、向秀、庾運、應貞、荀煇、張輝、王宏、阮咸、阮渾、楊乂、王濟、衛瓘、樂肇、鄒湛、杜育、楊瓚、張軌、宣舒、邢融、裴藻、許適、楊藻,二十二家。《七録》云:'集二十八卷,依向秀本。'"今有孫堂、馬國翰輯本。

又十卷　张璠集解。

周易略論一卷　张璠撰。

謝萬　注繫辭二卷　《釋文・叙録》:"謝万字万石,陳郡人,東晋豫州刺史,注《繫辭》。"萬,見《晋書・謝安傳》。

周易繫辭二卷　謝萬注。

桓玄　注繫辭二卷　《釋文・叙録》:"桓玄字敬道,譙國龍亢人,僞楚皇帝,注《繫辭》。"《隋志》:"二卷。"玄,《晋書》有傳。今有馬國翰輯本。

又二卷　桓玄注。

荀諺　注繫辭二卷　謹按《釋文・叙録》、《隋》及《舊志》有荀柔之,無荀諺,疑諺與柔之是一人,亦無實據。

又二卷　荀諺注。

荀柔之　注繫辭二卷　《釋文・叙録》:"荀柔之,潁川潁陰人,宋奉朝請,注《繫辭》。"《册府元龜》:"柔之並爲《易音》。"今有馬國翰輯本。

宋褰　注繫辭二卷　①《隋志》:"《周易繫辭》二卷,梁太中大夫宋褰注。"褰始末未詳。

又二卷　宋褰注。

宋明帝　注義疏二十卷　《隋志》:"《周易義疏》十九卷,宋明帝集群臣講。"明帝見《宋書》紀。謹按《宋・袁粲傳》、《梁・伏曼容傳》均有明帝於華林園清暑殿講《易》,疑所集當時講義。兩《唐志》"注"字疑衍。

周易義疏二十卷　宋明帝注。②

---

① "褰",原作"搴",據《新唐書・藝文志》改。

② "注"前原缺"帝"字,據藕香簃本補。

張該等　群臣講易疏二十卷　該,始末無考。《隋志》:"《宋明帝集群臣講易義疏》二十卷。"似與上條重出,實則上條明帝集群臣講《易》義疏,此條則張該等注也。上條注宜加於此條便合。

宋群臣講易疏二十卷　張該等注。

梁武帝　大義二十卷　《隋志》:"《周易大義》二十一卷,梁武帝撰。"武帝,《梁書》有紀。《舊志》作"本義"。今有馬國翰輯本。

周易本義二十卷　梁武帝注。

又　大義疑問二十卷　《隋志》無。謹按《隋志》、《舊志》均有《周易講疏》三十五卷,此志無。

周易本義疑問二十卷　梁武帝注。

周易講疏三十五卷　梁武帝撰。

蕭偉　發義一卷　又　幾義一卷　《隋志》:"《周易幾義》一卷,梁南平王撰。"偉,《梁書》有傳。謹按《南史》本傳云:"著《二暗義》,製《性情》、《幾神》等論義。""二暗"似"二諦"之誤,《幾神義》即此《幾義》一卷。《舊志》"發"下多一"題"字。

周易發題義一卷　周易幾義一卷　蕭偉撰。

蕭子政　義疏十四卷　《隋志》:"《周易義疏》十四卷,梁都官尚書蕭子政撰。"子政,見《顏氏家訓·勉學篇》。

周易義疏十四卷　蕭子政撰。

又　繫辭義疏三卷　《隋志》:"《周易繫辭義疏》三卷,蕭子政撰。"

張譏　講疏三十卷　《隋志》:"《周易講疏》三十卷,陳諮議參軍張機撰。"謹按"機"當作"譏",陸元朗之師。譏,見《陳書·儒林傳》。今有馬國翰輯本。

周易講疏三十卷

何安　講疏十三卷　《隋志》:"《周易講疏》十卷,國子祭酒何妥撰。"謹按"安"當作"妥"。妥,見《隋書·儒林傳》。《舊志》以爲何晏,皆字誤。

又　十三卷　何晏撰。①

褚仲都　講疏十六卷　《釋文·叙録》:"近代褚仲都、陳周弘正並作《易義》②,

---

① "晏"下原缺"撰"字,據藕香簃本補。

② "周",原誤作"用",藕香簃本同,據中華書局 1983 年版《經典釋文》改。

此未知名者。"《隋志》:"《周易講疏》十六卷,梁五經博士褚仲都撰。"仲都,見《梁書·孝行傳》。今有馬國翰輯本。

又　十六卷　褚仲都撰。

梁蕃　文句義疏二十卷　《隋志》:"《周易文句義》二十卷。"蕃,始末無考。《舊志》"武"當作"蕃"。

周易文句義疏二十卷　已上並梁武撰。①

又　開題論序疏十卷　《隋志》:"《周易開題義》十卷,梁蕃撰。"

周易開題論序十卷

釋序義三卷　《隋志》:"三卷。"

周易釋序義三卷　梁蕃注撰。

劉瓛　繫辭義疏二卷　《釋文·叙録》:"劉瓛字子珪,沛國人,齊步兵校尉,不拜。謚貞簡先生。《七録》云:'作《繫辭義疏》。'"瓛,《齊書》有傳。謹按齊代鄭義甚行,史稱子珪承馬鄭之後,一時學徒以爲師範,其於《易》應亦宗鄭。今有孫堂、張惠言、馬國翰輯本。《舊志》"向"當作"瓛"。

周易繫辭義二卷　劉向撰。

又　乾坤義疏一卷　《隋志》:"《周易乾坤義》一卷,齊步兵校尉劉瓛撰。"謹按"義"下不宜加"疏"字。

周易乾坤義疏一卷　劉瓛注。

鍾會　周易論四卷　《釋文·叙録》:"張璠《集解·序》云:'鍾會字士季,潁川人,魏鎮西將軍,爲《易無互體論》。'"《隋志》:"《周易盡神論》一卷,魏司空鍾會撰。梁有《周易無互體論》三卷,鍾會撰,亡。"會,見《魏志》本傳。謹按《盡神論》一卷,《無互體論》三卷,合之成四卷。《舊志》"易"下脱"論"字。

周易四卷　鍾會撰。

范氏　周易論四卷　《隋志》:"四卷。"丁國鈞《晋藝文志》考爲范宣。

周易論四卷　范氏撰。

應吉甫　明易論一卷　《釋文·叙録》:"應貞字吉甫,汝南人,晋散騎常侍,爲《明易論》。"應貞字吉甫,《晋書》有傳。謹按貞似宋人,避諱而以字行。

---

① "並",原誤作"卷",藕香簃本同,據中華書局點校本《舊唐書》改。

明易論一卷　應吉甫撰。

鄒湛　統略論三卷　《釋文·叙録》:"鄒湛字潤甫,晋國子祭酒,爲《易統略》。"《隋志》:"《周易統略》五卷,晋少府鄒湛撰。"湛,見《晋·文苑傳》。《舊志》"堪"當作"湛"。

周易統略論　鄒堪撰。

阮長成阮仲容難答論二卷　《隋志》:"《周易論》二卷,晋馮翊太守阮渾撰。"渾字長成,咸字仲容,見《晋書·阮籍傳》。《舊志》"暨"當作"阮"。

周易論二卷　暨長成難,暨仲容答。

宋處宗　通易論一卷　處宗,見《晋志》帝紀,或作宗岱,見《晋·孫旂傳》。《舊志》"睿"當作"處"。

易論一卷　宋睿宗撰。

宣聘　通義象論一卷

通義象論一卷　宣聘撰。①

欒肇　通易象論一卷　《釋文·叙録》:"張璠《易解·序》云:'欒肇字永初,太山人,晋太保掾,尚書郎,爲易論。'"《隋志》:"《周易象論》三卷。"《舊志》"永初",《經義考》又作"太初"。

又一卷　欒永初撰。

袁宏　略譜一卷　宏,《晋書》有傳。

周易譜一卷　袁宏撰。

楊乂　卦序論一卷　《釋文·叙録》:"楊乂字玄舒,汝南人,晋司徒左長史,爲《易卦序論》。"

周易卦序論一卷　楊乂撰。

沈熊　周易谱一卷　熊,見《梁書·儒林傳》。《舊志》"能"當作"熊"。

周易略譜一卷　沈能撰。

雜音三卷

周易雜音三卷

任希古　注周易十卷　計敏夫曰:"任希古字敬臣,棣州人,舉孝廉,虞世南器其

---

① "聘",原誤作"駛",藕香簃本同,據中華書局點校本《舊唐書》改。

人,爲弘文閣學士,終太子舍人。"

又十卷 任希古注。

周易正義十六卷 國子祭酒孔穎達、顔師古、司馬才章、王恭、太學博士馬嘉運、太學助教趙乾叶、王談、于志寧等奉詔撰。四門博士蘇德融、趙弘智覆審。《崇文總目》:"唐長孫無忌與諸儒刊定,其言言主申王學。"今存。

周易正義十四卷 孔穎達撰。

陸德明　周易文句義疏二十四卷 德明,見《唐書・儒學傳》。本傳止二十卷。

周易文句義疏二十四卷 陸德明撰。

文外大意二卷 《隋志》:"《周易大義》二卷,陸德明撰。"

周易文外大意二卷 陸德明撰。

陰弘道　周易新論傳疏十卷 顥子,臨涣令。《崇文總目》:"弘道世其父顥之業,雜采子夏、孟喜等十八家之説,參訂其長,合七十二篇,於《易》有助云。"謹按《紹興闕書目》有之。

周易新論十卷 陰弘道撰。

薛仁貴　周易新注本義十四卷 仁貴,本書有傳,名禮,以字行。

周易新注本義十四卷 薛仁貴撰。

王勃　周易發揮五卷 勃,本書有傳。本傳:"勃撰《周易發揮》,至《晋卦》止。"

周易發揮五卷 王勃撰。

玄宗　周易大衍論三卷 玄宗,本書有紀。

周易大衍論三卷 玄宗撰。

李鼎祚　集注周易十七卷 《中興書目》:"十卷。"鼎祚,資州人。《中興藝文志》:"鼎祚《易》宗鄭康成,排王弼。"今存。

東鄉助　周易物象釋疑一卷 《中興書目》:"唐守江陵尹東鄉助撰。""東鄉",陳《録》作"東陽"。《崇文總目》云:"取變卦互體,開釋言象。"

僧一行　周易論 卷亡。一行,本書有傳。《紹興闕書目》有《唐易論》一卷,疑即此書。

又　大衍玄圖一卷　義決一卷　大衍論二十卷《中興書目》一

行《易傳》十二卷 元缺四卷。[①]

崔良佐 易忘象 卷亡。 《宰相世系表》:"良佐,湖城簿,深州安平人,日用從子。"

元載 集注周易一百卷 載,本書有傳。

李吉甫 注一行易 卷亡。 吉甫,本書有傳。嘗討論易象異義,附於僧一行《集注》之下。

衛元嵩 元包十卷 蘇源明傳,李江注。 嵩,見《北史·藝術傳》。隋人。源明、江無考。今存五卷。

高定 周易外傳二十二卷 郢子京兆府參軍。 通王氏《易》。

裴通 易書一百五十卷 字又玄,士淹子,文宗訪以《易》義,令進所撰書。 《宰相世系表》:"通字又玄,檢校禮部尚書。"

盧行超 易義五卷 字孟起,大中六合丞。

陸希聲 周易傳二卷 希聲,蘇州吴縣人,官拾遺,大順中棄官,居陽羡,自號君陽遯叟。《宋志》十三卷。《中興書目》作《周易微旨》三卷。

右易類,七十六家,八十八部,六百六十五卷。 失姓名一家。李鼎祚以下不著録十一家,三百二十九卷。

右易,七十八部,凡六百七十三卷。

古文尚書孔安國傳十三卷 《釋文·叙録》:"孔安國《古文尚書傳》十三卷。"又曰:"《尚書》之字本爲隸古,是隸寫古文,則不全爲古文。"《隋志》:"《古文尚書》十三卷,漢臨淮太守孔安國傳。《今字尚書》十四卷,孔安國傳。"安國,見《史記·孔子世家》、《漢·儒林傳》。今存。

古文尚書十三卷 孔安國撰,范寧注。

謝沈 注十三卷 《釋文·叙録》:"謝沈注十五卷,《録》一卷。字行思,會稽人,東晋尚書祠部郎,[②]領著作。"《隋志》:"《尚書》十五卷,晋祠部郎謝沈撰。"沈,《晋書》有傳。

---

① "《中興書目》一行《易傳》十二卷元"十二字,原缺,據藕香簃本補。

② "書",原作"晋",據藕香簃本改。"祠",原作"□",藕香簃本同,據《釋文·叙録》補。

尚書十三卷　謝沈注。

王肅　注十卷　《釋文·叙録》:"王肅注十卷。"又曰:"王肅亦注《今文》,而解大與《古文》相類,或肅私見孔《傳》而秘之乎。"《隋志》:"《尚書》十一卷,王肅注。"謹按惠棟、江聲、丁晏皆疑孔《傳》即肅僞撰。今有馬國翰輯本。

古文尚書十卷　王肅注。

又　釋駁五卷　《隋志》:"《尚書駁義》五卷。"

尚書釋駁五卷　王肅撰。

范寧　注十卷　《釋文·叙録》:"枚賾奏上孔傳《古文尚書》,亡《舜典》一篇,乃取王肅注《堯典》,從'慎徽五典'以下分爲《舜典》以續之。後范寧變爲《今文集注》,俗間或取寧注《舜典》篇以續孔氏。"《隋志》:"《古文尚書舜典》一卷,晋豫章太守范寧注。梁有《尚書》十卷,范寧注,亡。"寧,《晋書》有傳。今有馬國翰輯本。

李顒　集注十卷　《釋文·叙録》十卷。《隋志》:"《集解尚書》十一卷,李顒注。"謹按"顒"當作"顒"。

又十卷　李顒集注。

姜道盛　集注十卷　《釋文·叙録》:"《尚書》姜道盛《集解》十卷,天水人,宋給事中。"《隋志》:"《集解尚書》十一卷,宋給事中姜道盛注。"道盛,見《宋書·劉懷肅傳》。

又十卷　姜道盛集注。

又　新釋二卷　要略二卷　《隋志》:"《尚書新釋》二卷,李顒撰。"

尚書要略二卷　尚書新釋二卷

徐邈　注逸篇三卷　《隋志》:"《尚書》逸篇二卷。"《隋志》叙篇又有《尚書》逸篇,出於齊梁之間,考其篇目,似孔壁書中之殘缺者,故坿《尚書》之末。謹按《困學紀聞》云出齊梁之間,而徐逸民晋宋間人而爲之注,則是書東晋時已有之矣。或疑此爲《逸周》之逸篇。

伏勝　注大傳三卷　又　暢訓一卷　《釋文·叙録》:"《尚書大傳》三卷,伏生作。"《隋志》:"《尚書大傳》三卷,鄭玄注。"勝,見《漢書·儒林傳》。今存。《四庫提要》:"《尚書大傳》四卷,《補遺》一卷,舊本題伏勝撰,實則張生、歐陽生所傳述,非勝自撰。其文或説《尚書》,或不説《尚書》,大抵如《詩外傳》、《春秋繁露》,與經義在離合之間,而古義往往而在。"謹按第四卷題曰"略説",疑即"《暢訓》",今並爲一書。又有陳壽祺校注定本八卷。

尚書暢訓三卷　伏勝注。

劉向　洪範五行傳論十一卷　《隋志》:"《尚書洪範五行傳論》十一卷,漢光禄大夫劉向撰。"向,見《漢書·楚元王傳》。今有王謨輯本。

尚書洪範五行傳十一卷　劉向撰。

馬融　傳十卷　《釋文·叙録》:"《古文尚書》馬融注,十一卷。"《隋志》:"十一卷。"范書《儒林傳》:"扶風杜林傳《古文尚書》,林同郡賈逵爲之作訓,馬融作傳,鄭玄注解,遂顯於世。"今有王謨、馬國翰輯本。

又十卷　馬融注。

王肅孔安國　問答三卷　《隋志》:"梁有《尚書義問》三卷,鄭玄、王肅及晋五經博士孔晁撰,亡。"謹按"孔安國"當爲"孔晁"。《問答》當即《隋志》之《義問》,孔晁采鄭、王及參以己見也。

尚書答問三卷　王肅撰。

鄭玄注　古今尚書九卷　《釋文·叙録》:"九卷。"《隋志》:"九卷。"今有王應麟、孔廣林、馬國翰、黄奭輯本。

又九卷　鄭玄注。

又　注釋問四卷　王粲問,田瓊、韓益正　《隋志》:"梁有《尚書釋問》四卷,魏侍中王粲撰。"粲,《魏志》有傳。謹按田瓊、韓益皆康成弟子。瓊,建安黄初間博士。"益",或作"蓋",建安末博士,因粲問答而正之,此門弟子答問,不得云"又注"。

尚書釋問四卷　鄭玄注,王粲問,田瓊、韓益正。①

吕文優　義注三卷　《隋志》:"《尚書義注》三卷,吕文優撰。"文優,始末未詳。

尚書義注三卷　吕文優撰。

伊説　釋義四卷　《隋志》:"梁有《尚書義疏》四卷,晋樂安王友伊説撰,亡。"

釋義四卷　伊説撰。

顧歡　百問一卷　《隋志》:"《尚書百問》一卷,齊太學博士顧歡撰。"歡,見《南史·隱逸傳》。謹按《南史·徐伯珍傳》:"吴郡顧歡摘出《尚書》滯義,伯珍酬答,甚有條理,儒者宗之。"

尚書百問一卷　顧歡撰。

巢猗　百釋三卷　《隋志》:"《尚書百釋》三卷,梁國子助教巢猗撰。"謹按此書次

---

① "瓊"字下原缺"韓益正"三字,藕香簃本同,據中華本書局點校本《舊唐書》補。

於顧氏《百問》之次,似即釋顧氏之書,或與徐伯珍别行歟?

尚書百釋三卷 巢猗撰。

又　義疏十卷 《隋志》:"《尚書義》三卷,巢猗撰。"

尚書義疏十卷 巢猗撰。

費甝　義疏十卷 《釋文·叙録》:"梁國子助教江夏費甝作《義疏》,行於世。"《隋志》:"《尚書義疏》十卷,梁國子助教費甝撰。"甝,見《北史·儒林傳》序。

尚書義疏十卷 費甝撰。

任孝恭　古文大義二十卷 孝恭,《南史》有傳。

古文尚書大義二十卷 任孝恭撰。

蔡大寶　義疏三十卷 《隋志》:"《尚書義疏》三十卷,蕭詧司徒蔡大寶撰。"大寶,見《周書·蕭詧傳》。

尚書義疏三十卷 蔡大寶撰。

劉焯　義疏二十卷 焯,見《隋書·儒林傳》。謹按焯書名與炫同,《隋志》不收,而有《尚書義》三卷。劉先生撰有《尚書義疏》七卷,不著撰人,疑皆焯書之散佚者。

尚書義疏二十卷 劉焯撰。

顧彪　古文音義五卷 彪,見《北史·儒林傳》。謹按《隋志》有《今文尚書音》一卷,與此不同。又有《尚書疏》二十卷,此《志》又無之。《疏》有王謨、馬國翰輯本。

古文尚書音義五卷 顧彪撰。

又　文外義五卷 謹按此《志》作"五卷",《舊志》作"三十卷",多寡不侔,不可解。

尚書文外義三十卷

劉炫　述義二十卷 《隋志》:"《尚書述義》二十卷,國子助教劉炫撰。"炫,見《北史·儒林傳》。今有馬國翰輯本。

尚書述義二十卷 劉炫撰。

王儉　音義四卷 儉,《齊書》有傳。

尚書音義四卷 王儉撰。

王玄度　尚書十二卷

今文尚書十三卷 開元十四年,玄宗以《洪範》"無偏無頗"聲不協,詔改爲"無偏無陂"。天寶三載,又詔集賢學士衛包改古文從今文。 馬端臨云:“漢所謂古文者,科斗書。今文者,隸書也。唐所謂古文者,隸書。今文者,世所通用之俗字也。”鄭樵云:“明皇所用今文違於古義者甚多。”

尚書正義二十卷 國子祭酒孔穎達、太學博士王德韶、四門助教李子雲等奉詔撰。四門博士朱長才、蘇德融,太學助教隋德素,四門助教王士雄、趙弘智覆審。太尉揚州都督長孫無忌、司空李勣、左僕射于志寧、右僕射張行成、吏部尚書侍中高季輔、吏部尚書褚遂良、中書令柳奭、弘文館學士谷那律、劉伯莊、太學博士賈公彦、范義頵、齊威、太學博士柳士宣、孔志約、四門博士趙君贊、右内率府長史弘文館直學士薛伯珍、國子助教史士弘、太學助教鄭祖玄、周玄達、四門助教李玄植、王真儒與王德韶、隋德素等刊定。 晁公武云:“因費甝《疏》廣之,先號《義贊》,①後改《正義》,《唐書》記撰書人姓氏往往不同。今存。”

尚書正義二十卷 孔穎達撰。

王元感 尚書糾繆十三卷 元感,《舊唐》有傳,作“十卷”。

穆元休 洪範外注十卷 王應麟云:“元休,穆林之父,撰《洪範外傳》十篇,開元中獻之,賜帛,授偃師丞。”

陳正卿 續尚書 纂漢至唐十二代詔、策、章、疏、歌、頌、符、檄、論、議,成書開元末,上之。卷亡。

崔良佐 尚書演範 卷亡。 謹按《宰相世系表》:“良佐,博陵崔氏第三房,官湖城簿,著《尚書演範》,②門人易其名曰貞文孝父。”

右書類,二十五家,三十三部,三百六卷。王元感以下不著録四家,三十卷。

右尚書,二十九部,凡二百七十二卷。

韓詩 卜商序 韓嬰注 二十二卷 《釋文·敘録》:“《齊詩》久亡,《魯

---

① “號”原作“疏”,據藕香簃本改。

② “演範”原作“範演”,據藕香簃本改。

詩》不過江東,《韓詩》雖在,人無傳者。"《隋志》:"《韓詩》二十二卷,漢常山太傅韓嬰[①],薛氏章句。"嬰,見《漢書・儒林傳》。惠棟云:"唐人所引《韓詩》,其稱薛君者,漢也。稱薛夫子者,乃方邱也。"謹按方邱生漢之父。今有王謨、臧庸、宋綿初、馬國翰輯本。

韓詩二十卷　卜商序,韓嬰注。

又　外傳十卷　《隋志》:"《韓詩外傳》十卷。"謹按《漢・藝文志》,《韓詩外傳》六卷,今多四卷,蓋後人所分。今存。又盧文弨《補逸》一卷。

韓詩外傳十卷　韓嬰撰。

卜商　集序二卷

毛詩集序二卷　卜商撰。

又　翼要十卷　《隋志》:"《韓詩翼要》十卷,漢侯苞傳。"謹按"侯苞"或作"包",或作"芭"。此志不著傳,可用《隋志》證之。[②] 若《舊志》以爲卜商撰,則誤之甚也。今有王謨、馬國翰輯本。

韓詩翼要十卷　卜商撰。

毛萇傳十卷　萇,見《漢書・儒林傳》。謹按毛氏是古文家,平帝元年始立《毛詩》博士。

毛詩十卷　毛萇撰。

鄭玄箋　毛詩詁訓二十卷　《釋文・叙録》:"《毛詩故訓傳》二十卷,鄭氏箋。"又曰:"鄭氏申明毛義,難三家,於是三家遂廢。"《隋志》:"《毛詩》二十卷,漢河間太守毛萇傳,鄭氏箋。"今存。

毛詩詁訓二十卷　鄭玄箋。

又　譜三卷　《釋文・叙録》:"《詩譜》二卷,徐整暢太叔求隱。"《隋志》:"二卷,太叔裘及劉炫注。"宋歐陽修重定之。今存一卷。

王肅　注二十卷　《釋文・叙録》:"鄭《箋》申毛義,難三家,魏太常王肅更述毛非鄭。"《隋志》同。今有馬國翰輯本。

毛詩二十卷　王肅注。

又　雜義駮八卷　《隋志》:"八卷。"謹按肅駁鄭氏義。今有馬國翰輯本。

---

① "常山太傅"原作"常山太守",據《隋書・經籍志》改。

② "用",藕香簃本作"因"。

毛詩雜義駮八卷 王肅撰。

問難二卷 《隋志》:"梁有《毛詩問難》二卷,王肅撰,亡。"今有馬國翰輯本。

毛詩問難二卷 王肅撰。

葉遵注二十卷 號葉詩。 《釋文·叙録》:"葉遵字具儒,燕人,宋奉朝請,注《禮記》十二卷。"《隋志》:"《業詩》二十卷,宋奉朝請葉遵注。"謹按"葉"、"業"字異,考《姓氏尋源》云,宜爲古掌巨業之官,以職爲氏,不必據《唐志》以《隋》爲誤也。

崔靈恩 集注二十四卷 《釋文·叙録》:"梁有桂州刺史清河崔靈恩集衆解,爲《毛詩集注》二十四卷。"①《隋志》:"《集注毛詩》二十四卷,梁桂州刺史崔靈恩注。"靈恩,見《梁書·儒林傳》。謹按《玉海》云:"靈恩《集注》兼采三家。"今有馬國翰輯本。

義注五卷

毛詩義注五卷

劉楨 義問十卷 《隋志》:"《毛詩義問》十卷,魏太子文學劉禎撰。"謹按"禎"當作"楨"。楨,見《魏志·王粲傳》。今有馬國翰輯本。

毛詩義問十卷 劉楨撰。

王基 毛詩駮五卷 《釋文·叙録》:"基駮王肅,申鄭義。"《隋志》:"《毛詩駮》一卷,魏司空王基撰,殘缺,梁五卷。"基,見《魏志》本傳。今有馬國翰輯本。《舊志》"興"當作"與"。

毛詩駮五卷 王伯興撰。

毛詩雜答問五卷 《隋志》:"《毛詩雜答問》七卷,吴侍中韋昭、侍中朱育等撰。"《唐志》不著撰人,即是書之殘本。今有馬國翰輯本。

毛詩雜答問五卷

雜義難十卷 《隋志》:"梁有《毛詩雜義難》十卷,漢侍中賈逵撰,亡。"謹按范《書》本傳言:"所著經傳義詁及論難百餘萬言。"此即論難之一歟?

毛詩雜義難十卷

孙毓 異同评十卷 《釋文·叙録》:"晋豫州刺史孫毓字休明,②北海平昌人,長

---

① 原脱"爲"字,藕香簃本同,據《經典釋文·序録》補。

② "明",藕香簃本同,《經典釋文·序録》作"朗"。

沙太守,爲《詩評》,評毛、鄭、王肅三家同異,朋於王。"《隋志》:"十卷。"今有王謨、馬國翰輯本。連陳統書。

毛詩異同評十卷　孫毓撰。

楊乂　毛詩辨三卷　《隋志》:"《毛詩辨異》三卷,晋給事郎楊乂撰。"

毛詩辨三卷　楊乂撰。

陳統　難孫氏詩評四卷　《釋文·叙録》:"徐州從事陳統字元方,難孫申鄭。"

難孫氏詩評四卷　陳統撰。

又　表隱二卷　謹按亦難孫申鄭。

毛詩表隱二卷

元延明　誼府三卷　《隋志》:"《毛詩誼府》三卷,後魏安豐王元延明撰。"延明,見《魏書·文成五王傳》。

毛詩誼府三卷　元延明撰。

張氏　義疏五卷　《隋志》:"梁有《毛詩義疏》五卷,張氏撰。"張氏,不詳何人。

毛詩義疏五卷　張氏撰。

陸璣　草木鳥獸魚蟲疏二卷　《釋文·叙録》:"陸璣《毛詩草木鳥獸蟲魚疏》二卷。字元恪,吴郡人,吴太子中庶子,烏程令。"《隋志》:"二卷。"今存。《舊志》"機"當作"璣"。

毛詩草木鳥獸魚蟲疏　陸機撰。

謝沈　釋義十卷　《釋文·叙録》:"《毛詩》謝沈注二十卷。"《隋志》:"梁有《毛詩》二十卷,謝沈注,亡。"

毛詩釋義十卷　謝沈撰。

劉氏　序義一卷　謹按《新志》無名,《舊志》劉氏志撰。考《隋志》,有《毛詩序義疏》一卷,劉瓛等撰,疑即此書。"志"字誤。

毛詩序義一卷　劉氏志撰。

劉炫　述義三十卷　《隋志》:"《毛詩述義》四十卷,國子助教劉炫撰。"謹按炫受《詩》於同郡劉軌思。今有馬國翰輯本。

毛詩述義三十卷　劉炫撰。

魯世達　音義二卷　《隋志》:"《毛詩》並注音八卷,秘書學士魯世達撰。"世達,見

《北史・儒林傳》。謹按《北史》傳："世達撰《毛詩章句義疏》四十二卷，行於世。"《隋志》有《毛詩章句義疏》四十卷，此志《音義》二卷，正合四十二卷之數。

毛詩音義二卷 魯達撰。①

鄭玄等　諸家音十五卷

毛詩諸家音十五卷 鄭玄等注。

王玄度　注毛詩二十卷

毛詩正義四十卷 孔穎達、王德韶、齊威等奉詔撰。趙乾叶、四門助教賈普曜、趙弘智等覆正。

許叔牙　毛詩讚義十卷 叔牙，《舊書》有傳。

成伯璵　毛詩指説一卷 伯璵，始末無考。《崇文總目》云："署述論《詩》大旨及師承次序。"②今存。

毛詩草木蟲魚圖二十卷 開成中，文宗命集賢院修撰並繪物象，大學士楊嗣復、學士張次宗上之。

右詩類，二十五家，三十一部，三百二十二卷。 失姓載名三家，許叔牙以下不著録三家，三十三卷。

右詩，三十部，凡三百十三卷。

大戴德禮記十三卷 《釋文・叙録》："戴德删古《禮》二百四篇爲八十五篇，謂之《大戴禮》。"《隋志》："《大戴禮記》十三卷，漢信都王太傅戴德撰。"德，見《漢書・儒林傳》。今存三十九篇。

大戴禮記十三卷 戴德注。

又　喪服變除一卷

鄭玄　注小戴聖禮記二十卷 《釋文・叙録》："戴聖删《大戴禮》爲四十九篇，是爲小戴《禮》。後漢馬融、盧植考諸家異同，附戴聖篇章，去其繁重，及所叙略，而行於世，即今之《禮記》是也。玄亦因盧、馬之本而注焉。"《隋志》："《禮記》二十卷，漢九江太守戴聖撰，鄭玄注。"聖，見《漢書・儒林傳》，德從子。謹按"小戴聖"三字似衍一

① "魯達"，即"魯世達"，唐人避諱缺字。

② "署"原作"卷"，據藕香簃本改。

字,《舊志》是也。今經注均存。

小戴禮記二十卷　戴勝撰,鄭玄注。

又　禮議二十卷　《隋志》:"梁有《群儒疑義》十二卷,戴聖撰。"謹按《舊唐志》:"《禮義》二十卷,戴聖等撰。"其云"戴勝等"者,明非戴氏一家之書,蓋有鄭氏議禮在焉,《舊志》原其始,故題"戴勝等"。《新志》要其終,乃歸之鄭氏,實一書也。《通典》引此書多條。

禮義二十卷　戴勝等撰。

禮記音三卷　曹耽解。　《釋文·叙録》:"鄭玄《三禮音》各一卷。"又曰:"漢人不作音,後人所説。"又曰:"曹耽字愛道,譙國人,晋東安人,諮議參軍。"《隋志》又有曹耽《音》二卷。亡。

禮記音二卷　鄭玄注,曹耽解。

三禮目録一卷　《隋志》:"一卷。"《鄭學録》:"孔穎達、賈公彦撰疏並以目録分坿篇題下,首疏解之,世遂無單行本。"今有王謨、陳鱣輯本。

三禮目録一卷　鄭玄注。

注周官十三卷　《釋文·叙録》:"鄭玄《注》十二卷。"《隋志》:"《周官禮》十二卷,鄭玄注。"今存。

周官禮十三卷　鄭玄注。

音三卷

周官音三卷　鄭玄撰。

注儀禮十七卷　《釋文·叙録》:"鄭玄注《儀禮》十七卷。"《隋志》:"《儀禮》十七卷,鄭玄注。"今存。

儀禮十七卷　鄭玄注。

喪服變除一卷　謹按晋宋諸儒好治《喪禮》,於是鄭注《喪服》,别有單行之本,故《隋》、《唐志》亦别注於録。今有馬國翰輯本。

喪服變除一卷　鄭玄注。

注喪服紀一卷　《隋志》:"《喪服經傳》一卷。"即此書。

又一卷　鄭玄注。

盧植　注小戴禮記二十卷　《釋文·叙録》:"盧植《注》十二卷。"《隋志》:"《禮記》十卷,漢北中郎盧植注。"植,范《書》有傳。今有臧庸、馬國翰輯本。

禮記二十卷　盧植注。

馬融　周官傳十二卷　《釋文·叙録》:“馬融注《周官》十二卷。”《隋志》:“《周官禮》十二卷,馬融注。”今有馬國翰輯本。

周官十二卷　馬融撰。

又　注喪服記一卷　《釋文·叙録》:“《喪服》一篇,别行於世,馬融注之。”《隋志》:“《喪服經傳》一卷。”今有王謨、孫馮翼、馬國翰輯本。

喪服紀一卷　馬融注。

王肅　注小戴禮記三十卷　《釋文·叙録》:“王肅注《禮記》三十卷。”《隋志》:“《禮記》三十卷,王肅注。”今有馬國翰輯本。

又二十卷　王肅注。

又　注周官十三卷　《釋文·叙録》:“王肅注《周官》十二卷。”《隋志》:“《周官禮》十二卷,王肅注。”

又十二卷　王肅注。

注儀禮十七卷　《隋志》:“《儀禮注》十七卷,王肅注。”《釋文·叙録》云:“肅只注《喪服》。”

又十七卷　王肅注。

音二卷　《釋文·叙録》:“王肅《三禮音》各一卷,《七録》唯云撰《禮記音》。”

儀禮音二卷

喪服要記一卷　《隋志》:“一卷。”今有馬國翰輯本。

喪服要記一卷　王肅注。

注喪服紀一卷　《釋文·叙録》:“馬融、王肅並注《喪服》。”《隋志》:“作《喪服經傳》一卷。”

鄭小同　禮記義記四卷　《隋志》:“梁有《禮義》四卷,魏侍中鄭小同撰,亡。”小同,見范書《鄭玄傳》。

禮記義記四卷　鄭小同撰。

袁準　注儀禮一卷　《隋志》:“《喪服經傳》一卷,晋給事中袁準注。”準,見《魏志·袁涣傳》,涣子也。謹按準注《儀禮·喪服》,“喪服”二字不宜去,下孔倫、陳銓、蔡超、田僧紹四家同。

又一卷　袁準注。

孔倫　注一卷　《釋文・敘録》:"孔倫字敬序,會稽人,東晋盧陵太守,集衆家注《喪服》。"《隋志》:"《集注喪服經傳》一卷,晋盧陵太守孔倫撰。"倫,見《晋書・孔愉傳》。今有馬國翰輯本。

又一卷　謹按未注撰人。

陳銓　注一卷　《釋文・敘録》:"陳銓,不詳何人,注《喪服》。"《隋志》:"《喪服經傳》一卷,陳銓注。"謹按《隋志》在孔倫下裴松之前,當爲晋宋間人。今有馬國翰輯本。

又一卷　陳銓注。①

蔡超宗　注二卷　《釋文・敘録》:"蔡超字希遠,濟陽人,宋丞相,諮議參軍,注《喪服》。"《隋志》:"《喪服經傳》二卷,宋丞相諮議參軍蔡超宗注。"超,見《宋書・南郡王義宣傳》。"宗"字衍。

又二卷　蔡超宗注。

田僧紹　注二卷　《釋文・敘録》:"田儁之字僧紹,馮翊人,齊東平太守,注《喪服》。"《隋志》:"《集解喪服經傳》二卷,齊東平太守田僧紹解。"

又二卷　田僧紹注。

傅玄　周官論評十二卷　陳邵駮。　《釋文・敘録》:"陳劭字節良,下邳人,晋司空長史。"《隋志》:"《周官禮異同評》十二卷,晋司空長史陳邵撰。"玄,《晋書》有傳。邵,見《晋書・儒林傳》。謹按"邵"、"劭"字異。

周官論評十二卷　陳邵駮,傅玄評。

杜預　喪服集議三卷　《隋志》:"《喪服要集》二卷,晋征南將軍杜預撰。"預,《晋書》有傳。謹按"征"當爲"鎮"。今有馬國翰輯本。

喪服要集議三卷　杜預撰。

賀循　喪服譜一卷　《隋志》:"《喪服譜》一卷,賀循撰。"循,《晋書》有傳。今有馬國翰輯本。

喪服譜一卷　賀循撰。

又　喪服要記五卷　謝微注。　《隋志》:"梁有《喪服要》六卷,晋司空賀循撰,亡。""要"下脱"記"字。微,始末無考。今有馬國翰輯本。

---

① "陳銓注"三字原缺,據藕香簃本補。

喪服要紀五卷 賀循撰，謝微注。

干寶　注周官十二卷 《釋文·叙録》："干寶注《周官》十三卷。"《隋志》："《周官禮》十二卷，干寶注。"今有王謨、馬國翰輯本。

又十二卷 干寶注。

又　答周官駮難五卷 孫略問。 《隋志》："《周官禮駮難》四卷，孫略撰。梁有《周官駮難》三卷，孫琦問，干寶駮，晋散騎常侍虞喜撰。"《御覽》引《晋中興書》："略字文度，吴人，妻虞預女。"琦，始末未詳。喜，見《晋書·儒林傳》。謹按孫略爲虞預之壻，與預兄喜同志，隱居不仕者。蓋是書干寶、孫略、孫琦、虞喜四家問難，合爲一編。《隋志》及《七録》共七卷，至唐則存五卷耳。

周官駮難五卷 孫略問，干寶答。

李軌　小戴禮記音二卷 《釋文·叙録》："李軌《禮記音》二卷。"《隋志》："梁有李軌《禮記音》二卷，亡。"

又二卷 李軌撰。

尹毅　音二卷 《釋文·叙録》："尹毅，天水人，東晋國子助教，《禮記音》一卷。"

又二卷 尹毅撰。

徐邈　音二卷 《釋文·叙録》："徐邈《周禮音》一卷。《七録》無《禮記音》三卷。"《隋志》："梁有徐邈《禮記音》二卷，亡。"《舊志》"遜"當作"邈"。

又三卷 徐遜撰。

徐爰　音二卷 《釋文·叙録》："徐爰《禮記音》三卷。"《隋志》："《禮記音》二卷，宋中散大夫徐爰撰。"

又三卷 徐爰撰。

司馬伷　周官寧朔新書八卷 《隋志》："梁又有《周官寧朔新書》八卷，晋燕王師王懋約撰，亡。"伷，見《晋書·宣五王傳》。謹按此司马伷書，王懋約注，考伷起家寧朔將軍，書以寧朔名，因此當從《唐志》。① 懋約爲燕王師，蓋燕王機文帝子也。懋約與安樂王友伊説同時。

周官寧朔新書八卷 司馬伷序，王懋約注。

又　禮記寧朔新書二十卷 並王懋約注。 《隋志》："《禮記寧朔新書》八

---

① "當從唐志"四字原缺，據藕香簃本補。

卷,王懋約注。梁有二十卷。"謹按唐元行沖《釋疑論》云:"司馬伷增革向踰百篇,則其書猶在百篇以上,不從大、小戴篇數,與孫炎、葉遵同爲《禮記》之别本。"

禮記寧朔新書二十卷 司馬伷序,王懋約注。

戴顒　月令章句十二卷 謹按此蔡邕書,《舊志》誤以後條《中庸傳》之戴顒冠於此書之上,《新書》因之。《隋志》:"《月令章句》十二卷,漢左中郎將蔡邕撰。"邕,范《書》有傳。

月令章句十二卷 戴顒撰。

又　中庸傳二卷 顒,見《宋・隱逸傳》。

禮記中庸傳二卷 戴顒撰。

緱氏　要鈔六卷 《隋志》:"《禮記要鈔》十卷,緱氏撰。"《隋志》篇叙曰:"《周官》至王莽時劉歆始置博士,以行於世。河南緱氏及杜子春受業於歆,因以教授。"謹按緱氏,《廣韵》云:"緱氏,王子晋子宗敬之後。"考緱氏縣即古滑,因是,緱以地爲氏,陳留有緱氏,見《申屠蟠傳》,惜失其名矣。

禮記要鈔六卷 緱氏撰。

王逡之　注喪服五代行要記十卷 《隋志》:"《喪服世行要記》十卷,齊光禄大夫王逸撰。"逡之,見《齊書・文學傳》。謹按據《齊書・文學傳》,《隋志》"逸"字誤,其云"《五代行要記》","五"或衍文,或"五"下脱"服"字,仍唐人舊文,以世爲代。《舊志》每以注爲志,似音聲之訛。今有馬國翰輯本。

喪服五代行要記十卷 王逡之志。

徐廣　禮論問答九卷 《隋志》:"《禮論答問》八卷,宋中散大夫徐廣撰。《禮論答問》十二卷,徐廣撰。《禮答問》二卷,徐廣撰,殘缺,梁十一卷。又梁有《答問》四卷,徐廣撰,亡。"謹按隋有四項,①至唐只存此數。

禮論問答 徐廣撰。

范寧　禮問九卷 《隋志》:"《禮雜問》十卷,范寧撰。"謹按此記其當代名流問答禮制之語。今有馬國翰輯本。

禮問九卷 范寧撰。

又　禮論答問九卷

---

① "項",藕香簃本作"條"。

禮論答問九卷 范寧撰。

射慈 小戴禮記音二卷 《釋文·叙録》:“射慈《禮記音》一卷。”慈,見《吴志》《吴主孫休》、《齊王孫孫奮》等傳。“射”一作“謝”。今有馬國翰輯本。

又二卷 謝慈撰。

又 喪服天子諸侯圖二卷 《隋志》:“梁有《喪服變除圖》五卷,吴齊王傅射慈撰,亡。”謹按此二卷即五卷之存者。今有馬國翰輯本。

喪服天子諸侯圖二卷 謝慈撰。

崔游 喪服圖一卷 《隋志》:“《喪服圖》一卷,贺遊撰。”游,見《晋書·儒林傳》。姚振宗云:“‘賀’當作‘崔’。”

喪服圖一卷 崔游撰。

蔡謨 喪服譜一卷 《隋志》:“《喪服譜》一卷,晋開府儀同三司蔡謨撰。”謨,《晋書》有傳。今有馬國翰輯本。

喪服譜一卷 蔡謨撰。

喪服要難一卷 趙成問,袁祈答。 《隋志》:“《喪服答要難》一卷,袁祈撰。”成、祈,始末未詳。

喪服要難一卷 趙成問,仇祈答。

伊説 注周官十卷 《隋志》:“《周官禮》十二卷,伊説注。”

又十卷 伊説撰。

孫炎 注禮記三十卷 《釋文·叙録》:“孫炎注《禮記》二十卷。”《隋志》:“《禮記》三十卷,魏秘書監孫炎注。”炎,見《魏志》王肅坿傳。今有馬國翰輯本。

又三十卷 孫炎注。

葉遵 注三十卷 《釋文·叙録》:“葉遵注《禮記》十二卷。”《隋志》:“梁有《禮記》十二卷,葉遵注,亡。”

又二十卷 葉遵注。

董勛 問禮俗十卷 《隋志》:“《問禮俗》十卷,董勛撰。”嚴氏《文鈔》云:“董勛仕魏,入晋爲議郎。”今有王謨、馬國翰輯本。

問禮俗十卷 董勛撰。

劉儁 禮記評十卷 《隋志》:“《禮記評》十一卷,劉儁撰。”儁,始末未詳。

禮記評十卷　劉儁撰。

吴商　雜禮義十一卷　《隋志》:"梁有晋益壽令吴商《禮難》十二卷,《雜義》十二卷,又《禮議雜記故事》十二卷,《喪雜事》十二卷,亡。"嚴《文編》云:"吴商仕魏,入晋爲國子博士。惠帝初,遷助教,出爲益壽令。"錢氏《考異》云:"'壽'當作'陽',屬衡陽郡。"①今有馬國翰輯本。《舊志》云:"吴商等。"不止商一人也。

雜禮義十一卷　吴商等撰。

何承天　禮論三百七卷　《隋志》:"《禮論》三百卷,宋御史中丞何承天撰。"承天,《宋書》有傳。今有馬國翰輯本。

禮論三百七卷　何承天撰。

顔延之　禮逆降議三卷　《隋志》:"梁有《逆降義》三卷,宋特進顔延之撰,亡。"延之,《宋書》有傳。今有馬國翰輯本。

禮論降議三卷　顔延之撰。

任預　禮論條牒十卷　又　禮論帖三卷　《隋志》:"《禮論條牒》十卷,宋太尉參軍任預撰。《禮論帖》三卷,任預撰,梁四卷。"謹按慧皎《高僧·釋慧嚴傳》云:"東海何承天問嚴佛國將用何曆,嚴言其法甚詳,承天無所厝難,帝敕任預受焉。"是任預與承天同善曆事者,所撰别有《益州紀》,疑是蜀人。其爲太尉參軍,或當在晋義熙中。

禮論條牒十卷　任預撰。

禮論帖三卷　任預撰。

禮論鈔六十六卷　《隋志》:"《禮論鈔》六十九卷。"謹按《唐志》云:"任預撰。"《隋志》不著撰人。《唐志》六十六卷,《隋志》六十九卷,即任氏書而多三卷者,疑有《禮論帖》三卷在内。

禮論六十六卷　任預撰。②

庾蔚之　禮記略解十卷　《釋文·叙録》:"庾蔚之《略解》十卷。季隨,潁川人,宋員外常侍。"《隋志》:"《禮記略解》十卷,庾氏撰。"今有馬國翰輯本。蔚之,見《宋書·隱逸·雷次宗傳》。

---

① "衡"原誤作"衛",據藕香簃本改。

② "禮論"下,中華書局點校本《舊唐書》有"抄"字。"預撰",底本誤倒,據藕香簃本乙正。

禮記略解十卷 庾蔚之撰。

又 注喪服要注五卷 《隋志》:"梁有《喪服要記》,宋員外常侍庾蔚之注。"謹按《隋》、《唐志》均十卷,《唐》止有此數。今有馬國翰輯本。

喪服要記十卷 賀循撰,庾蔚之注。

禮論鈔二十卷 《隋志》:"《禮論鈔》二十卷,庾蔚之撰。"

禮論鈔二十卷 庾蔚之撰。

王儉 禮儀答問十卷 《隋志》:"《禮答問》三卷。又《禮儀答問》八卷。"儉,《齊書》有傳。此志《禮儀答問》十卷、《禮雜答問》十卷,同爲一家一類,不知何例分析。今有馬國翰輯本。

又 禮雜答問十卷

禮儀答問十卷 王儉撰。

喪服古今集記三卷 《隋志》:"《喪服古今集記》三卷,齊太尉王儉撰。"今有馬國翰輯本。

喪服古今集記三卷 王儉撰。

荀萬秋 禮雜鈔略二卷 《隋志》:"齊御史中丞荀萬秋《鈔略》二卷,亡。"萬秋,見《宋書·荀伯子傳》。今有馬國翰輯本。《舊志》"狄"當作"秋"。

禮雜鈔略二卷 荀萬狄撰。

傅隆 禮議一卷 《隋志》:"梁有宋光禄大夫傅隆《禮議》二卷。"隆,《宋書》、《南史》有傳。《舊志》"伯祚",隆之字,"儀"當作"議"。

禮儀一卷 傅伯祚撰。

梁武帝 禮大義十卷 謹按《隋志》:"《制旨革牲大義》三卷,梁武帝撰。又《三禮大義》十三卷,不著撰人。"按唐《日本人書目》有《三禮大義》三十卷,梁武帝撰。疑此條脱"三"字,《隋志》"十三"即"三十"之倒文與。

禮大義十卷 梁武帝撰。

周捨 禮疑義五十卷 《隋志》:"《禮疑義》五十二卷,梁護軍周捨撰。"捨,《梁書》有傳。今有馬國翰輯本。

禮疑義五十卷 周捨撰。

何佟之 禮記義十卷 《隋志》:"《禮記義》十卷,何氏撰。"佟之,《梁書》有傳。據《唐志》爲何佟之,《經義考》以爲何胤,誤。

禮記義十卷 何佟之撰。

又 禮答問十卷 《隋志》:"《禮答問》十卷,何佟之撰。梁二十卷。"

禮答問十卷 何佟之撰。

戚壽 雜禮義問答四卷 壽,始末無考。《舊志》又作"咸壽"。

雜禮義問答四卷 咸壽撰。

賀瑒 禮論要鈔一百卷 《隋志》:"《禮論要鈔》一百卷,賀瑒撰。"

禮論要鈔一百卷 賀瑒撰。

賀述 禮統十二卷 述,始末無考。

禮統十三卷 賀述撰。

崔靈恩 周官集注二十卷 《隋志》:"《集注周官禮》二十卷,崔靈恩注。"靈恩,《梁書》、《北史》有傳。

又 三禮義宗三十卷 《隋志》:"《三禮義宗》三十卷,崔靈恩撰。"今有王謨、馬國翰輯本。

三禮義宗三十卷 崔靈恩撰。

元延明 三禮宗略二十卷 謹按安豐王所撰有《五經宗略》,此殆其中之一編。

三禮宗略二十卷 元延明撰。

皇侃 禮記講疏一百卷 《隋志》:"《禮記義疏》九十九卷,皇侃撰。《禮記講疏》四十八卷,皇侃撰。"侃,見《梁書·儒林傳》。謹按《隋》、《唐志》卷數懸殊,"講"、"義"疑當互易。

禮記講疏一百卷 皇侃撰。

又 義疏五十卷 《釋文·叙録》:"梁國子助教皇侃撰《禮記義疏》,又傳《喪服義疏》並行於世。"謹按此孔氏《正義》據以成書。今有馬國翰輯本。

禮記義疏五十卷 皇侃撰。

喪服文句義十卷 《隋志》:"《喪服文句義疏》十卷,陳國子助教皇侃撰。"謹按"陳"當作"梁"。

喪服文句義十卷

沈重 周禮義疏四十卷 《釋文·叙録》:"沈重撰,近有《問禮》、《禮記音》。"謹按“問禮”當作“周禮”。《隋志》:“《周官禮義疏》四十卷,沈重撰。”重,見《北史·儒林傳》。今有馬國翰輯本。

又 禮記義疏四十卷 今有馬國翰輯本。

禮記義疏四十卷 沈重撰。

熊安生 義疏四十卷 安生,見《周書·儒林傳》。謹按《隋志》未收,然有無名氏《禮記義疏》三十八卷,《禮記議疏》十一卷,兩家。《正義》序其見於世者,惟皇、熊兩家而已。皇《疏》已録,或者其熊書耶?

禮記義疏四十卷 熊安生撰。

劉芳 義證十卷 《隋志》:“《禮記義證》十卷,劉芳撰。”今有馬國翰輯本。《舊志》“方”當作“芳”。

禮記義證十卷 劉芳撰。

沈文阿 喪服經傳義疏四卷

喪服經傳義疏四卷 沈文阿撰。

又 喪服發題二卷

喪服發題二卷 沈文阿撰。

夏侯伏朗 三禮圖十二卷 伏朗,始末未詳。謹按張彦遠《名畫記》:“開皇二十年,敕有司撰,左武侯執旗侍官夏侯朗畫。”或即其人與?

三禮圖十二卷 夏侯伏朗撰。

禮記隱二十六卷 謹按陸氏《釋文》、孔氏《禮疏》每引《禮記隱義》,疑此志脱“義”字。

禮記隱二十六卷

禮類聚十卷

禮記類聚十卷

禮儀雜記故事十一卷 《舊志》以爲吴商撰,説見上。

禮儀雜記故事十一卷

禮統郊祀六卷

禮統郊祀六卷

禮論要鈔十三卷

禮論要鈔十三卷

區分十卷

禮記區分十卷

禮論鈔略十三卷①

禮論鈔十三卷

禮記正義七十卷　孔穎達、國子司業朱子奢、國子助教李善信、賈公彦、柳士宣、范義頵、魏王參軍事張權等奉詔撰。與周玄達、趙君贊、王士雄、趙弘智覆審。

禮記正義二十卷　孔穎達等撰。

賈公彦　禮記正義八十卷　公彦,本書有傳。

禮記疏八十卷　賈公彦撰。

又　周禮疏五十卷　董逌云:"公彦此書,據陳邵《異同評》及沈重《義》爲之。"②今存。

周禮疏五十卷　賈公彦撰。

儀禮疏五十卷　晁公武曰:"齊黄慶、隋李孟悊二家疏義,公彦删定爲五十卷。"今存。

儀禮疏五十卷　賈公彦撰。

魏徵　次禮記二十卷　亦曰《類禮》。　謹按魏徵諫録載付祕省詔書。

王玄度　周禮義決三卷

周禮義決三卷　王玄度撰。③

又　注禮記二十卷

元行沖　類禮義疏五十卷　行沖,《新》、《舊書》有傳。謹按行沖爲魏徵《類禮》撰《義疏》,開元十四年奉上,爲尚書左丞相張説所駁,不得立於學官。

御刊定禮記月令一卷　集賢院學士李林甫、陳希烈、徐安貞,直

① "禮",原誤作"體",藕香簃本同,據中華書局點校本《新唐書》改。

② "之"字原脱,據藕香簃本補。

③ "度"下原脱"撰"字,據藕香簃本補。

學士劉光謙、齊光乂、陸善經，脩撰官史玄晏，待制官梁令瓚等注解。自第五易爲第一。今存石經中，注不存。

成伯璵　禮記外傳四卷 《中興書目》："《禮記外傳》四卷，中山成伯璵撰，吴郡张幼倫注。雖舉《禮記》爲目，而兼三《禮》言之。"

王元感　禮記繩愆三十卷

王方慶　禮經正義十卷 方慶，《舊書》有傳。《經義考》一百三十一、一百四十兩收。

禮雜問答十卷 劉肅曰："方慶精三《禮》，每所酬答，咸有典據，時。"①

李敬玄　禮論六十卷

張鎰　三禮圖九卷 《經義考》："鎰，亳州刺史，撰《三禮圖》九卷。"

陸質　類禮二十卷

韋彤　五禮精義十卷 《崇文總目》："唐太常博士韋彤撰，首載唐禮，參引古義，申釋其文。"今存，恐僞書。

丁公著　禮志十卷

禮記字例異同一卷 元和十一年詔定。

丘敬伯　五禮異同十卷

孫玉汝　五禮名義十卷

杜肅　禮略十卷 《崇文總目》："唐京兆府櫟陽尉杜肅撰，采古注義，下逮當世，槩舉沿革。"

張頻　禮粹二十卷 《崇文總目》："唐寧州參軍張頻纂，凡一百三十五條。"

江都集禮一百二十卷 潘徽等撰。《崇文總目》："煬帝令諸儒集周秦以來禮制因襲，下逮江左先儒論議，令潘徽爲之序。"今序見《文苑英華》。

大唐新禮一百卷 房玄齡等撰。

、**紫宸禮要十卷** 大聖天后撰。

右禮類，六十九家，九十六部，一千八百二十七卷。失姓名

---

① "肅"原誤作"慶"，藕香簃本同，據《大唐新語・識量篇》改。此處引文不全，"時"下應有"人編次之，名曰《禮雜問》"九字。

七家,元行沖以下不著録,十六家,二百九十五卷。

右禮,一百四部,《周禮》十三家,《儀禮·喪服》二十八家,禮論答問三十五家,凡一千九百四十五卷。

桓譚　樂元起二卷　譚,范《書》有傳。《新論》云:"孝成時,余爲樂府令。"謹按《隋志》有《樂元》一卷,魏僧撰,似落"起"字,大約魏僧所傳録也。

樂元起二卷

又　琴操二卷　謹按馬國翰據《新論》有《琴道篇》,不聞有《琴操》。《文選注》引《新論》一條,《書鈔》引作"《琴操》",是唐人誤以《琴道篇》爲《琴操》。

琴操二卷　桓譚撰。

孔衍　琴操一卷　《隋志》:"《琴操》三卷,晋廣陵相孔衍撰。"今有王謨輯本。

琴操三卷　孔衍撰。

荀勖　大樂雜歌辭三卷　勖,《晋書》有傳。謹按勖議樂見《晋書·樂志》。

又　大樂歌辭二卷　謹按勖編《大樂歌辭》,《宋志》尚存一卷。

樂府歌辭十卷

謝靈運　新録樂府集十卷　靈運,《宋書》有傳。

信都芳　删注樂書九卷　《隋志》:"《樂書》七卷,後魏丞相士曹行参軍事信都芳撰。"芳,見《北史·藝術傳》。《魏·樂志》:"正光中,侍中安豐王延明受詔監修金石,博采古今樂事,令其門生河間信都芳考筭之。天下多難,終未製造,乃撰延明所集樂説而注之。"今有馬國翰輯本。《舊志》"彤"字疑衍。

樂書九卷　信都芳彤注。

留進　管絃記十二卷　淩秀　管絃志十卷　《隋志》:"《管絃記》十卷,淩秀撰。"進、秀,始末均無考。

管絃記十二卷　留進録、淩秀注。謹按《舊志》以爲一書,《新志》以爲兩書。

公孫崇　鍾磬志二卷　崇,見《魏·樂志》及《劉芳傳》。《樂志》:"崇言樂事在正始元年。"

鍾磬志二卷　公孫崇撰。

梁武帝　樂社大義十卷　又　樂論三卷　《隋志》:"《樂社大義》十卷,梁武帝撰。《樂論》三卷,梁武帝撰。"《隋書·音樂志》:"帝既素善鍾律,詳悉舊事,遂自製定禮樂。"今有馬國翰輯本。

樂社大義十卷 梁武帝撰。

樂論三卷 梁武帝撰。

沈重　鍾律五卷 《隋志》:"《樂律義》四卷,沈重撰,《鍾律義》一卷。"謹按《隋·律曆志》載其《鍾曆議》一篇及三百六十律名目,《唐志》並作"五卷"。今有馬國翰輯本。

鍾律五卷 沈重撰。

釋智匠　古今樂録十二卷 《隋志》:"《古今樂録》十二卷,陳沙門智匠撰。"《御覽》引作"智象"。謹按此書宋時猶在,郭《樂府》大率據此書。今有王謨、馬國翰輯本。《舊志》"丘"當作"匠"。

古今樂録十三卷 釋智丘撰。

鄭譯　樂府歌辭八卷　樂府聲調六卷 《隋志》:"《樂府聲調》六卷,岐州刺史沛國公鄭譯撰。《樂府聲調》六卷,鄭譯撰。"譯,見《北史·鄭義傳》。謹按譯以周代七聲廢缺,大隋受命,禮樂宜新,更修七始之議,名曰《樂府聲調》,凡八篇,奏上。帝嘉焉,俄拜岐州刺史,復奉詔定樂。《隋志》兩書均作"《樂府聲調》",不如此志稍有區別。

樂府聲調六卷 鄭譯撰。

蘇夔　樂府志十卷 《隋志》有《樂簿》十卷,疑即此書。夔,見《隋·蘇威傳》。①

樂志十卷 蘇夔撰。

李玄楚　樂經三十卷 玄楚,始末無考。

樂經三十卷 李玄楚撰。

元慇　樂略四卷　又　聲律指歸一卷 《隋志》:"《樂略》四卷。"元慇,始末無考,大抵是元魏族人。

樂略四卷　聲律指歸一卷 元慇撰。

翟子　樂府歌詩十卷　又　三調相和歌辭五卷 翟子,始末無考。

劉氏　周氏　琴譜四卷

琴譜四卷 劉氏、周氏等撰。

---

① "蘇威傳"原誤作"功",據藕香簃本改。

陳懷　琴譜二十一卷　懷,始末無考。謹按《舊志》次於趙邪利之前,邪利卒於貞觀十三年,則懷當是唐初人。《舊志》佚撰人,當即陳懷書。

琴譜二十一卷

漢魏吴晋鼓吹曲四卷　原本作"曰",誤,據宋本改"四"字。謹按《漢魏吴晋鼓吹曲》均見《宋書·樂志》,一代一卷。

琴集曆頭拍簿一卷　今有馬國翰輯本。謹按國翰以爲即《隋志》《琴曆頭簿》,然郭茂倩《樂府》分引《琴曆》、《琴集》,自是兩書,似宜分輯。

琴集曆頭拍簿一卷

外國伎曲三卷　又　一卷　謹按《舊志》,《外國伎曲》三卷、《外國伎曲名》二卷、《歷代曲名》一卷,與《隋志》有《歌曲名》五卷、《歷代樂名》一卷大致相合。《隋·音樂志》云:"始開皇初定,令置七部樂。一曰國伎,二曰清商伎,三曰高麗伎,四曰天竺伎,五曰安國伎,六曰龜兹伎,七曰文康伎。又褋有疏勒、扶南、康國、百濟、突厥、新羅、倭國等伎,似即此書。

外國伎曲三卷　外國伎曲名二卷

論樂事二卷　謹按《隋志》有《樂論事》一卷,《樂事》一卷。據《隋志·蘇威傳》爲蘇夔、何妥、鄭譯、牛弘諸家之議。

論樂事二卷

歷代曲名一卷

歷代曲名一卷

推七音一卷　《隋志》:"《推七音》二卷,並尺法。"《隋·音樂志》:"周有七音之律,以天、地、人爲三始,合四時爲七,即宫、商、角、徵、羽、變宫、變徵。"

十二律譜義一卷

十二律譜義一卷

鼓吹樂章一卷

鼓吹樂章一卷

李守真　古今樂記八卷　守真,始末無考。

古今樂記八卷　李守真撰。

蕭吉　樂譜集解二十卷　《隋志》:"《樂譜集》二十卷,蕭吉撰。"吉,見《隋書·藝術傳》。謹按《隋志》似落"解"字。

樂譜集解二十卷 蕭吉撰。

武后 樂書要録十卷 武后,《唐書》有紀。謹按此書《宋志》已不存,東瀛活字印出第二、第六、第七三卷。

樂書要録十卷 大聖天后撰。

趙邪利 琴叙譜九卷 邪利名師,曹州濟陰人,唐道士,善琴。貞觀初,獨步上京,十三年卒。

琴叙譜九卷 趙耶律撰。

張文收 新樂書十二卷 文收,見本書《張懷瓘傳》。謹按《通典》言:"貞觀初,張文收善音律,常覽蕭吉《樂譜》,以爲有未詳,著《新樂書》十餘篇。"

劉貺 太樂令壁記三卷 《崇文書目》云:"協律劉貺《分樂》、《元正樂》、《四夷樂》三篇。"貺,見本書《劉子玄傳》①

徐景安 歷代樂儀三十卷 《崇文總目》:"唐叶律郎徐景安撰《總序律吕》,起周漢,迄于唐,著唐樂章,差爲詳悉。"

崔令欽 教坊記一卷 令欽,始末無考。今存。

吴兢 樂府古題要解一卷 兢,本書有傳。《崇文總目》作"真解"。

郗昂 樂府古今題解三卷 一作"王昌齡"。 昂,始末無考。《崇文總目》:"《古題》所載曲名,與吴兢所撰《樂府解題》頗異。"

段安節 樂府雜録一卷 文昌孫。 安節,見本書《段成式傳》。署銜朝議大夫守國子司業上柱國賜紫金魚袋段安節撰。② 今存。

竇璡 正聲樂調一卷 璡,疑"璉"之誤。璉,《唐書》有傳。《禮樂志》云:"武德九年,始詔太常少卿祖孝孫、協律郎竇璉等定樂詩,論故實,撰《正聲調》一卷。"

玄宗 金風樂一卷 《文獻通考》云:"琴曲名。"

蕭祐 無射九商調一卷 祐見《唐書・韋贯之傳》。《崇文總目》:"祐因胡笳推無射商,自創爲九調。"

趙惟暕 琴書三卷 惟暕,《崇文總目》稱:"翰林待詔。"《書録解題》:"前進士滁州全椒尉。"乃前後官名之異。今有馬國翰輯本。

---

① "貺見本書 劉子玄傳"八字原缺,據藕香簃本補。

② "銜"原作"御",據藕香簃本改。

陳拙　大唐正聲新址琴譜十卷　拙字大巧,長安人,官京兆户曹。謹按"址"當作"扯",《崇文總目》作"垃",纂集諸家之説,不專聲譜。

吕渭　廣陵止息譜一卷　渭,本書有傳。《通考》云:"晋嵇康作琴調《廣陵散》,袁孝己竊聽而寫其聲,李良輔傳之于洛陽僧思百,思百傳之於長安,張老遂傳此譜,總三十三拍,至渭又增三十六拍。"

李良輔　廣陵止息譜一卷　良輔,官河東司户參軍。《玉海》:"李渭、李良輔《廣陵止息譜》各一卷。"

李約　東杓引譜一卷　勉子兵部員外郎。　《崇文總目》云:"約以琴家無角聲,乃造《東杓引》七拍。"

齊嵩　琴雅略一卷　《崇文總目》云:"唐殿中侍郎齊嵩概言創製音器之略。"

王大力　琴聲律圖一卷　《崇文總目》云:"唐恭陵署令王大力承詔撰。"

陳康士　琴譜十三卷　字安道,僖宗時人。

又　琴調四卷　《崇文總目》:"陳康士撫楚調五章,黄鍾調一十章,側蜀琴調皆一章。"

琴譜一卷　《崇文總目》有《琴譜叙》一卷,《琴調譜》一卷,疑脱一字。

離騷圖一卷　《崇文目》云:"依《離騷》以次聲。"

趙邪利　琴手勢譜一卷　《崇文總目》云:"記古琴指法,爲左右手圖二十一種。"

南卓　羯鼓録一卷　卓字昭嗣,大中時黔南觀察使。《崇文總目》云:"羯鼓、夷樂與都曇答鼓皆列于九部,①至唐開元中始盛行于世,卓所記多開元、天寶時曲云。"今存。

右樂類,三十一家,三十八部,二百五十七卷。失姓名九家,張文收以下不著録二十家,九十三卷。

右樂,二十九部,凡一百九十五卷。

左丘明　春秋外傳國語二十卷　《史通·六家篇》:"《國語》家者,其先亦出於丘明,爲《春秋内傳》,又釋其佚文,纂其别説,分周、魯、齊、晋、鄭、楚、吴、越八國

① "鼓"字原脱,據藕香簃本補。

事。"謹按《隋志》:"《國語》注釋者凡六家。"兩《唐志》並著於録,此蓋賈逵解詁,漏未注明。[1] 今存本書,賈注逸。

春秋外傳國語二十卷 左丘明撰。

董仲舒 春秋繁露十七卷 《隋志》:"《春秋繁露》十七卷,漢膠西相董仲舒撰。"仲舒,《漢書》有傳。今存。

春秋繁露十七卷 董仲舒撰。

春秋穀梁傳十五卷 尹更始注。 《釋文・敘録》:"尹更始字翁君,汝南邵陵人,議郎,諫大夫,長樂户將。"又曰:"漢更始《穀梁章句》十五卷。" 《隋志》:"梁有《春秋穀梁傳》十五卷,漢諫議大夫尹更始撰,亡。"今存本書,尹注逸。

春秋穀梁傳章句十五卷[2] 穀梁俶解,尹更始注。

春秋公羊傳五卷 嚴彭祖述。 《隋志》:"《春秋公羊傳》十二卷,嚴彭祖撰。"彭祖,見《漢書・儒林傳》。

春秋公羊傳五卷 公羊高撰,嚴彭祖述。

賈逵 春秋左氏長經章句二十卷 《隋志》:"《春秋左氏長經》二十卷,漢侍中賈逵解詁。" 《南齊書・陸澄傳》:"泰元取服虔而兼取賈逵經,服傳無經,今留服而去賈,則經有所缺。"

春秋左氏長經章句三十卷 賈逵撰。

又 解詁三十卷 《釋文・敘録》:"賈逵《解詁》三十卷。"《隋志》:"《春秋左氏解詁》三十卷。" 今有王謨、馬國翰輯本。

春秋左氏傳解詁三十卷 賈逵撰。

春秋三家訓詁十二卷 謹按《舊志》有"經"字,此脱。

春秋三家經詁訓十二卷 賈逵撰。[3]

董遇 左氏經傳章句三十卷 《釋文・敘録》:"董氏《章句》三十卷。"《隋志》:"《春秋左氏傳》三十卷,董遇章句。" 今有馬國翰輯本。

春秋左氏經傳章句二十卷 董遇注。

---

① 藕香簃本"明"後有"者"字。

② 《舊唐書・經籍志》無"傳"字。

③ "撰"字原脱,據藕香簃本補。

王肅　注三十卷　《釋文·叙録》:"王肅《注》三十卷。"《隋志》:"《春秋左氏傳》三十卷。"今有馬國翰輯本。

春秋左氏傳三十卷　王肅注。

國語章句二十二卷　《隋志》:"《春秋外傳章句》一卷,①王肅撰。梁二十一卷。"

春秋外傳國語章句二十二卷　王肅注。

王朗　注左氏十卷　《釋文·叙録》:"魏司徒王朗注解《左氏傳》。"《隋志》:"《春秋左氏傳》十二卷,魏司徒王朗撰。"

春秋傳十卷　王朗撰。

士燮　注春秋經十一卷　《釋文·叙録》:"士燮注《左氏經》十一卷。"《隋志》:"《春秋經》十一卷,吴衛將軍士燮注。"燮,見《吴志》本傳。謹按士燮治《左傳》,"十一"系"十二"之誤,眉山李氏《古經後序》不足憑。

春秋經十一卷　士燮撰。

杜預　左氏經傳集解三十卷　《釋文·叙録》:"杜預《經傳集解》三十卷。"《隋志》:"《春秋左氏經傳集解》三十卷,杜預撰。"預,《晋書》有傳。今存。

春秋左氏傳三十卷　杜預注。

又　釋例十五卷　《釋文·叙録》:"杜預《春秋釋例》十五卷,四十篇。"《隋志》:"《春秋釋例》十五卷,杜預撰。"　今存《大典》本。

音三卷　《釋文·叙録》:"杜预《音》三卷。"《隋志》:"梁有服虔、杜預《音》三卷。"謹按《隋志》合服、杜兩家音爲一帙,唐分爲兩書。

春秋左氏傳音三卷　杜預注。

鄭衆　牒例章句九卷　《隋志》:"梁有《春秋左氏傳條例》九卷,漢大司農鄭衆撰。"衆,見范書《鄭興傳》,從父受《左氏春秋》,明三曆,作《春秋難記條例》,知名于世。"謹按《隋志》、《舊志》均作"條牒",字疑。《舊志》"音"是"章"字之誤。

春秋左氏傳條例音句九卷　鄭衆撰。

潁容　釋例七卷　《釋文·叙録》:"作《春秋條例》。"《隋志》:"《春秋釋例》十卷,漢公車徵士潁容撰。"容,見范書《儒林傳》。今有王謨、馬國翰輯本。《舊志》失注撰人。

---

① "外"後原有"國"字,藕香簃本同,據中華書局點校本《隋書》删。

春秋左氏傳例七卷

劉寔　條例十卷　《隋志》:“《春秋條例》十一卷,晉太尉劉寔撰。”寔,《晉書》有傳。

春秋左氏條例十卷　劉寔撰。

方範　經例六卷　《隋志》:“《春秋經例》十二卷,晉方範撰。”範,始末未詳。

春秋左氏經例十卷　方範撰。

何休　左氏膏肓十卷 鄭玄箴。　《釋文·敘録》:“後鄭作《箴膏肓》、《發墨守》、《起廢疾》,自是《左氏》大興。”《隋志》:“《春秋膏肓》十卷,何休撰。”休,見范書《儒林傳》。《公羊·序》疏:“何氏作《墨守》以距敵《長義》,爲《廢疾》以難《穀梁》,爲《膏肓》以短《左氏》,蓋在注傳之前。”

春秋左氏膏盲十卷　何休撰,鄭玄箴。

又　公羊解詁十三卷　《釋文·敘録》:“何休注《公羊》十二卷。”《隋志》:“《春秋公羊解詁》十一卷,漢諫議大夫何休注。”今存。

春秋公羊經傳十三卷

春秋漢議十卷 麋信注,鄭玄駁。　《隋志》:“十三卷。”謹按據《舊志》似信取何氏之議,鄭氏之駁,並爲之注。據此《志》,又似但信注何氏議,而附以鄭氏駁。

何氏春秋漢議十一卷　何休撰,鄭玄駁,麋信注。

公羊條傳一卷　《隋志》作“條例”,“傳”字誤。謹按《舊志》有“何休注”三字,此脱。

春秋公羊條傳一卷　何休注。

墨守一卷 鄭玄發。　見上。

春秋公羊墨守二卷

穀梁廢疾三卷 鄭玄釋,張靖箴。[①]　見上。靖,泰始末太常博士,堂邑太守。

春秋穀梁廢疾三卷　何休撰,鄭玄釋,張靖箴。

服虔　左氏解誼三十卷　《釋文·敘録》:“九江太守服虔注解《左氏傳》,江左中興,立《左氏傳》杜氏、服氏博士。”又曰:“服虔《解誼》三十卷。”《隋志》:“《春秋左氏

---

① “箴”原误作“成”,據藕香簃本改正。

傳解誼》三十一卷,漢九江太守服虔注。”虔,見范書《儒林傳》。今有王謨、馬國翰輯本。

又 膏肓釋痾五卷 《隋志》:“《春秋左氏膏肓釋痾》十卷,服虔撰。”今有馬國翰輯本。

春秋左氏膏肓釋痾五卷

春秋成長説七卷 《隋志》:“《春秋成長説》九卷,服虔撰。”今有馬國輯本。①

春秋成長説七卷 服虔撰。

塞難三卷 《隋志》:“《春秋塞難》三卷。”

春秋塞難三卷 服虔撰。

音隱一卷 《釋文·叙録》:“音一卷。”《隋志》:“服虔、杜預《音》二卷。”謹按此乃後人合杜預爲一编。

春秋左氏音隱一卷 服虔撰。

駮何氏春秋漢議十一卷 《隋志》:“《春秋漢議》二卷,鄭玄撰。梁有《漢議駁》二卷,服虔撰。”范《儒林傳》:“又以《左傳》駮何休之所駮漢事六十條。”《隋志》:“二卷,重出一條。”謹按《七録》别自爲書,故止二卷,《唐志》合爲一编,故十一卷。《舊志》此條脱“駮”字。

何氏春秋漢記十一卷 服虔注。

王玢 達長議一卷 《隋志》次在服虔、孔融之間,則靈、獻時人也。達,通也,似取鄭、賈諸儒之長義而通之。玢,始末未詳。《舊志》作“盼”,洪氏《通經表》或作“珍”。

春秋達長議一卷 王玢撰。

孫毓 春秋左氏傳義注三十卷 《釋文·叙録》:“孫毓《左氏注》二十八卷。”《隋志》:“《春秋左氏傳》十八卷,孫毓注。”謹按“十”上脱“二”字。今有馬國翰輯本。

春秋左氏傳義注三十卷 孫毓撰。

又 賈服異同略五卷 《隋志》:“《春秋左氏傳賈服異同略》五卷,孫毓撰。”謹按孫氏之意,申賈而駁服,蓋服授於鄭而王肅多注賈逵,孫朋於王,猶評《詩》之見也。”

---

① “今有馬國翰輯本”七字原脱,據藕香簃本補。

春秋左傳賈服異同略五卷 孫毓撰。

梁簡文帝 左氏傳例苑十八卷 《隋志》:"《春秋左傳例苑》十九卷。"簡文帝,《梁書》有紀。 謹按是書《隋志》無撰人,《唐志》始著梁簡文撰,而梁《紀》、《南史》均不載,唯《齊書·晋安王子懋傳》"撰《春秋例苑》三十卷",殆因簡文初亦封晋安王而誤。《經義考》兩收之,殊不合。

春秋左氏例苑十八卷 梁簡文帝撰。

干寶 春秋義函傳十六卷 《隋志》:"《春秋左傳函傳義》十五卷,干寶撰。"謹按本傳云:"寶又爲《春秋左氏義外傳》。"未知與《函傳》異同。今有馬國翰輯本。

春秋義函傳十六卷 干寶撰。

序論一卷 《隋志》:"《春秋序論》二卷,干寶撰。"謹按似即《春秋義函傳》之序論。

春秋序論一卷 干寶撰。

殷興 左氏釋滯十卷 《隋志》:"梁有《春秋釋滯》十卷,晋尚書左丞殷興撰,亡。"

春秋左氏釋滯十卷 殷興撰。

何始真 春秋左氏區別十二卷 《隋志》:"《春秋左氏區別》三十卷,宋尚書功論郎何賀真撰。"謹按"賀"當作"始"。始真,見《宋書·蔡興宗傳》。

春秋左氏傳區分十二卷 何始真撰。

張沖 春秋左傳義略三十卷 《隋志》:"《春秋義略》三十卷,陳右軍將軍張沖撰。"沖,見《陳書》、《北史·儒林傳》。

春秋左氏義略三十卷 張沖撰。

嚴彭祖 春秋圖七卷 《隋志》:"梁有漢太子太傅嚴彭祖撰《古今春秋盟會地圖》一卷,亡。" 彭祖,見《漢書·儒林傳》。

春秋圖七卷 嚴彭祖撰。

吴略 春秋經傳詭例疑隱一卷 《隋志》:"梁有《春秋經傳説例疑引》一卷,吴略撰,亡。"略,始末未詳。 謹按"詭"當作"説"。

春秋經傳詭例疑隱一卷 吴略撰。

京相璠 春秋土地名三卷 《隋志》:"《春秋土地名》三卷,晋裴秀客京相璠等撰。"今有王謨、洪頤煊、馬國翰輯本。

春秋土地名三卷

王延之　旨通十卷　《隋志》:"《春秋旨通》十卷,王延之撰。"延之,《齊書》有傳。

春秋旨通十卷　王延之撰。

顧啓期　大夫譜十一卷　《隋志》:"《春秋左氏諸大夫世譜》十三卷。"疑即是書。啓期,始末未詳。　曾撰《吴地記》,吴時人。

春秋大夫譜十一卷　顧啓期撰。

李謐　叢林十二卷　《隋志》:"《春秋叢林》十二卷。"謐,見《魏書·逸士傳》。

春秋叢林十二卷　李謐撰。

崔靈恩　立義十卷　《隋志》:"《春秋左氏傳立義》十卷,崔靈恩撰。"

春秋立義十卷　崔靈恩撰。

申先儒傳例十卷

申先儒傳例十卷　崔靈恩撰。

沈宏　經傳解六卷　宏,見《梁書·儒林傳》。

春秋經解六卷　沈宏撰。

又　文苑六卷　《隋志》:"《春秋文苑》六卷。"

春秋文苑六卷　沈宏撰。

嘉語六卷　《隋志》:"《春秋嘉語》六卷。"

春秋嘉語六卷　沈宏撰。

沈文阿　義略二十七卷　《隋志》:"《春秋左氏經傳義略》二十五卷,陳國子博士沈文阿撰。"　孔《正義》曰:"其爲義疏者,則有沈文阿、劉炫,今以劉爲本,其疏漏以沈氏補焉。"今有馬國翰輯本。

春秋義略二十七卷　沈文阿撰。

劉炫　攻味十二卷　炫,見《北史·儒林傳》。馬國翰云:"《正義》引炫難賈逵、何休、服虔及或説,反覆掊擊,乃《攻昧》之逸文。"

春秋攻昧十二卷　劉炫撰。

又　規過三卷　今有陳熙晋輯本。

春秋規過三卷　劉炫撰。

述議三十七卷　《隋志》:"《春秋左氏傳述義》四十卷,東晋太學博士劉炫撰。"今有王謨、馬國翰輯本。

春秋述議三十七卷 劉炫撰。

高貴鄉公 左氏音三卷 《釋文·叙録》:"高貴鄉公《音》三卷。"《隋志》:"魏高貴鄉公《春秋左氏傳音》三卷。" 見《魏志·三少帝紀》。

春秋左氏傳音三卷 高貴鄉公撰。

曹耽荀訥音四卷 《釋文·叙録》:"荀訥《音》四卷,字世言,新蔡人,東晋尚書左民郎。"《隋志》:"梁有曹耽《音》,左人郎荀訥等《音》四卷,亡。"

春秋左氏四卷 曹耽、荀訥撰。

李軌 音三卷 《釋文·叙録》:"李軌《音》三卷。"《隋志》:"《春秋左氏傳音》三卷,李軌撰。"

又三卷 李洪範撰。

孫邈 音三卷 《釋文·叙録》:"徐邈《音》三卷。"《隋志》:"《春秋左氏傳音》三卷,徐邈撰。"謹按"孫"當作"徐"。今有馬國翰輯本。

又三卷 孫邈撰,杜預注。

王元規 音三卷

又三卷 王元規撰。

孔氏公羊集解十四卷

春秋公羊經傳集解十四卷 孔氏注。

王愆期注公羊十二卷 《釋文·叙録》:"王愆期注《公羊》十二卷,字門子,河東人,東晋散騎常侍,辰陽伯。"《隋志》:"《春秋公羊經傳》十三卷,晋散騎常侍王愆期注。"愆期,見《晋書·王接傳》。

春秋公羊十二卷 王彦期撰。

又 難答論一卷 庾翼難。 《隋志》:"梁有《春秋公羊論》二卷,晋車騎將軍庾翼問,王愆期答。" 翼,見《庾亮傳》。

春秋公羊論五卷 庾翼問,王彦期答。

高襲 傳記十二卷 《釋文·叙録》:"高襲注《公羊》十二卷,字文,范陽人,東晋河南太守。"《隋志》:"梁有《春秋公羊傳》十二卷,晋河南太守高龍注。" 與《唐志》作"襲"不同。

春秋公羊傳記十二卷 高襲注。

荀爽　徐欽　答問五卷　《隋志》:"《春秋公羊傳問答》九卷,荀爽問。"《册府元龜》作"徐凱"。　荀爽本傳:"《公羊問》编入新書,魏安平太守徐欽答。"

春秋公羊答問五卷　荀爽問,徐欽答。

劉寔　左氏牒例二十卷　前已有《條例》十卷。

又　公羊達義三卷　劉晏注。　《隋志》:"梁有《春秋公羊達義》三卷,劉寔撰,亡。"

王儉　音二卷　儉,《齊書》有傳。

春秋公羊音二卷　王儉撰。

春秋穀梁傳段肅注十三卷　《釋文·叙録》:"段肅注十二卷,不詳何人。"《隋志》:"《春秋穀梁傳》十四卷,段肅注,疑漢人。"　謹按《班固傳》,固奏記東平王云:"弘農功曹史殷肅達學洽聞,才能絶倫,誦《詩》三百,奉使專對。"章懷注云:"固集'殷'作'段'。"亦見《史通·正史篇》。

春秋穀梁傳十三卷　段氏。

唐固　穀梁傳十二卷　《釋文·叙録》:"唐固《注》十二卷。"《隋志》:"《春秋穀梁傳》十三卷,吴僕射唐固注。"固,見《吴志·闞澤傳》。

春秋穀梁傳十二卷　唐固注。

又　注國語二十一卷　《隋志》:"《春秋外傳國語》二十一卷,唐固注。"今有馬國翰輯本。

又二十一卷　唐固注。

糜信　注穀梁十二卷　《釋文·叙録》:"十二卷,信字南山,東海人,魏樂平太守。"《隋志》:"《春秋穀梁傳》十二卷,魏平樂太守糜信注。"謹按"平樂"當爲"樂平"。今有王謨、馬國翰輯本。

又十二卷　糜信注。

又　左氏傳説要十卷　《隋志》:"《春秋説要》十卷,魏樂平太守糜信撰。"

春秋傳説要十卷　糜信撰。

張靖　集解十一卷　《隋志》:"《穀梁傳》十卷,晋堂邑太守張靖注。"

又十一卷　張靖集解。

程闡　經傳集注十六卷　《隋志》:"《春秋穀梁傳》十六卷,程闡撰。"闡,始末未詳。

春秋穀梁經傳一十六卷 程闡集注。①

孔衍 訓注十二卷 《釋文・叙録》:"孔衍《集解》十四卷。"《隋志》:"《春秋穀梁傳》十四卷,孔衍注。" 《闕里文獻考》:"先聖二十二代孫晋廣陵太守衍。"

春秋穀梁傳一十三卷 孔衍訓注。

范寧 集注十二卷 《釋文・叙録》:"范寧《集註》十二卷。"《隋志》:"《春秋穀梁傳》十二卷,范寧集解。"今存。

又十二卷 范甯集注。

徐乾 注十三卷 《釋文・叙録》:"徐乾《穀梁注》十三卷,字文祚,東莞人,東晋給事郎。"《隋志》:"梁有《春秋穀梁傳》十三卷,晋給事郎徐乾注,亡。"今有馬國翰輯本。

又十三卷 徐乾注。

徐邈 注十二卷 《釋文・叙録》:"徐邈《注》十二卷。" 《隋志》:"《春秋穀梁傳》十二卷,徐邈撰。"謹按范《注》引邈書一十有七條,是邈書成於范前。

春秋穀梁十二卷 徐邈注。落"傳"字。

又 傳義十卷。

春秋穀梁傳義十二卷 徐邈注。

音一卷 《隋志》:"梁有《穀梁音》一卷,亡。"似即此書。

春秋穀梁音一卷 徐邈注。

沈仲義 集解十卷 仲義,始末未詳。姚振宗云:②《隋志》有《春秋穀梁傳》四卷,殘缺,張、程、孫、劉四家集解,以爲即此書。惟《隋志》云《春秋穀梁傳》,《唐志》云《春秋穀梁經》一四卷,一十卷亦不合。

春秋穀梁經集解十卷 沈仲義注。

蕭邕 問傳義三卷

穀梁傳義三卷 蕭邕注。

劉兆 三家集解十一卷 《隋志》:"《春秋公羊》、《穀梁傳》十二卷,晋博士劉

① "集"字,原脱,據藕香簃本補。

② "振"原作"繼",藕香簃本同,據姚振宗《隋書・經籍志考証》改。

兆撰。"兆,見《晋書·儒林傳》。謹按傳言"思合三家之異而通之"。今有王謨、馬國翰輯本。

春秋公羊穀梁左氏集解十一卷　劉兆撰。

韓益　三傳論十卷　《隋志》:"《春秋三傳論》十卷,魏大長秋韓益撰。"

春秋三傳論一卷　韓益撰。

胡訥　集撰三傳經解十一卷　《釋文·叙録》:"胡訥《集解》十卷。"《隋志》:"梁有《春秋穀梁傳》十卷,胡訥集解,亡。"訥,永和末太常博士。

春秋三傳經解十一卷　胡訥集撰。

又　三傳評十卷　《隋志》:"《春秋三傳評》十卷,胡訥撰。"

春秋三傳評十卷　胡訥撰。

潘叔度　春秋成集十卷　《隋志》:"《春秋成集》十卷,潘叔度撰。"叔度,見《北齊·儒林傳》。　謹按叔度傳服氏《春秋》。

春秋成集十卷　潘叔度注。

又　合三傳通論十卷　《隋志》:"《春秋經合三傳》十卷,潘叔度撰。"

春秋合三傳通論十卷　潘叔度注。

江熙　公羊穀梁二傳評三卷　《隋志》:"《春秋公羊穀梁二傳評》三卷。"謹按《穀梁》解十家,有江熙。今有馬國翰輯本。

春秋公羊穀梁二傳評三卷　江熙撰。

李鉉　春秋二傳異同十二卷　鉉,始末無考。魏人。

春秋二傳異同十一卷　李鉉撰。

虞翻　注國語二十一卷　《隋志》:"《春秋外傳國語》二十一卷,虞翻注。"今有馬國翰輯本。

春秋外傳國語二十一卷　虞翻撰。

韋昭　注二十一卷　《隋志》:"《春秋外傳國語》二十二卷,韋昭注。"今存。

又二十一卷　韋昭注。

孔晁　解二十一卷　《隋志》:"《春秋外傳國語》二十卷,晋五經博士孔晁注。"今有馬國翰輯本。

又二十一卷　謹按《唐志》無撰人,即孔晁書也。

春秋辨證明經論六卷　謹按《隋志》有《春秋辨證》六卷,疑即此書。

春秋辨證明經論六卷

左氏音十二卷

左氏鈔十卷

春秋左氏鈔十卷

春秋辭苑五卷　謹按《隋志》:"《春秋大夫辭》三卷。"疑即此書,殆以天子、諸侯、卿、士、大夫分篇纂録,或僅存《大夫辭》三卷。

春秋辭苑五卷

雜義難五卷　謹按《隋志》:"梁有《春秋雜議》五卷,少府孔融撰,亡。"疑即是書。

左氏杜預評二卷　《隋志》:"《春秋左氏傳評》二卷,杜預撰。"

左氏杜預評二卷

春秋正義三十六卷 孔穎達、楊士勛、朱長才奉詔撰,馮嘉運、王德韶、蘇德融與隋德素覆審。　今存。

楊士勛　穀梁疏十二卷　《崇文總目》:"唐國子四門助教楊士勛撰,皇朝邢昺等奉詔是正,令太學傳授。"今存。

春秋穀梁傳疏十三卷　楊士勛撰。

王玄度　注春秋左氏傳 卷亡。

盧藏用 春秋後語十卷

高重　春秋纂要四十卷　字文明,士廉五代孫,文宗時翰林侍講,學士。帝好《左氏春秋》,命重分諸國各爲書,别名《經傳要略》。歷國子祭酒。

許康佐等　集左氏傳三十卷 一作"文宗御集"。

徐文遠　左氏義疏六十卷　文遠,《舊書》有傳。

又　左氏音三卷

陰弘道　春秋左氏傳序一卷

李氏　三傳異同例十三卷 開元中右威衛録事參軍,失名。

馮伉　三傳異同三卷　伉,《舊書》有傳。

劉軻　三傳指要十五卷　計有功曰:"軻字希仁,元和末登進士第,卒於洛州刺史。與吴武陵並以史才入史館。"

韋表微　春秋三傳總例二十卷　表微,《新書》有傳。

王元感　春秋振滯二十卷

韓滉　春秋通一卷　滉,《唐書》有傳。　謹按各書作"《春秋通例》"。

陸質　集注春秋二十卷　質,《舊書》有傳。今存吕温代進書表。

又　集傳春秋纂例十卷　謹按質原名淳,避憲宗嫌諱改者。質字伯淳,諸家書目或題作"質"。《通志略》以《纂例》为質撰,以《微旨》为淳撰,誤。今存。

春秋微旨二卷　今存。

春秋辨疑七卷　今存。

樊宗師　春秋集傳十五卷　宗師字紹述,以左司郎出刺絳州。

春秋加減一卷 元和十二年國子監脩完。　《崇文總目》以此經文字多少不同,故誌其增損,以防差駁。

李瑾　春秋指掌十五卷　《崇文總目》:"《春秋指掌》,左式衛兵曹李瑾撰。"

張傑　春秋圖五卷　《崇文總目》:"傑以《春秋》所載車服、器用、都城、井邑之制繢而表之。"

又　春秋指元十卷　《崇文總目》:"唐張傑撰,摘《左氏傳》文,申釋其義。"

裴安時　左氏釋疑七卷 字適之,大中江陵少尹。

第五泰　左傳事類二十卷 字伯通,青州益都人,咸通鄂州文學。

成玄　穀梁總例十卷　字又玄,咸通山陽令。

陸希聲　春秋通例三卷　《崇文總目》:"希聲因三家之例,表正其冗,以通《春秋》之旨。"

陳岳　折衷春秋論三十卷　《崇文總目》:"陳岳撰,以三家異同三百餘條,參求其長,以通《春秋》之義。"《山堂考索》、《春秋會通》均載有遺文。

郭士翔　春秋義鑑三十卷

柳宗元　非國語二卷　宗元,本書《文苑》有傳。元和三四年間,子厚在永州時作。

右春秋類,六十六家,一百部,一千一百六十三卷。失姓名五家,王玄度以下不著録二十二家,四百三卷。

右春秋,一百二部,一千一百八十四卷。

孝經類 《舊志》與《論語》爲一類。

古文孝經孔安國傳一卷 《釋文·叙録》:"《孝經》古文,出於孔氏壁中,别有《閨門》一章,分别十八章,總爲二十二章。"《隋志》:"梁末亡逸。"安國,見尚書類。今存僞本。

古文孝經一卷 孔子説,曾參受,孔安國傳。

劉邵 注一卷 《釋文·叙録》:"字孔才,廣平人,魏光禄勳。一云劉熙。"《隋志》:"梁有光禄大夫劉邵《注》一卷,亡。" 邵,見《魏志》本傳。謹按唐玄宗御注亦引邵注。

古文孝經一卷 劉邵注。

孝經王肅注一卷 《隋志》:"一卷。"肅,見易類。今有馬國翰輯本。

孝經一卷 王肅注。

鄭玄 注一卷 《隋志》:"一卷。"玄,見易類。謹按鄭玄鄭氏議論紛如,《釋文·叙録》有鄭玄,無須考證矣。今有臧庸、陳鱣、孔廣林輯本。

又一卷 鄭玄注。

韋昭 注一卷 《隋志》:"作《孝經解讚》。"昭,見詩類。今有馬國翰輯本。

孝經一卷 韋昭注。

孫熙 注一卷 《釋文·叙録》:"《隋志》均作'孫氏'。"謹按《吴志·宗室·孫静傳》:"静次子瑜,瑜次子熙。"當即其人。

孝經一卷 孫熙注。

蘇林 注一卷 《隋志》:"《孝經》一卷,魏散騎常侍蘇林注。"林,見《魏志·劉劭傳》、《高堂隆傳》。

又一卷 蘇林注。

謝萬 注一卷 《隋志》:"《集解孝經》一卷,謝萬集。"萬,見易類。今有馬國翰輯本。

又一卷 謝萬注。

虞盤佐　注一卷　《釋文·叙録》:"虞槃佑字弘猷,高平人,東晋處士。"《隋志》:"梁一卷,亡。"　謹按"盤"、"槃"、"佑"、"佐"不同,諸書均作"佐",疑"佑"字誤。

又一卷　虞槃佐注。

孔光　注一卷　《釋文·叙録》:"孔光字文泰,東莞人。"《隋志》:"梁一卷,亡。"謹按此是魏晋間人,非漢孔光也。

又一卷　孔光注。

殷仲文　注一卷　《隋志》:"梁一卷,亡。"仲文,見《晋書·叛逆傳》。今有馬國翰輯本。

又一卷　殷仲文注。

殷叔道　注一卷　《隋志》:"梁一卷,亡。"叔道,見《晋書·安帝紀》。

又一卷　殷叔道注。

徐整　嘿注一卷　《隋志》:"《孝經嘿注》一卷,徐整注。"整,見前詩類。

孝經嘿注一卷　徐整注。

車胤　講孝經義四卷　《釋文·叙録》:"車胤字武子,南平人,東晋丹陽尹。"《隋志》:"梁一卷,亡。"胤,見《晋書》本傳。

講孝經義四卷　車胤等注。

荀勖　講孝經集解一卷　《釋文·叙録》:"荀昶字茂祖,晋中書郎。"《隋志》:"梁二卷,亡。"謹按《隋志》有《集議孝經》一卷,荀勖撰。按"勖"當爲"昶"。昶,見《宋書·荀伯子傳》。前一卷爲《集議》,後一卷爲《集解》,以鄭氏爲宗。

講孝經集解一卷　荀勖撰。

皇侃　義疏二卷　《隋志》:"《孝經義疏》三卷,皇侃撰。"侃,見禮類。今有馬國翰輯本。

孝經義疏三卷　皇侃撰。

何約之　大明中皇太子講義疏一卷　《隋志》:"梁有《大明時東宫講》一卷,亡。"皇太子,宋前廢帝。何約之,未詳。此書即約之所録。

大明中皇太子講孝經義疏一卷　何約之。

梁武帝　疏十八卷　《隋志》:"《孝經義疏》十八卷,梁武帝撰。"謹按《魏書·李業興傳》云:"朱異所録。"今有馬國翰輯本。

孝經疏十八卷　梁武帝撰。

太史叔明發題四卷 《隋志》:"《孝經義》一卷,梁楊州文學從事太史叔明撰。"叔明,見《梁書》、《南史·儒林·沈峻傳》。

孝經發題四卷 太史叔明撰。

劉炫 述義五卷 《隋志》:"《千文孝經述義》。"謹按"千"當作"古"。炫,見前尚書類。今有馬國翰輯本。

孝經述義五卷 劉炫撰。

張士儒 演孝經十二卷

演孝經十二卷 張士儒。

應瑞圖一卷 《隋志》:"梁有《孝經圖》一卷。"似即此書。

孝經應瑞圖一卷

賈公彦 孝經疏五卷 見《經義考》。公彦,見禮類。

魏克己 注孝經一卷

又一卷 魏克己注。

任希古 越王孝經新義十卷 《高麗史》:"光宗光德十年,如周,進《越王孝經新義》八卷。"《宋志》:"一卷。"

今上孝經制旨一卷 玄宗。 謹按開元中親注《孝經》,並分書立於國學。今存石本,即邢昺所疏也。

又一卷 玄宗注。

元行沖 御注孝經疏二卷 《崇文總目》:"明皇作注,行沖奉詔作,今疏爲邢疏所掩,其序尚存。"《宋志》:"三卷。"

孝經疏三卷 元行沖撰。

尹知章 注孝經一卷 《舊唐書》:"尹知章,絳州冀城人,國子博士。"

孔穎達 孝經義疏 卷亡。 穎達,見易類。

王元感 注孝經一卷 《舊書》:"長安三年,元感表進。"

李嗣真 孝經指要一卷 《舊唐書》:"嗣真,滑川匡城人,永昌中拜御史中丞,爲來俊臣所陷,配流嶺南。"

平貞眘 孝經議 卷亡。 見《經義考》。

徐浩廣 孝經十卷 浩稱四明山人,乾元二年上授校書郎。

右孝經類,二十七家,三十六部,八十二卷。失姓名一家,尹知章以下不著録六家,一十三卷。　内何約之、張士儒、王元感、平貞眘無考。

論語鄭玄注十卷　《釋文·叙録》:"玄就《魯論》張、包、周之篇章考之《齊》、《古》,爲之注。"《隋志》:"十卷。"今有王應麟、孔廣林、王謨、馬國翰、宋翔鳳輯本。敦煌石室卷子本存《述而》至《鄉黨》四卷。

論語十卷　鄭玄注,虞喜讚。

又　注論語釋義一卷　謹按《舊志》作"十卷",多寡不侔。《隋志》有《古文論語》十卷,鄭玄注。或是此書,而"十"誤爲"一"與?

又十卷　鄭玄注。

論語篇目弟子一卷　《隋志》:"《孔子弟子目録》一卷。"今有王謨、馬國翰輯本。

論語篇目弟子一卷　鄭玄注。

王弼　釋疑二卷　《經典釋文》:"王弼《釋疑》三卷"。《隋志》:"三卷。"今有馬國翰輯本。

論語釋疑二卷　王弼撰。

王肅　注論語十卷　《釋文·叙録》:"十卷。"《隋志》:"梁十卷,亡。"今有馬國翰輯本。

又十卷　王肅注。

又　注孔子家語十卷　《漢志》:"《孔子家語》二十七卷。"顔氏《集注》曰:"非今所見《家語》。"今存十卷。

孔子家語十卷　王肅注。

李充　注論語十卷　《隋志》:"《論語》十卷,晋著作郎李充注。"今有馬國翰輯本。

又十卷　李充注。

梁顗　注十卷　《隋志》:"梁有十卷,亡,晋國子博士梁顗注。"今有馬國翰輯本。

又十卷　梁顗注。

孟釐　注九卷　《釋文·叙録》:"《論語》孟整注十卷,一字孟陋。"《隋志》:"梁有十卷。"見《晋書·隱逸傳》。謹按"鼇"當作"整"。

論語九卷　孟鼇注。

袁喬　注十卷　《釋文·叙録》:"袁喬《注》十卷,字彦叔,陳國人,東晋益州刺史,湘西簡侯。"《隋志》:"梁有十卷,亡。"喬,見《晋書·袁瓌傳》。

論語十卷　袁喬注。

尹毅　注十卷　《釋文·叙録》:"尹毅注十卷。"《隋志》:"梁有十卷,亡。"毅,見前禮類。

又十卷　尹毅注。

張氏　注十卷　《隋志》:"梁有司徒左長史張憑注《論語》十卷,亡。"此張氏即憑。憑見《晋書·劉惔》附傳。今有馬國翰輯本。《舊志》"張"誤爲"孫"。

又十卷　孫氏注。

何晏　集解十卷　《釋文·叙録》:"魏吏部尚書何晏集孔安國、包咸、周氏、馬融、鄭玄、陳群、王肅、周生烈之説,并下己意,爲《集解》。"今存。

論語十卷　何晏集解。

孫綽　集解十卷　《隋志》:"《集解論語》十卷,晋廷尉孫綽解。"綽,見《晋書·孫楚傳》。今有馬國翰輯本。

又十卷　孫綽集解。

盈氏　集義十卷　《隋志》:"梁有十卷,亡。"《通志·氏族略》:"盈氏,姬姓,晋欒盈之後。"

論語集義十卷　盈氏撰。

江熙　集解十卷　《隋志》:"《集解論語》十卷,兖州别駕江熙解。"熙,見前詩類。今有馬國翰輯本。

又十卷　江熙集解。

徐氏　古論語義注譜一卷　《隋志》:"梁有《古論語義注譜》一卷,亡,徐氏撰。"丁國鈞《補晋書藝文志》曰:"《舊唐書》次於徐邈《論語音》之下,蓋即邈也。"

古論語義注譜一卷　徐氏撰。

虞喜　贊鄭玄論語注十卷　《隋志》:"九卷,晋散騎常侍虞喜讚。"喜,見前禮類。馬國翰存二節。《隋志》鄭注、虞贊分列,《舊志》誤合爲一。

暢惠明　義注十卷　《隋志》:"作'陽',梁有十卷,亡。"鄧名世《古今姓氏書辨證》:"暢氏出姜姓齊之後。"

論語義注十卷　暢惠明注。

宋明帝　補衛瓘論語注十卷　《隋志》:"八卷,晋太保衛瓘注。梁有《論語補闕》二卷,宋明帝補衛瓘闕,亡。"瓘,見禮類。宋明帝,見易類。謹按瓘書八卷,補缺二卷,今十卷,合爲一。《南史》以爲續注。《舊志》"撰"似"補"字之誤。今有馬國翰輯本。

又十卷　宋明帝撰,衛瓘注。

欒肇　論語釋十卷　《釋文·叙録》:"欒肇《釋疑》十卷。"《隋志》:"《論語釋疑》十卷,晋尚書郎欒肇撰。"肇,見易類。今有馬國翰輯本。

論語釋十卷

又　駁二卷　《隋志》:"《論語駁序》二卷,欒肇撰。"今有馬國翰輯本。

論語駁二卷　欒肇撰。

崔豹　大義解十卷　《隋志》:"《論語集義》八卷,晋尚書左中兵郎崔豹集。梁十卷。"豹,見《世説·言語》注。

論語大義解十卷　崔豹撰。

繆播　旨序二卷　《隋志》:"《論語旨序》三卷,晋衛尉繆播撰。"播,見《魏志·劉劭傳》。今有馬國翰輯本。

論語旨序二卷　繆播撰。

郭象　體略二卷　《隋志》:"《論語體略》二卷,晋太尉主簿郭象撰。"象,見《晋書》本傳。今有馬國翰輯本。

論語體略二卷　郭象撰。

戴詵　述議二十卷　見《經義考》。詵,始末未詳。

論語述議二十卷　戴詵撰。

劉炫　章句二十卷　《隋志》:"《論語章句》十卷,劉炫撰。"炫,見《北史·儒林傳》。

論語章句二十卷　劉炫撰。

皇侃　疏十卷　《隋志》:"《論語義疏》十卷,皇侃撰。"侃,見前禮類。今存。

論語疏十卷　皇侃撰。

褚仲都　講疏十卷　義注隱三卷　雜義十二卷　剔義二卷

《隋志》止有《講疏》十卷。仲都,見前易類。馬國翰得一節。

論語講疏十卷　褚仲都撰。

論語雜義十二卷　論語剔義三卷　謹按《志》無撰人,與《講疏》亦不連屬。

論語義注隱三卷

徐邈　音二卷　《釋文·叙録》:"徐邈《音》一卷。"《隋志》:"梁有《論語音》二卷,徐邈等撰,亡。"　邈,見前易類。

論語音二卷　徐邈撰。

孔叢七卷　《隋志》:"《孔叢》七卷,陳勝博士孔鮒撰。"鮒,見《史記·孔子世家》。今存七卷本。

孔叢七卷　孔鮒撰。

王勃　次論語十卷　王勃,見《唐書》本傳。

次論語五卷　王勃撰。

賈公彦　論語疏十卷　公彦,見周禮類。

論語疏十五卷　賈公彦撰。

韓愈　注論語十卷　《經義考》:"佚,今存《筆解》二卷。"

張籍　論語注辨二卷　《唐詩紀事》:"籍字文昌,和州人,終水部郎中。"

右論語類,三十家,三十七部,三百二十七卷。失姓名三家,韓愈以下不著録二家,十二卷。　今案張氏即憑,徐氏即邈,只盈氏無名耳。

右六十三部,孝經二十七家,論語三十六家,凡三百八十七卷。

宋均　注易緯九卷　侯康云:"宋注今可考者,衹《初學記》、《御覽》引《通卦驗》,《古微書》引《坤靈圖》。"

易緯九卷　宋均注。

注詩緯十卷　《隋志》:"《詩緯》十八卷,魏博士宋均注。"趙在翰《七緯》中有宋注《詩緯》、《推度災》、《汎曆樞》、《會神霧》。

又十卷 宋均注。

注禮緯三卷 趙在翰《七緯》有宋注《含文嘉》、《稽命徵》、《斗威儀》。

禮緯三卷 宋均注。

注樂緯三卷 《隋志》:"《樂緯》三卷,宋均注。"趙在翰《七緯》中有《動聲儀》、《稽耀嘉》、《汁圖徵》。

樂緯三卷 宋均注。

注春秋緯三十八卷 《隋志》:"梁有《春秋緯》三十卷,宋均注。"趙在翰《七緯》中有《演孔圖》、《元命苞》、《文耀鉤》、《運斗樞》、《感精符》、《合誠圖》、《考異郵》、《保乾圖》、《漢含孳》、《佐助期》、《潛潭巴》、《説題辭》。

春秋緯三十八卷 宋均注。

注論語緯十卷 《隋志》作:"《論語讖》八卷,宋均注。"侯康云:"有《摘輔象》、《摘衰聖》、《比考讖》、《陰嬉讖》、《撰考讖》五種。"今有馬國翰輯本。

論語緯十卷 宋均注。

注孝經緯五卷 《隋志》:"梁有《孝經雜緯》十卷,宋均注。" 《舊志》"六"是"孝"字之誤。

六經緯五卷 宋均注。

鄭玄 注書緯三卷 《隋志》:"《尚書緯》三卷,鄭玄注。梁有九卷。"《鄭學録》經疏引《孝靈耀》最多。范書《方術傳》注引《璇璣鈐》、《考靈耀》、《刑德放》、《帝命驗》、《運期受》。今有孫穀、馬國翰輯本。

書緯三卷 鄭玄注。

注詩緯三卷 趙在翰《七緯》但引鄭氏《汎曆樞》注。

詩緯三卷 鄭玄注。

右讖緯類,二家,九部,八十四卷。

劉向 五經雜義七卷 《隋志》:"《五經義》六卷,梁七卷。"又有《五經義略》一卷,亡,不著撰人,脱"雜"字。向,見《漢·楚元王交傳》。

五經雜義七卷 劉向撰。

又 五經通義九卷 《隋志》:"《五經通義》八卷,梁九卷。"不著撰人。今有王謨、馬國翰輯本。

五經通義九卷 劉向撰。

五經要義五卷 《隋志》:"《五經要義》五卷,梁十七卷,雷氏撰。"今有洪頤煊輯本。

五經要義五卷 劉向撰。

許慎 五經異義十卷 鄭玄駁。 《隋志》:"《五經異義》十卷,後漢太尉祭酒許慎撰。"慎,見《後漢·儒林傳》。今存《異義》一卷,《駁》一卷。

五經異義十卷 許慎撰,鄭玄駁。

譙周 五經然否論五卷 《隋志》:"《五經然否論》五卷,晋散騎常侍譙周撰。"周,見論語類。今有王謨、馬國翰輯本。

五經然否論五卷 譙周撰。

楊方 五經鉤沈十卷 《隋志》:"《五經拘沈》十卷,晋高涼太守楊方撰。"方,見《晋書·賀循傳》。今有馬國翰輯本。謹按《隋志》作"拘沈",《唐志》作"鉤深",即"鉤沈"也。

五經鉤深十卷 楊方撰。

楊思 五經咨疑八卷 《隋志》:"梁有《五經咨疑》八卷,周楊撰,亡。"謹按《隋志》作"周楊",疑是周氏、楊氏相問答。楊名思,周名即不知矣。

五經咨疑八卷 楊思撰。

元延明 五經宗略四十卷 《隋志》:"《五經宗略》二十三卷,元延明撰。"延明,見詩類。

五經宗略四十卷

劉炫 五經正名十二卷 《隋志》:"十二卷。"炫,見尚書類。《舊志》"五"即"二"之誤。

五經正名十五卷 劉炫注。

沈文阿 經典玄儒大義序録十卷 《隋志》:"《經典大義》十卷,沈文阿撰。"後又有《經典玄儒大義序録》二卷,即一書。文阿,見春秋類。

經典大義十卷 沈文阿撰。

班固等 白虎通義六卷 《隋志》:"《白虎通》六卷,不著撰人。"事見《章帝紀》。固,見《漢書》本傳。袁宏《紀》:"建初四年,詔諸臣會白虎觀,議諸經同異,曰

《白虎通》。”今存。

白虎通六卷 漢章帝注。

鄭玄 六藝論一卷 《隋志》:“《六藝論》一卷,鄭玄撰。”今有王謨、陳鱣、馬國翰輯本。

六藝論一卷 鄭玄注。

鄭志九卷 《隋志》:“《鄭志》十一卷,魏侍中鄭小同撰。”范《書》本傳:“門生相與撰應答諸弟子問五經,依《論語》作《鄭志》八篇。”今存三卷。

鄭志九卷

鄭記六卷 《隋志》:“《鄭志》六卷,鄭玄弟子撰。”《唐會要》:“左庶子劉知幾上議曰:‘鄭之弟子,分授門徒,各述師言,更推其問答,編録其語,謂之《鄭記》。’”

鄭記六卷

王肅 聖證論十一卷 《隋志》:“《聖證論》十二卷,王肅撰。”《釋文·叙録》又作:“《聖證語》,難鄭玄。”今有馬國翰輯本。

聖證論十一卷

梁武帝 孔子正言二十卷

孔子正言二十卷 梁武帝撰。

簡文帝 長春義記一百卷 《隋志》:“《長春義記》一百卷,梁簡文帝撰。”簡文帝,見詩類。《陳書·徐陵列傳》:“梁簡文在東宫撰《長春殿義記》,使陵爲序。”《舊志》“秋”疑“殿”之誤。

長春秋義記一百卷 梁簡文撰。

樊文深 七經義綱略論三十卷 《隋志》:“《七經義綱》二十九卷,又《七經論》三卷,似省并。”今有馬國翰輯本。

七經義綱略論三十卷 樊文深撰。

又 質疑五卷 《隋志》:“《質疑》五卷,樊文深撰。”謹按《北周書》、《北史》本傳皆不載文深有《質疑》,考《齊書·李公緒傳》,撰《質疑》五卷,《隋志》因上文而誤,《唐志》遞相沿襲與?

質疑五卷 樊文深撰。

張譏 游玄桂林二十卷 《隋志》:“《游玄桂林》九卷,張機撰。”謹按“機”當爲“譏”。譏,見易類。

游玄桂林二十卷 張議撰。

謚法三卷 荀顗演，劉熙注。 《隋志》："《謚法》三卷，劉熙注。"謹按前《大戴禮記》條下注："梁有《謚法》三卷，安南太守劉熙注，亡。"與此不符。熙，見《吴志·張昭傳》。

謚法三卷 荀顗演，劉熙注。

沈約 謚例十卷 《隋志》："《謚法》十卷，特進中軍將軍沈約撰。"約，見《梁書》本傳。

又 謚例十卷 沈約撰。

賀琛 謚法三卷 《隋志》："《謚法》五卷，梁太府賀瑒撰。"謹按"府"下脱"卿"字，"琛"誤"瑒"。琛，見《梁書》本傳。

謚法三卷 賀琛撰。

集天名稱三卷

集天名稱三卷

陸德明 經典釋文三十卷 德明，見《唐書》本傳。今存。

經典釋文三十卷 陸德明撰。

颜師古 匡謬正俗八卷 師古，見《唐書》本傳。今存。

匡謬正俗八卷 顔師古撰。

趙英 五經對訣四卷 英，龍朔中汲令。

劉迅 六説五卷 唐右補闕劉迅撰。作六書以繼六經闕，故止五卷。

劉貺 六經外傳三十七卷 貺，見《舊唐書》列傳。

張鎰 五經微旨十四卷 《唐會要》："建中元年，濠州刺史張鎰上之。"

韋表微 九經師授譜一卷 《唐書》："韋表微，學者薄師道，著《九經師授譜》。"

裴僑卿 微言注集二卷 開元中鄭縣尉。 見《經義考》。

高重 經傳要略十卷

王彦威 續古今謚法十四卷 見《宋·藝文志》。

慕容宗本 五經類語十卷 字泰初，幽州人，大中時。

劉氏 經典集音三十卷 鎔字正範，絳州正平人，咸通中晋州長史。

右經解類,十九家,二十六部,三百八十一卷。失姓名二家,趙英以下不著録十家,一百二十七卷。

右三十六部,經緯九家,七經雜解二十七家,凡四百七十四卷。

爾雅李巡注三卷　《釋文·叙録》:"李巡《注》三卷,汝南人,後漢中黄門。"《隋志》:"梁有《爾雅》三卷,漢黄門李巡注,亡。"巡,見范書《宦者·吕强傳》。今有馬國翰、黄奭輯本。

爾雅三卷　李巡注。

樊光　注六卷　《釋文·叙録》:"樊光《注》六卷,京兆人,後漢中散大夫。沈旋疑非光注。"《隋志》:"《爾雅》三卷,漢中散大夫樊光注。"今有馬國翰、黄奭輯本。

爾雅六卷　樊光注。

孫炎　注六卷　《釋文·叙録》:"孫炎《注》三卷。"《隋志》:"《爾雅》七卷,孫炎注。"炎,見禮類。今有馬國翰、黄奭輯本。

又六卷　孫炎注。

沈旋　集注十卷　《釋文·叙録》:"梁有沈旋,約之子,集衆家之注。"《隋志》:"《集注爾雅》十卷,梁黄門郎沈璇注。"旋,見《梁書·沈約傳》。今有馬國翰、黄奭輯本。

集注爾雅十卷　沈璇注。

郭璞　注一卷　《隋志》:"《爾雅》五卷,郭璞注。"璞,見詩類。今存三卷本。

又三卷　郭璞注。

又　圖一卷　《隋志》:"《爾雅圖》十卷,郭璞撰。"

爾雅圖一卷　郭璞撰。

音義一卷　《隋志》:"梁有《爾雅音》二卷,孫炎、郭璞撰。"今有馬國翰、黄奭輯本。

爾雅音義一卷　郭璞撰。

江灌　圖讃一卷　灌,見《陳書·江總傳》。謹按"灌"當作"漼"。按《隋志》無此書,《唐書》與郭璞相次,疑誤。今有嚴可均輯本。

爾雅圖讚二卷　江灌注。

又　音六卷　《隋志》:"《爾雅音》八卷,祕書學士江漼撰。"

爾雅音六卷　江灌撰。

李軌　解小爾雅一卷　《隋志》:"《小爾雅》一卷,李軌略解。"《小爾雅》,《孔叢子》第十一篇。軌,見易類。

小爾雅一卷　李軌撰。

揚雄　别國方言十三卷　《隋志》:"《方言》十三卷,漢揚雄撰,郭璞注。"雄,見《漢書》列傳。今存。

别國方言十三卷

劉熙　釋名八卷　《隋志》:"《釋名》八卷,劉熙撰。"熙見禮類,今存。①

釋名八卷　劉熙撰。

韋昭　辨釋名一卷　《隋志》:"《辨釋名》一卷,韋昭撰。"昭,見詩類。今有馬國翰輯本。

李斯等　三蒼三卷　郭璞解。　《隋志》:"《三蒼》三卷,郭璞注。秦丞相李斯作《蒼頡篇》,漢揚雄作《訓纂篇》,後漢郎中賈魴作《滂喜篇》,故曰《三蒼》。"今有孫星衍、馬國翰輯本。

三蒼三卷　李斯等撰,郭璞解。

杜林　蒼頡訓詁二卷　《隋志》:"梁有《蒼頡》二卷,後漢司空杜林撰,亡。"林,見《後漢書》本傳。　今有馬國翰輯本。

蒼頡訓詁二卷　杜林撰。

張揖　廣雅四卷　《隋志》:"《廣雅》三卷,魏博士張揖撰。梁有四卷。"《漢書·序例》:"張揖字稚讓,清河人。一云河間人,魏太和中博士。"②今存分十卷。

廣雅四卷　張揖撰。

又　埤蒼三卷　《隋志》:"《埤蒼》三卷,張揖撰。"《舊志》"挹"當作"揖",下同。今有陳鱣、馬國翰輯本。

---

① "熙見禮類今存"六字原缺,據藕香簃本補。

② "和"字原脱,據藕香簃木補。

埤蒼三卷　張揖撰。[①]

三蒼訓詁三卷　《隋志》無。　謹按《玉海·藝文》引《隋志》云:"《三蒼訓詁》三卷,《埤蒼》三卷,魏博士張揖撰。"　似今本《隋志》脱。

三蒼訓詁三卷　張揖撰。

雜字一卷　《隋志》作"《難字》一卷"。《舊志》無。今有任大椿、馬國翰輯本。

古文字訓三卷　《隋志》作"《古今字詁》"。《舊志》作"《古文字詁》"。謹按《漢·藝文志》有《古今字》一卷,揖或取其書而詁之。今有任大椿、馬國翰輯本。

古文字詁二卷　張揖撰。

樊恭　廣蒼一卷　《隋志》:"梁有《廣蒼》一卷,樊恭撰,亡。"恭,始末未詳。[②]　謹按《説文》九千餘字,《埤蒼》已盡收之矣,此蓋搜羅於九千字之外者。今有馬國翰、陶方琦輯本。

廣倉一卷　樊恭撰。

史游　急就章一卷　曹壽解。　《隋志》:"《急就章》一卷,漢黄門史游撰。"游,在漢元帝時。壽,見《後漢書》。

急就章一卷　史游撰,曹壽解。

顔之推　注一卷　之推,見《北齊書》本傳。

急就章注一卷　顔之推撰。

司馬相如　凡將篇一卷　《隋志》:"梁有司馬相如《凡將篇》一卷,亡。"相如,見《漢》、《史》本傳。今有馬國翰輯本。

凡將篇一卷　司馬相如撰。

班固　在昔篇一卷　《隋志》:"梁有班固《在昔篇》一卷,亡。"固,見范《書》本傳。謹按二篇似即班氏續揚雄《訓纂》十三章之篇名,《説文》亦引班固説。

在昔篇一卷　班固撰。

太甲篇一卷　《隋志》:"梁有班固《太甲篇》一卷。"

太甲篇一卷

蔡邕　聖草章一卷　《隋志》:"梁有蔡邕《聖皇篇》一卷。"邕,見禮類。謹按唐玄

---

① "揖"原誤作"挹",據《舊唐書·經籍志》改。

② 藕香簃本"恭"下有"無考"二字。

度《論十體》及朱長文《墨池編》皆云《聖皇篇》。

聖草章一卷　蔡邕撰。

又　勸學篇一卷　《隋志》:“《勸學》一卷,蔡邕撰。”今有馬國翰輯本。

勸學篇一卷　蔡邕撰。

今字石經論語二卷　《隋志》:“《一字石經周易》一卷,《一字石經尚書》六卷,《一字石經魯詩》六卷,《一字石經儀禮》九卷,《一字石經春秋》一卷,《一字石經公羊傳》九卷,《一字石經論語》二卷,七經皆邕所書。”按後文又複出此條,當省。《舊志》無。

崔瑗　飛龍篇篆草勢合三卷　《隋志》:“梁有崔瑗《飛龍篇》一卷,亡。”瑗,見范書《崔駰傳》。

飛龍篇篆草勢合三卷　崔瑗撰。

許慎　説文解字十五卷　《隋志》:“《説文》十五卷,許慎撰。”慎,見經解類。今存。

説文解字十五卷　許慎撰。

吕忱　字林七卷　《隋志》:“《字林》七卷,晋弦令吕忱撰。”張懷瓘《書斷》曰:“晋吕忱字伯雍,撰《字林》五篇。”《魏・江式傳》又云“六卷”。今有任大椿、陶方琦輯本。

字林十卷　吕忱撰。

楊承慶　字統二十卷　《隋志》:“《字統》二十一卷,楊承慶撰。”承慶,見《魏書・陽尼傳》。謹按“楊”當作“陽”。今有任大椿、馬國翰輯本。

字統二十卷　楊承慶撰。

馮幹　括字苑十三卷

括字苑十三卷　馮幹撰。

賈魴　字屬篇一卷　《隋志》:“梁有《字屬》一卷,賈魴撰,亡。”魴,見《滂喜篇》。謹按:屬,連也,似李彤《字偶》之類。

字屬篇一卷　賈魴撰。

葛洪　要用字苑一卷　謹按《隋志》只有《要字苑》一卷,宋豫章太守謝康樂撰,無此書,疑本是稚川書,《隋志》有誤,又脱“用”字。　今有任大椿輯本。

要用字苑一卷　葛洪撰。

戴規　辨字一卷　《隋志》:"《辨字》一卷,[①]戴規撰。"規,始末未詳。謹按《日本書目》:"《韻林》二卷,戴規撰。"又有《字様》一卷,戴行方撰。行方,頗似戴規之字,《字様》亦似此書之異名。

辨字一卷　戴規撰。

僧寶誌　文字釋訓三十卷　寶誌,見《南史·陶宏景傳》。

文字釋訓三十卷　釋寶誌撰。

周成　解文字七卷　《隋志》:"梁有《解文字》七卷,周成撰,亡。"謹按錢大昕《養新録》云:"《隋志》有《雜字解詁》四卷,魏掖庭右丞周氏撰。又云'梁有《解文字》七卷,周成撰',似即一人。《唐志》有《解文字》,無《雜字解詁》。"又《一切經音義》屢引周成《難字》,疑《解文字》之子目。《選注》屢引《解字文》,似其本名,《隋志》及《新唐志》似倒。

解字文七卷　周成撰。

王延　雜文字音七卷　《隋志》:"《文字音》七卷,晋蕩昌長王延撰。"王延,始末未詳。謹按《選注》引此書。

雜文字音七卷　王延撰。

王氏　文字要説一卷

文字要説一卷　土氏撰。

阮孝緒　文字集略一卷　《隋志》:"《文字集略》一卷,梁文貞處士阮孝緒撰。"孝緒,見《梁書·處士傳》。今有任大椿、馬國翰輯本。

文字集略一卷　阮孝緒撰。

彭立　文字辨嫌一卷　《隋志》:"《文字辨嫌》一卷,彭立撰。"立,始末未詳。

文字辨嫌一卷　彭立撰。

王愔　文字志三卷　愔,始末未詳。

文字志三卷　王愔撰。

顧野王　玉篇三十卷　《隋志》:"《玉篇》三十一卷,陳左將軍顧野王撰。"野王,見《陳書》本傳。　今存。

玉篇三十卷　顧野王撰。

---

① "字",原誤作"宗",藕香簃本同,據中華書局點校本《隋書》改。

李登　聲類十卷　《隋志》:"《聲類》十卷,魏左校令李登撰。"謹按《魏書·江式傳》亦分五音。今有任大椿、陳鱣、馬國翰輯本。

聲類十卷　李登撰。

吕静　韻集五卷　《隋志》:"《韻集》六卷,晋安復令吕静撰。"静,忱弟。今有陳鱣、馬國翰輯本。

韻集五卷

陽休之　韻略一卷　《隋志》:"《韻略》一卷,楊休之撰。"休之,見《北齊書》本傳。"楊"當作"陽"。謹按陸法言《切韻·序》亦稱"陽休之《韻略》"。今有任大椿、馬國翰輯本。

韻略一卷　楊休之撰。

又　辨嫌音二卷

辨嫌音二卷　楊休之撰。

夏侯詠　四聲韻略十三卷　《隋志》:"《四聲韻略》十三卷,夏侯詠撰。"夏侯詠,始末未詳。　謹按陸法言《切韻·序》稱"夏侯該",《颜氏家訓·書證篇》云:①"謝炅、夏侯該並讀數千卷書。"舊注云:"一本作該,又作詠。"是"該"字爲是。該又有《漢書音》,見史部。

四聲韻略十三卷　夏侯詠撰。

張諒　四聲部三十卷　《隋志》:"《四聲韻林》二十八卷,張諒撰。"諒,始末未詳。謹按四聲起於齊永明之時,此蓋齊梁編韻之書。

四聲部三十卷　張諒撰。

趙氏　韻篇十二卷

韻篇十二卷　趙氏撰。

陸慈　切韻五卷　見董南一《切韻指掌·序》。

切韻五卷　陸慈撰。

郭訓　字旨篇一卷　《隋志》:"《雜字指》一篇,後漢太子中庶子郭顯卿撰。"謹按顯卿,疑訓之字,《汗簡》作"郭調",《舊志》作"郭玄"。

字旨篇一卷　郭玄撰。

---

① "證"原误作"聲",藕香簃本同,據四庫全書本《颜氏家訓》改。

古文奇字二卷　《隋志》作"《古今奇字》一卷"。謹按釋玄應《音義》引之,列于衛宏《古文官書》之後,是字學中論體勢之書。

古文奇字二卷　郭訓撰。

衛宏　詔定古文字書一卷　《隋志》:"《古文官書》一卷,後漢議郎衛敬仲撰。"宏,見范書《儒林傳》。謹按"字書"當據《舊志》作"官書",體製同張揖《古今字詁》,而字體爲古文、籀文,唐人以爲難得。今有馬國翰輯本。

詔定古文官書一卷　衛宏撰。

虞龢　法書目録六卷

衛恒　四體書勢一卷　《隋志》:"《四體書勢》一卷,晋長水校尉衛恒撰。"恒,見《晋書·衛瓘傳》。

四體書勢一卷　衛恒撰。

蕭子雲　五十二體書一卷　謹按《隋志》有《古今篆隸雜字體》一卷,蕭子政撰。《文選注》亦引蕭子良《古今篆隸文體》,疑是子良書。《封氏聞見記》云:"南齊蕭子良撰古今之書五十二種。"與此恰合,疑"雲"是"良"之誤。

五十二體書一卷　蕭子雲撰。

庾肩吾　書品一卷

書品一卷　庾肩吾撰。

顔之推　筆墨法一卷　謹按《隋志》,顔之推所撰有《訓俗文字略》、《證俗音》、《字略》,本《志》有《筆墨法》,張推《證俗音》,顔慜楚《證俗音略》,而《筆墨法》《舊志》無之,疑此兩書中篇名,"張推"是"顔之推"之譌。慜楚是之推之子,或有慜楚《叙録》。今《家訓》中《書證》、《音辭》兩篇似即此書之大略。

僧正度　雜字書八卷　《隋志》:"《雜字書》九卷,釋正度撰。"正度,見梁《高僧傳》,即僧祐之弟子。

雜字書一卷　釋正度作。

何承天　纂文三卷　《隋志》:"梁有三卷,亡。"承天,見《宋書》本傳。今有任大椿、馬國翰輯本。

纂文三卷　何承天撰。

顔延之　纂要六卷　延之,見《宋書》本傳。

纂要六卷　顔延之撰。

又　詁幼文三卷　《隋志》:"梁有《詁幼》二卷,顔延之撰。《廣詁幼》一卷,宋給事中荀楷撰。"本《志》"詁"爲"詰",三卷,疑荀楷書亦併入。延之,見禮類。謹按延之著《庭誥》,見本傳。"詁幼"、"詰幼",疑"誥幼"之誤。《誥幼》,《庭誥》之異名。

詰幼文三卷　顔延之撰。

張推　證俗音三卷

顔愍楚　證俗音略一卷　《文獻通考》:"正時俗文字之謬,援諸書爲據,凡三十五目。"

證俗音略二卷　顔愍楚撰。

李虔　續通俗文二卷　謹按《隋志》有服虔《通俗文》,而《唐志》明標"李虔《續通俗文》",是兩書也。《晋書》:"李密,一名虔。"今有臧鏞堂、馬國翰輯本,然兩書不分。

續通俗文二卷　李虔撰。

李少通　俗語難字一卷　《隋志》:"《難字要》三卷,密州行參軍事李少通撰。"少通見《北史·李公緒傳》。謹按《隋志》,《俗語難字》一卷,齊王劭撰。《雜要字》三卷,李少通撰。似誤以王劭書爲李少通作,李書又誤"雜"为"難",不著撰人。

俗語難字一卷　李少通撰。

諸葛潁　桂苑珠叢一百卷　潁,見《隋書·文學傳》。

桂苑珠叢一百卷　諸葛潁撰。

朱嗣卿　幼學篇一卷　《隋志》:"梁有《幼學》二卷,朱育撰。"謹按嗣卿,即育字。

幼學篇一卷　朱嗣卿撰。

項峻　始學篇十二卷　《隋志》:"《始學》一卷,不著撰人。梁又有吴郎中項峻《始學篇》十二卷,多寡不同。"今有馬國翰輯本。

始學篇十二卷　項峻撰。

王義之　小學篇一卷　《隋志》:"《小學篇》,晋下邳内史王義撰。"　謹按本《志》作"王羲之",謝啓昆據《隋志》以《唐志》爲誤,孫志祖又據《魏書·任城王傳》以《隋志》爲誤,然官名不合,王義别有《文字要記》,應從謝氏。

小學篇一卷　王羲之作。

楊方　少學集十卷　《隋志》:"《少學》九卷。"方,見經解類。《舊志》"小"應作"少"。

小學集十卷　楊方撰。

顧凱之　啓疑三卷　《隋志》:“《啓疑記》三卷,顧愷之撰。”愷之,見《晋書·文苑傳》。“愷”、“凱”同。今有馬國翰輯本。

啓疑三卷　顧凱之撰。

蕭子範　千字文一卷　子範,見《梁書》本傳,云:“製《千字文》,命記室蔡薳理釋之。”

千字文一卷　蕭子範撰。

周興嗣　次韻千字文一卷　《隋志》:“《千字文》一卷,梁給事中周興嗣撰。”興嗣,見《梁書·文學傳》。　今存。

又一卷　周興嗣撰。

演千字文五卷　《隋志》:“《演千字文》五卷。”謹按《隋書·文苑·潘徽傳》:“潘徽爲《萬字文》。”此即《萬字文》之異名,亦近似也。

演千字文五卷

黄初篇一卷　《隋志》:“梁有《黄初篇》一卷,亡。”不著撰人。謹案篇首有“黄初”句,作者當是魏時。

黄初章一卷

吴章篇一卷　《隋志》:“梁有《吴章篇》一卷,亡。”此似即陸機之《吴章》,《小學考》以爲二,似未審。

吴章一卷

音隱四卷　《隋志》:“《説文音隱》四卷,不著撰人。”今有畢沅輯本。

説文音隱四卷

難要字三卷

難要字一卷

覽字知源三卷

覽字知源三卷

字書十卷　《隋志》有《古今字書》十卷、《字書》三卷、《字書》三卷,均不著撰人。今有陳鱣輯本。

字書十卷

敘同音三卷

敘同音三卷

桂苑珠叢略要二十卷　見《華嚴音義》引。

　桂苑珠叢略要二十卷

古今八體六文書法一卷　《隋志》:"《古文八體六文書法》一卷。"不著撰人。謹按《南史・文學・顔協傳》:"時又有會稽謝善勛爲湘東王府録事參軍,能爲八體六文。"頗似此書。

　古今八體六文書法一卷

古來篆隸詁訓名録一卷

　古來篆隸詁訓名録一卷

筆墨法一卷

　筆墨法一卷

鹿紙筆墨疏一卷

　鹿紙筆墨疏一卷

篆書千字文一卷　《隋志》:"《篆書千字文》五卷。"不著撰人。

　篆書千字文一卷

今字石經易篆三卷　見上。

　今字石經易篆三卷

今字石經尚書本五卷

　今字石經尚書五卷

今字石經鄭玄尚書八卷　《隋志》:"梁有《今字石經鄭氏尚書》八卷,《毛詩》二卷。"《唐書》所云今書,皆一字,蓋指隸書一體也,一字皆漢時所建,而《毛詩》、鄭氏《尚書》漢時不立學官,必無刊石之理。全祖望謂是黄初邯鄲淳補修,據《王肅傳》注。

　今字石經鄭玄尚書八卷

三字石經尚書古篆三卷　《隋志》:"《三字石經尚書》九卷,《三字石經春秋》三卷,蓋魏正始中刻。"今存《三體石經遺字》一卷。

　三字石經尚書古篆三卷

今字石經毛詩三卷　見上。

　今字石經毛詩三卷

今字石經儀禮四卷

今字石經儀禮四卷

三字石經左傳古篆書十三卷　見上。

三字石經左傳古篆書十三卷

今字石經左傳經十卷

今字石經左傳經十卷

今字石經公羊傳九卷

今字石經公羊傳九卷

蔡邕　今字石經論語二卷

今字石經論語二卷　蔡邕注。

曹憲　爾雅音義二卷　憲,見本書《儒學傳》。

又二卷　曹憲撰。

又　博雅十卷　《隋志》作"《博雅音》十卷,曹憲撰"。謹按晁公武《讀書志》:"憲因揖之説附之音解,避煬帝諱,更廣爲博。"謝啓昆云:"《唐志》作'《博雅音義》',宋本實無'音義'二字。"

博雅十卷　曹憲撰。

文字指歸四卷　謹按本書,曹憲仕隋爲秘書學士,於小學家尤邃,與諸儒撰《桂苑珠叢》,①是正文字。

文字指歸四卷　曹憲撰。

劉伯莊　續爾雅一卷　伯莊,見本書《儒學傳》。《舊志》衍"百"字。

續爾雅一百卷　劉伯莊撰。

顔師古　注急就章一卷　今存。

又一卷　顔師古注。

武后　字海一百卷　凡武后所著書,皆元萬頃、范履冰、苗神客、周思茂、胡楚賓、衛業等撰。②　諸人見本書《文苑傳》。

字海一百卷　天聖太后撰。

---

① "儒"字原脱,據藕香簃本補。

② "萬"原作"方",藕香簃本同,據中華書局點校本《新唐書》改。

李嗣真　書後品一卷　《玉海》:"李嗣真因庾肩吾之《品》,更分十等,各爲評贊。"

書後品一卷　李嗣真撰。

徐浩　書譜一卷　浩,本書有傳。見《崇文總目》。

古迹記一卷　見《崇文總目》,亦徐浩撰。

張懷瓘　書斷三卷　開元中翰林院供奉。　竇蒙《述書賦》注:"懷瓘,海陵人,翰林待詔。"《玉海》:"采古人以書名家,差爲三品。"今存。

又　評書藥石論一卷　見《四庫缺書目》,張懷瓘撰。

張敬玄　書則一卷　貞元中處士。

褚長文　書指論一卷　見《崇文總目》。

張彦遠　法書要録十卷　弘靖孫,乾符中大理卿。　《四庫提要》:"彦遠,張嘉貞之玄孫,宏靖之孫,乾符中至大理卿。"今存。

裴行儉　草書雜體　卷亡。

荆浩　筆法記一卷　浩稱洪谷子。　劉道醇《五代名畫補遺》:"荆浩字浩然,河南沁水人,隱於太行之洪谷,自號洪谷子。"今存。

二王張芝張昶等書一千五百十卷　太宗出御府金帛購天下古本,命魏徵、虞世南褚遂良定真僞,凡得羲之真行二百九十紙,爲八十卷。又得獻之、張芝等書,以貞觀字爲印章跡,命遂良楷書小字以影之。其古本多梁、隋官書,梁則滿騫、徐僧權、沈熾文、朱異,隋江總、姚察署記。帝令魏、褚卷尾各署名。開元五年,敕陸玄悌、魏哲、劉懷信檢校,分益卷秩,玄宗自書,開元自爲印。

王方慶　寶章集十卷　《寶真齋法書贊》:①"唐則天后訪右軍筆跡於方慶家,方慶進十卷,凡二十有八人。"武后令中書舍人崔融爲《寶章集》。

又　王氏八體書範四卷

王氏書狀十五卷

玄宗開元文字音義三十卷　玄宗自序。謹案《唐會要》:"開元二十三年三月,

---

① "書"原作"言",藕香簃本同,據四庫本《寶真齋法書贊》改。

頒示公卿。"

張參　五經文字三卷 參自序題"大曆十一年六月"。蓋代宗時人。今存。

唐玄度　九經字樣一卷 陳振孫《書録解題》云:"唐沔王友開成中,官翰林待詔。"今存。

顔元孫　干禄字書一卷 《四庫提要》:"元孫,杲卿之父,官至滁濠沂三州刺史,贈秘書監。"今存。

歐陽融　經典分毫正字一卷 《崇文總目》云:"唐太學博士歐陽融撰,今闕,止存《春秋》中帙。"

李騰　説文字源一卷 陽冰從子。《崇文總目》:"賈耽鎮滑州見陽冰書,歎其精絶,因令騰集許慎《説文》目録五百餘字刊於石,以爲世法。"

僧慧力　像文玉篇三十卷 《崇文總目》:"據顧野王之書,裒益衆説,皆標文示象。"

蕭鈞　韻音二十卷 鈞,見本書《蕭瑀傳》。

孫愐　唐韻五卷 愐存《自序》,天寶十載書成。

武元之　韻銓十五卷 元之,始末無考。

玄宗　韻英五卷 天寶十四載撰。詔集賢院寫付,諸道採訪,使傳布天下。《集賢記注》:"舊韻四百二十九,新加一百五十一,合五百八十韻,一萬九千一百七十九字。"

顔真卿　韻海鏡源三百六十卷 真卿,見本書列傳。《唐會要》:"大曆十二年表上。"《崇文總目》止存十六卷,爲後人韻府之濫觴。

李舟　切韻十卷 舟,見徐楚金《説文解字韻譜·序》。

僧猷智　辨體補脩加字切韻五卷 《宋志》作"智猷"。

右小學類,六十九家,一百三部,七百二十一卷。失姓名二十三家,徐浩以下不著録二十三家,二千四十五卷。

卷　二

乙部史録,其類十三。一曰正史類,二曰編年類,三曰僞史類,四曰雜史類,五曰起居注類,六曰故事類,七曰職官類,八曰雜傳記類,九曰儀注類,十曰刑法類,十一曰目録類,十二曰譜牒類,十三曰地理類。凡著録,五百七十一家,八百五十七部,一萬六千八百七十四卷。不著録,三百五十八家,一萬二千三百二十七卷。

乙部史録,十三家,八百四十四部,一萬七千九百四十六卷。

正史類一,編年類二,僞史類三,雜史類四,起居注類五,故事類六,職官類七,雜傳類八,儀注類九,刑法類十,目録類十一,譜牒類十二,地理類十三。

司馬遷　史記一百三十卷　《隋志》:"《史記》一百三十三卷,《目録》一卷,漢中書司馬遷撰。"遷,見《漢書》本傳。今存,然無單行本。褚少孫及後人補十五篇。

史記一百三十卷　司馬遷撰。

裴駰　集解史記八十卷　《隋志》:"《史記》八十卷,宋南中郎外兵參軍裴駰注。"駰,見《宋書·裴松之傳》。今存,然八十卷本已不傳。

史記八十卷　裴駰集解。

徐廣　史記音義十三卷　《隋志》:"《史記音義》十二卷,宋中散大夫徐野民撰。"廣,見毛詩類。案錢大昕《養新録》:"《史記》記年表干支出於徐廣,唯於每王之元年記干支。今十年一記,又出後人,非廣例也。"

史記音義十三卷　徐廣撰。

鄒誕生　史記音三卷　《隋志》:"《史記音》三卷,梁輕騎都尉參軍鄒誕生撰。"《舊志》"鄒"作"邵",誤。

史記音義三卷　邵誕生撰。

班固　漢書一百二十五卷　《隋志》:"《漢書》一百二十五卷,漢護軍班固撰,太山太守應劭集解。”此《志》則云:“《漢書》一百一十五卷,應劭集解。”《音義》二十四卷,不同。固,見《漢書》本傳。妹昭續成八《表》及《天文志》。今存明德藩刻單行本,一百卷。

漢書一百十五卷 班固撰。

服虔 漢書音訓一卷 《隋志》:“《漢書音訓》一卷,服虔撰。”虔,見春秋類。

漢書音訓一卷 服虔撰。

應劭 漢書音義二十四卷 《隋志》:“《漢書集解音義》二十四卷,應劭撰。”劭,見范書《應奉傳》。按顔書《序例》當爲臣瓚,特相傳爲應劭耳。

漢書集解音義二十四卷 應劭撰。

諸葛亮 論前漢事一卷 又 音一卷 《隋志》:“《論前漢事》一卷,蜀丞相諸葛亮撰。”今存《光武論》一篇。

孟康 漢書音義九卷 《隋志》:“梁有《漢書》孟康音九卷,亡。”康,見《魏書·杜恕傳》注,又見《漢書·叙例》。

漢書音義九卷 孟康撰。

晋灼 漢書集注十四卷 又 音義十七卷 《隋志》:“《漢書集注》十三卷。”《漢書·叙例》:“灼,河南人,晋尚書。”又《音義》十七卷,《隋志》無據。顔氏説集諸家音義爲《集注》,即此書之别本,非《集注》之外别有《音義》也。

漢書集注十四卷 晋灼注。

韋昭 漢書音義七卷 《隋志》:“《漢書音義》七卷,韋昭撰。”昭,見詩類。《舊志》作“韓韋”,誤。

漢書音義七卷 韓韋撰。

崔浩 漢書音義二卷 浩,見《魏書》本傳。謹按《漢書·叙例》云:“浩撰荀悦《漢紀》音義。”非《漢書》,或二書同撰與?

孔氏 漢書音義鈔二卷 孔文祥。

孔氏 漢書音義鈔二卷 孔文祥撰。

劉嗣等 漢書音義二十六卷

漢書音義二十六卷 劉嗣等撰。

夏侯詠 漢書音二卷 《隋志》:“《漢書音》二卷,夏侯詠撰。”《唐志》“詠”作“泳”,誤。詠,見小學類。

漢書音二卷 夏侯泳撰。

包愷 漢書音十二卷 《隋志》:"《漢書音》十二卷,廢太子勇命包愷等撰。"愷,見《北史·儒林傳》。

又十二卷 包愷撰。

蕭該 漢書音十二卷 《隋志》:"《漢書音義》十二卷,國子博士蕭該撰。"該,見《北史·儒林傳》。今有臧鏞堂輯本。

又十二卷 蕭該撰。

陰景倫 漢書律曆志音義一卷

漢書律曆志音義一卷 陰景倫撰。

項岱 漢書叙傳八卷 《隋志》:"《漢書叙傳》五卷,項岱撰。"顔氏《漢書·叙例》:"項昭,不詳何郡縣人。"叙次在孟康之後,因避晋諱改爲岱,與韋曜一例。項别有《幽通賦注》,亦在《叙傳》中。然則項但注《叙傳》,不注全書,與《文選》史述贊引項岱五條,即此書。

漢書叙傳五卷 項岱撰。

劉寶 漢書駁義二卷 《隋志》:"《漢書駁義》二卷,晋安北將軍劉寶撰。"寶,見《漢書·叙例》,字道真,高平人。

漢書駁義二卷 劉寶撰。

陸澄 漢書新注一卷 《隋志》:"《漢書注》一卷,齊金紫光禄大夫陸澄撰。"無"新"字。澄,見《南齊書》本傳。按後梁有陸澄注《漢書》一百二卷,亡。此殆從百二卷中鈔出者與?

漢書新注一卷 陸澄撰。

韋稜 漢書續訓二卷 《隋志》:"《漢書續訓》三卷,梁北平諮議參軍韋稜撰。"稜,見《梁書·韋叡傳》。

姚察 漢書訓纂三十卷 《隋書·志》:"《漢書訓纂》三十卷,陳吏部尚書姚察撰。"察,見《陳書》本傳。《華嚴經音義》、《通典》、《寰宇記》並引《訓纂》文。

顔游秦 漢書決疑十二卷 游秦,見本書《顔師古傳》,師古之叔,撰《漢書決疑》,師古多資取其義。《舊志》作"延年"。

漢書決疑十二卷 顔延年撰。

僧務静 漢書正義三十卷

漢書正義三十卷 僧務静撰。

李喜　漢書辨惑三十卷 《舊志》作“李善”,似一書而重出。

漢書辨惑三十卷 李善撰。

漢書正名氏義十二卷

漢書正名氏義十二卷

漢書英華八卷

漢書英華八卷

劉珍等　東觀漢記一百二十六卷　又　録一卷 《隋志》:“《東觀漢記》一百四十三卷,起光武記注至靈帝,長水校尉劉珍等撰。”按《玉海》云:“安帝永初、永寧間,劉珍、劉騊駼、張衡、李尤等撰集爲《漢記》,漢記之名,始此。《隋志》題‘劉珍等’所本。”今有四庫館本、汪文臺輯本。

東觀漢記一百二十七卷 劉珍撰。

謝承　後漢書一百三十三卷　又　録一卷 《隋志》:“《後漢書》一百三十卷,無帝紀,吴武陵太守謝承撰。”承,見《吴書·妃嬪傳》。今有王謨、汪文臺輯本。

後漢書一百三十卷 謝承撰。

薛瑩　後漢記一百卷 《隋志》:“《後漢記》六十五卷,本一百卷,梁有,今殘缺。晋散騎常侍薛瑩撰。”瑩,見《吴志·薛綜傳》。

後漢記一百卷 薛瑩作。

司馬彪　續漢書八十三卷　又　録一卷 《隋志》:“《續漢書》八十三卷,晋秘書監司馬彪撰。”彪,見《晋書》本傳。今有姚之駰、汪文臺輯本。

續漢書八十三卷 司馬彪撰。

劉義慶　後漢書五十八卷

又　五十八卷 劉義慶撰。

華嶠　後漢書三十一卷 《隋志》:“《後漢書》十七卷,本九十七卷,今殘。晋少府卿華嶠撰。”嶠,見《晋書·華表傳》。《史通·正史篇》:“嶠删定《東觀記》爲《漢後書》,帝紀十二,皇后紀二,典十,列傳七十,譜三,總九十七卷。永嘉喪亂,存者五十餘卷。”

後漢書三十一卷 華嶠作。

謝沈　後漢書一百二卷 《隋志》:“《後漢書》八十五卷,本一百二十二卷,晋祠部郎謝沈撰。”沈，見書類。按袁宏《後漢記》稱“謝忱”。《志》一百二十二卷，合《外傳》在内，至隋而《外傳》佚，唐時復出而軼十卷。今有姚之駰、汪文臺輯本。

又一百二卷　謝沈撰。

袁崧　後漢書一百一卷　又　録一卷　《隋志》：“《後漢書》九十五卷，本一百卷，晋秘書監袁崧撰。”崧，見《晋書·袁瓌傳》。今有姚之駰、汪文臺輯本。

後漢書一百一卷　袁崧作。

范曄　後漢書九十二卷　《隋志》：“《後漢書》九十七卷，宋太子詹事范曄撰。”曄，見《宋書》本傳。今有一百卷，太子賢注本也。

又九十二卷　①范曄撰。

又　論贊五卷　《隋志》：“《後漢書論贊》四卷，范曄撰。”

後漢書論贊五卷　范曄撰。

劉昭　補注後漢書五十八卷　《隋志》：“《後漢書》一百二十五卷，范曄本，梁剡令劉昭注。”昭，見《梁書·文學傳》。按劉昭注范書，因范書無志，取司馬彪《志》補注之，今惟存志三十卷。

後漢書五十八卷　劉昭補注。

韋昭　吴書五十五卷　《隋志》：“《吴書》二十五卷，韋昭撰。本五十五卷，梁有，今殘缺。”昭，見漢書類。《舊志》入僞史類。

吴書五十五卷　韋昭撰。

王隱　晋書八十九卷　《隋志》：“《晋書》八十六卷，本九十三卷，今殘缺。晋著作郎王隱撰。”隱，見《晋書》本傳。今有湯球輯本。

晋書八十九卷　王隱撰。

虞預　晋書五十八卷　《隋志》：“《晋書》二十六卷，本四十四卷，訖明帝，今殘缺。晋散騎常侍虞預撰。”預，見《晋書》本傳。今有湯球輯本。

又五十八卷　虞預撰。

朱鳳　晋書十四卷　《隋志》：“《晋書》十卷，未成。本十四卷，今殘缺。晋中書郎朱鳳撰，訖元帝。”鳳，見《晋書·華譚傳》。今有湯球輯本。

又十四卷　朱鳳撰。

---

①　“二”原誤作“七”，據藕香簃本改。

謝靈運　晋書三十五卷　又　録一卷　《隋志》:"《晋書》三十六卷,宋臨川内史謝靈運撰。"靈運,見《宋書》本傳。謹按謝書有《止足傳》。今有湯球輯本。

又三十五卷　謝靈運撰。

臧榮緒　晋書一百一十卷　《隋志》:"《晋書》一百一十卷,齊徐州主簿臧榮緒撰。"榮緒,見《南齊》本傳。謹按貞觀《晋書》,以臧書爲主,《治要》亦引《晋書》。今有湯球輯本。

晋書一百十卷　臧榮緒撰。

干寶　晋書二十二卷　寶,見易類。

張瑩　漢南紀五十八卷　《隋志》:"《後漢南紀》四十五卷,本五十卷,今殘缺。晋江州從事張瑩撰。"瑩,始末未詳。章氏考證諸書所引,皆云"《漢南紀》",《隋志》"後"字衍。

漢南紀五十八卷　張瑩撰。

劉熙　注范曄後漢紀一百二十二卷　《隋志》:"《後漢書》一百二十五卷,范曄本,①梁剡令劉昭注。"謹按"熙"爲"昭"字之誤。昭本傳,注《後漢》一百八十卷,今合之前條,恰合一百八十卷之數。

蕭該　後漢書音三卷　《隋志》:"《後漢音》三卷,蕭該撰。"該,見前。

後漢書音三卷　蕭該作。

劉芳　後漢書音一卷　《隋志》:"《後漢書音》一卷,後魏太常劉芳撰。"②芳,見詩類。《魏書》:"芳有范曄《後漢書音》一卷。"

臧兢　後漢書音三卷　《隋志》:"《范漢音訓》三卷,陳宗道先生臧競撰。"謹按宋張君房《云笈七籤》載《唐茅山昇真王先生傳》云:"琅邪王遠知,年十五入華陽事貞白先生,授三洞法。又從宗道先生臧矜得諸秘。"是宗道先生神仙家流也。"兢"當爲"矜",《光武紀》引是書正作"臧矜"。

又三卷　臧兢撰。

王沈　魏書四十七卷　《隋志》:"《魏書》四十八卷,晋司空王沈撰。"沈,見《晋書》本傳。《舊志》四十四卷,卷數不同。

魏書四十四卷　王沈撰。

---

① 原脱"本"字,藕香簃本同,據中華書局點校本《隋書》補。

② "魏",原誤作"漢",藕香簃本同,據中華書局點校本《隋書》改。

陳壽　魏國志三十卷　蜀國志十五卷　吴國志二十一卷　並裴松之注。《隋志》:"《三國志》六十五卷,《叙録》一卷,晋太子中庶子陳壽撰,宋太中大夫裴松之注。"今存。《舊志》分《蜀》、《吴》二志入雜僞國史。

魏國志三十卷　陳壽撰,裴松之注。**蜀國志十五卷**　陳壽撰。**吴國志二十一卷**　陳壽撰,裴松之注。

蕭子雲　晋書九卷　《隋志》:"《晋書》十一卷,本一百二卷,梁有,今殘缺。蕭子雲撰。"子雲,見小學類。本傳云:"所著《晋書》一百十卷。"今有湯球輯本。

又九卷　蕭子雲撰。

何法盛　晋中興書八十卷　《隋志》:"《晋中興書》七十八卷,起東晋,宋湘東太守何法盛撰。"法盛,見《宋書》沈約《自序》。以典、注、説、録,易記、表、志、傳。今有湯球輯本。

晋中興書八十卷　何法盛撰。

徐爰　宋書四十二卷　《隋志》:"《宋書》六十五卷,宋中散大夫徐爰撰。"爰,見易類。

宋書四十二卷　徐爰撰。

孫嚴　宋書五十八卷　《隋志》:"《宋書》六十五卷,齊冠軍録事參軍孫嚴撰。"嚴,始末未詳。姚振宗考爲孫盛曾孫冲之,①未知是否。《選注》、《御覽》引並作"孫嚴"。

又四十六卷　孫嚴撰。

沈約　宋書一百卷　《隋志》:"《宋書》一百卷,梁尚書僕射沈約撰。"約,見論語類。今存。

又一百卷　沈約撰。

王智深　宋書三十卷

魏收　後魏書一百三十卷　《隋志》:"《後魏書》一百三十卷,後齊僕射魏收撰。"收,見《北齊書》列傳。今存。

後魏書一百三十卷　魏收撰。

魏澹　後魏書一百七卷　《隋志》:"《後魏書》一百卷,著作郎魏彦深撰。"澹,見

---

① "振",原作"繼",藕香簃本同,據姚振宗《隋書經籍志考証》改。

《隋書》列傳。今存《太宗紀》一卷。《舊志》以澹書爲張太素撰,後又重出,刻誤。

魏書一百七卷　張太素撰。

李德林　北齊末脩書二十四卷　德林,《隋書》有傳。

北齊末脩書二十四卷　①李德林撰。

王劭　齊志十七卷

又　隋書八十卷　《隋志》雜史類:"王劭《齊志》十七卷,亡。《隋書》八十卷。"②劭,見《隋書》列傳。

蕭子顯　齊書六十卷　《隋志》:"《齊書》六十卷,梁吏部尚書蕭子顯撰。"子顯,見《梁書》本傳。今存。

齊書五十九卷　蕭子顯撰。

劉陟　齊書十三卷　《隋志》:"《齊紀》十卷,劉陟撰。"陟,見《南史·文學·杜之偉傳》。

又八卷　劉陟撰。

謝昊　姚察　梁書三十四卷　《隋志》:"《梁書》四十九卷,梁中書謝昊撰。本一百卷。"昊,始末未詳。謹按他書皆作"昊",高似孫《史略》又作"謝炅",《通志·藝文》"謝"又訛作"林"。察,見《陳書》本傳。

梁書三十四卷　謝昊、姚察等撰。

顧野王　陳書三卷　野王,見《陳書》列傳。

陳書三卷　顧野王撰。

傅縡　陳書三卷　縡,見《陳書》列傳。《舊志》作"綜",刻誤。

又三卷　傅縡撰。

許子儒　注史記一百三十卷　又　音三卷　字文舉,叔牙子也。證聖天官侍郎潁川縣男。　子儒,本書附《叔牙傳》。《索隱·序》:"前朝吏部侍郎許子儒亦作《注義》。"

又　史記一百三十卷　許子儒撰。

劉伯莊　史記音義二十卷　伯莊,見本書《儒學·敬播傳》。貞觀中作。

---

① "書"下原脱"二"字,據藕香簃本補。

② "八十卷",藕香簃本同,中華書局點校本《隋書》作"六十卷"。

又二十卷　劉伯莊撰。

御銓定漢書八十七卷　高宗與郝處俊等撰。處俊，本書列傳。

御銓定漢書八十一卷　郝處俊等撰。

顧胤　漢書古今集義二十卷　胤，本書附《令狐德棻傳》。

漢書古今集義二十卷　顧胤撰。

顏師古　注漢書一百二十卷　師古，見本書《儒學傳》。又見《漢書・序例》。今存。

又一百二十卷　顏師古注。

章懷太子賢　注後漢書一百卷　賢命劉訥言、格稀玄等注。今存。

又一百卷　皇太子賢注。

韋機　後漢書音義二十七卷　機，見本書《良吏傳》。謹按傳不言此書，而云曾作《西征記》。又創立孔子廟圖、七十二子及古賢達，皆爲之贊，是能著書之人。

後漢書音義二十七卷

晉書一百二十卷　房玄齡、褚遂良、許敬宗、來濟、陸元仕、劉子翼、令狐德棻、李義府、薛元超、上官儀、崔行功、李淳風、辛邱馭、劉引之、陽仁卿、李延壽、張文恭、敬播、李安期、李懷儼、趙弘智等脩而名爲御撰。今存。

又一百卷　許敬宗撰。

姚思廉　梁書五十六卷　思廉，本書列傳。今存。

又五十卷　姚思廉撰。

陳書三十六卷　皆魏徵等同撰。　魏徵，本書列傳。今存。

又三十六卷　姚思廉撰。

張太素　後魏書一百卷　太素，本書附《公謹傳》。今存《天文志》二卷。

又一百卷　張太素撰。

又　北齊書二十卷

北齊書二十卷

隋書三十二卷

　又三十二卷　張太素撰。

李百藥　北齊書五十卷　百藥,見本書列傳,德林子。今存。

　北齊書五十卷　李伯藥撰。

令狐德棻　後周書五十卷　德棻,本書列傳,熙子。今存。

　後周書五十卷　令狐德棻撰。

隋書八十五卷　志三十卷　顔師古、孔穎達、于志寧、李淳風、韋安化、李延壽與德棻、敬播、趙弘智、魏徵等撰。今存。

　隋書八十五卷　魏徵等撰。

王元感　注史記一百三十卷

徐堅　注史記一百三十卷　堅,本書附《徐齊聃傳》。①

李鎮　注史記一百三十卷　開元十七年上,授門下典儀。

又　義林二十卷

陳伯宣　注史記一百三十卷　貞元中上。　《崇文總目》:"八十七卷,唐陳伯宣因裴駰有所未悉,頗增植焉,然多取《索隱》以爲己説。"

韓琬　續史記一百三十卷　琬,本書附《思彦傳》,思彦子,南陽人。

司馬貞　史記索隱三十卷　開元潤州别駕　貞,河内人。《索隱序》:"弘文館學士。"今存。

劉伯莊　又撰史記地名二十卷

漢書音義二十卷

張守節　史記正義三十卷　守節,序諸王侍讀,宣議郎,守太清道,率府長史。今存,散入三家注。

竇群　史記名臣疏三十四卷

敬播　注漢書四十卷　播,本書《儒學傳》。

又　漢書音義十二卷

---

①　"齊聃"原作"賢聯",藕香簃本作"賢聃",據中華書局點校本《新唐書》改。

元懷景　漢書議苑　卷亡。開元右庶子武陵縣男，謚曰文。

姚庭　漢書紹訓四十卷

沈遵　漢書問答五卷

李善　漢書辨惑一十卷　善，見本書《邕傳》，邕父。

徐堅　晋書一百一十卷　闕。

高希嶠　注晋書一百三十卷[①]　開元一十年上，授清池主簿。

何超　晋書音義三卷　處士。　見《崇文總目》。今存。

武德貞觀兩朝史八十卷　長孫無忌、令狐德棻、顧胤等撰。

吴兢　又齊史十卷

梁史十卷

陳史五卷

周史十卷

隋史二十卷

唐書一百卷　又　一百三十卷　吴兢、韋述、柳芳、令狐峘、于休烈等撰。　《崇文總目》："唐韋述撰。初，吴兢撰《唐史》，自創業，訖于開元，凡一百一十卷。述因兢舊本，更加筆削，刊去《酷吏傳》，②爲紀、志、列傳一百一十二卷。至德、乾元以後，史官于休烈又增《肅宗紀》二卷，而史官令狐峘等復于紀、志、傳後隨篇增輯而不加卷帙。今書一百三十卷，其十六卷，未詳撰人名氏。"

國史一百六卷　又　一百一十三卷

裴安時　史記纂訓二十卷

又　元魏書三十卷　字適之，大中江陵小尹。

凡集史，五家，六部，一千二百二十二卷。高峻以下不著録三家，四百四十卷。

梁武帝　通史六百二卷　《隋志》："《通史》四百八十卷，梁武帝撰。起三皇，訖梁。"武帝，見易類。

---

① "高"，原爲墨丁，藕香簃本同，據中華書局點校本《新唐書》補。

② "刊"原誤作"刑"，據藕香簃本改。

通史六百二卷 梁武帝撰。

李延壽　南史八十卷 延壽,本書列傳。今存。

南史八十卷 李延壽撰。

又　北史一百卷 今存。

北史一百卷 李延壽撰。

高氏　小史一百二十卷 高峻撰。初六十卷,其子迥釐益之。峻,元和中人。 謹按峻,唐初人。《高元裕碑》:"高祖諱峻,蒲州刺史,撰《小史》,行於代。"即此人。

劉氏　洞史二十卷 劉權,忠州刺史,晏曾孫。

姚康復　統史二百卷 大中太子詹事。

右正史類,七十家,九十部,四千八十五卷。失姓名二家,王元感以下不著録二十三家,一千七百九十卷。**總七十三家,六十九部**。

右八十一部,史記六家,前漢二十六家,後漢十六家,魏三家,晋八家,宋三家,後魏三家,後周一家,隋二家,齊二家,梁二家,陳三家,北齊三家,都史三家,凡四千四百四十三卷。

紀年十四卷 汲冢書。 《隋志》:"《紀年》十二卷,汲冢書并《竹書同異》一卷。"事見《晋武帝紀》、《晋書·束晳傳》。今存二卷,明范欽僞撰。

紀年十四卷 汲冢書。

荀悦　漢紀三十卷 《隋志》:"《漢紀》三十卷,魏祕書監荀悦撰。"此稱"魏",誤。悦,見范書《荀淑傳》。今存。

漢紀三十卷 荀悦撰。

應劭等　注荀悦漢紀三十卷 此書《隋》、《唐志》皆不著録,疑劭舊有《漢書集解》,後人移而爲是書之注,又雜取他家音義傳益之,故曰應劭等。

崔浩　漢紀音義三卷浩,見《魏書》本傳。①

---

①　"浩見魏書本傳"六字原缺,據藕香簃本補。

漢紀音義三卷 崔浩撰。

侯瑾 漢皇德紀三十卷 《隋志》雜史篇:“《漢皇德紀》三十卷,漢有道徵士侯謹撰。起光武,至沖帝。”“謹”當作“瑾”。瑾,見范書《文苑傳》。

漢皇德紀三十卷 侯瑾撰。

張璠 後漢紀三十卷 《隋志》:“《後漢紀》三十卷,張璠撰。”璠,見易類。今有章宗源輯本。

後漢紀三十卷 張璠撰。

袁宏 後漢紀三十卷 《隋志》:“《後漢紀》三十卷,袁彥伯撰。”宏,見孝經類。今存。

後漢紀三十卷 袁宏撰。

張緬 後漢略二十七卷 緬,見《梁書》本傳。

劉艾 漢靈獻二帝紀六卷 《隋志》雜史類:“《漢靈獻二帝紀》三卷,漢侍中劉芳撰,殘缺。梁有六卷。”按“芳”是“艾”之譌。艾,見范書《獻帝紀》。今《後漢書注》、《三國志注》均引之。

漢靈獻二帝紀六卷 劉艾撰。

袁曄 漢獻帝春秋十卷 《隋志》:“《棲帝春秋》十卷,袁曄撰。”曄,見《國志》裴松之注。《續漢·五行志》等引數十事。

漢獻帝春秋十卷 袁曄撰。

樂資 山陽公載記十卷 《隋志》雜史類:“《山陽公載記》十卷,樂資撰。”資,始末未詳。謹按載記刱於班固,山陽公何以被此名?

山陽義紀 樂資撰。

習鑿齒 漢晋春秋五十四卷 《隋志》:“《漢晋陽秋》四十七卷,訖愍帝,晋滎陽太守習鑿齒撰。”①鑿齒,見《晋書》本傳。《舊志》衍“春”字。今有湯球輯本。

漢晋陽春秋五十四卷 習鑿齒撰。

魏武本紀四卷 《隋志》雜史類:“《魏武本紀》四卷,梁并歷五卷。”此《志》及《舊志》以本紀入編年類。又雜史類《魏武本紀年》五卷,似重複,今《類聚》、《御覽》等書引之。《舊志》三卷,與四卷不同。

---

① “滎”,原誤“榮”,據藕香簃本改。

魏武本紀三卷

孫盛　魏武春秋二十卷　《隋志》:"《魏氏春秋》二十卷,孫盛撰。"盛,《晉書》有傳。

魏武春秋二十卷　孫盛撰。

又　晉陽秋二十二卷　《隋志》:"《晉陽秋》二十二卷,訖哀帝,孫盛撰。"按《初學記》:"盛著《三國陽秋》。"即此書之别名。今有湯球輯本。

魏澹　魏記十二卷　《隋志》:"《魏記》十二卷,左將軍陰澹撰。"謹按此當作"陰澹","左將軍"上當有"晉"字。澹,見《晉書·張軌傳》。

魏記十二卷　魏澹撰。

梁祚　魏書國紀十卷　《隋志》雜史類:"《魏國統》二十卷,梁祚撰。"祚,見《魏書·儒林傳》。謹按《世説》、《初學記》、《御覽》均引"梁祚《魏國統》。"本《志》"書"字誤衍,"紀"當作"統"。

國紀十卷　梁祚撰。

環濟　吴紀十卷　《隋志》正史類:"《吴紀》九卷,太學博士環濟撰。"濟,見禮類。

吴紀十卷　環濟撰。

陸機　晉帝紀四卷　《隋志》:"《晉紀》四卷,陸機撰。"機,見小學類。《初學記》云:"陸機撰,則追王之義。"

晉帝紀四卷　陸機撰。

干寶　晉紀二十二卷　《隋志》:"《晉紀》二十三卷,干寶撰,訖愍帝。"寶,見易類。干似編年書,章宗源云:"正史類又有干寶《晉書》二十二卷,自是重出。"今有湯球輯本。

晉紀二十二卷　干寶撰。

劉協　注干寶晉紀六十卷　章宗源云:"《梁書·劉昭傳》:'昭父彤集衆家《晉書》,注干寶《晉紀》四十卷。'"《史通》亦作"彤",此作"協",恐誤。

又六十卷　干寶撰,劉協注。

劉謙之　晉紀二十卷　《隋志》:"《晉紀》二十二卷,宋中散大夫劉謙之撰。"謙之,見《宋書·劉康祖傳》。今有湯球輯本。

晉紀二十卷　劉謙之撰。

曹嘉之　晉紀十卷　《隋志》:"《晉紀》十卷,晉前軍諮議曹嘉之撰。"嘉之,見《魏志・楚王彪傳》。傳注引王隱《晋書》,無"之"字。《北堂書鈔》等引,有"之"字。今有湯球輯本。

又十卷 曹嘉撰。

徐廣 晋紀四十五卷 《隋志》:"《晋紀》四十五卷,宋中散大夫徐廣撰。"廣,見詩類。按史言太和以降,世歷三朝,乃海西公五年、簡文帝、孝武帝二十五年。其前爲哀帝者,有孫盛之《晋陽秋》。其後爲安帝者,有王韶之《隆安紀》及檀道鸞《續晋陽秋》、郭季産《續晋紀》,東晋事跡,猶爲完備。

又四十五卷 徐廣撰。

鄧粲 晋紀十一卷 《隋志》:"《晋紀》十一卷,訖明帝,晋荆州别駕鄧粲撰。"粲,見《晋書》列傳。今有湯球輯本。

晋紀十一卷 鄧粲撰。

又 晋陽秋三十二卷 章宗源云:"粲《晋紀》之外又有《晋陽秋》三十二卷。"謹按是孫盛書之誤。《舊志》誤衍"春"字,又"三"訛"二"字。

晋陽春秋二十二卷 鄧粲撰。

檀道鸞 晋春秋二十卷 《隋志》:"《續晋陽秋》二十卷,宋永嘉太守檀道鸞撰。"道鸞,見《南史・文學・檀超傳》。謹按此題當依《隋志》,似續孫盛之書,當作"陽秋","春"字誤。《舊志》"注"字當作"續"。今有湯球輯本。

晋陽秋二十卷 檀道鸞注。

蕭景暢 晋史草三十卷 《隋志》:"《晋史草》三十卷,梁蕭子顯撰。"子顯,字景陽,"暢"乃"陽"字之訛。子顯,見孝經類。

晋史草三十卷 蕭景暢撰。

郭季産 晋續紀五卷 《隋志》:"《續晋紀》五卷,宋新興太守郭季産撰。"季産,始末未詳。名字見《宋書・蔡興宗傳》。又地理類有郭仲産《湘州記》,或其兄弟行與?《舊志》作"秀彦"。

晋續紀五卷 郭秀彦撰。

晋録五卷

晋録五卷

王智深 宋紀三十卷

宋紀三十卷 王智深撰。

裴子野　宋略二十卷　《隋志》:"《宋略》二十卷,梁通直郎裴子野撰。"子野,見禮類。今《建康實録》、《通歷》多存其文。

宋略二十卷　裴子野撰。

鮑衡卿　宋春秋二十卷

宋春秋二十卷　鮑衡卿撰。

王琰　宋春秋二十卷　《隋志》:"《宋春秋》二十卷,梁吴興令王琰撰。"琰,本書附《孔穎達傳》。謹按梁釋慧皎《高僧傳・序》:"太原王琰撰《冥祥記》。"似即此人。

沈約　齊紀二十卷　《隋志》正史類:"《齊紀》二十卷,沈約撰。"謹按《宋書・自序》:"建元四年,被敕撰國史。永明二年,又奏兼著作郎,撰次起居注。"

齊紀二十卷　沈約撰。

吴均　齊春秋三十卷　《隋志》:"《齊春秋》三十卷,梁奉朝請吴均撰。"均,見《南史・文學傳》。《舊志》脱"十"字。

齊春秋三卷　吴均撰。

謝吴　梁典三十九卷

劉璠　梁典三十卷　《隋志》:"《梁典》三十卷,劉璠撰。"璠,見《周書》列傳。

梁典二十卷　劉璠撰。

何之元　梁典三十卷　《隋志》:"《梁典》三十卷,陳始興王諮議何之元撰。"之元,見《陳書・文學傳》。按《史通・正史篇》云:"何之元、劉璠合撰《梁典》三十篇。"今考璠卒于周武帝天和三年,之元作於陳後主即位之歲,其時在周大象,後三年璠書已成。南北不相和,决非合撰。

又三十卷　何之元撰。

蕭韶　梁太清紀十卷　《隋志》:"《梁太清紀》十卷,梁長沙蕃王蕭韶撰。"韶,見《南史・梁宗室傳》。《崇文總目》:"起太清元年,盡六年。"

梁太清紀十卷　蕭韶撰。

皇帝紀七卷　《隋志》雜史類:"《梁帝紀》七卷。"謹按正史鑑有姚察《梁帝紀》七卷,[①]恐重出。

皇帝紀七卷

---

① "鑑",疑當作"類"。

梁末代紀一卷　《隋志》雜史類:"《梁末代紀》一卷,不著撰人。"

梁末代紀一卷

臧嚴　棲鳳春秋五卷　《隋志》雜史類:"《棲鳳春秋》五卷,臧嚴撰。"嚴,見《梁書·文學傳》。

棲鳳春秋五卷　臧嚴撰。

姚最　梁昭後略十卷　《隋志》:"《梁後略》十卷,姚最撰。"最,①見《後周書·藝術傳》。

梁昭後略十卷　姚最撰。

北齊紀二十卷

北齊紀二十卷

王劭　北齊志十七卷　《隋志》:"《齊志》十卷,後齊事王劭撰。"劭,見小學類。與正史類重出,據本傳,劭所著紀傳名《齊書》,一百卷,編年名《齊志》。

北齊志十七卷　王劭撰。

趙毅　隋大業略紀三卷

隋大業略紀三卷　趙毅撰。

杜延業　晉春秋略二十卷　晁氏《讀書志》:"唐祕書右正字杜延業撰。"《中興書目》作"杜光業"。

晉春秋略二十卷　杜延業撰。

張大素　隋後略十卷

隋後略十卷　張大素撰。

柳芳　唐曆四十卷　見《崇文總目》。芳,本書列傳:"字仲敷,河東人,肅宗時官至集賢殿學士,起隋義寧,至唐大曆。"

續唐曆二十二卷　韋澳、蔣偕、李荀、張彦遠、崔瑄撰,崔龜從監脩。　陳氏《書録解題》:"唐監修國史崔龜從撰,起大曆十三年,盡元和十五年,續柳芳之書。"

吴兢　唐春秋三十卷　兢,本書列傳:"汴州浚儀人。"

---

① "最"原作"嚴",據藕香簃本改。

韋述　唐春秋三十卷 述,本書列傳:"宏機曾孫。"

陸長源　唐春秋六十卷 長源,附《董晋傳》,餘慶孫,吴人。

陳嶽　唐統紀一百卷 見《崇文總目》。《書録解題》:"唐江南西道觀察判官陳嶽撰。起武德,盡長慶。"

焦璐　唐朝年代紀十卷 徐州從事,龐勛亂遇害。 見《崇文總目》。

李仁實　通曆七卷 仁實,始末無考。

馬總　通曆十卷 總,本書列傳。謹按十卷,止於隋代。今存。

王氏　五位圖十卷 《崇文總目》云:"自開國至唐,以五運爲叙。"

廣五運圖 卷亡。

苗台符　古今通要四卷 宣懿时人。 見《崇文總目》。

賈欽文　古今年代曆一卷 大中時人。 见《崇文總目》。

曹圭　五運録十二卷 《崇文總目》:"唐曹圭撰。起三皇,迄隋年世"之略。

張敦素　建元曆二卷 見《崇文總目》。

劉軻　帝王曆數歌一卷 字希仁,元和末進士第,洛州刺史。 見《崇文總目》。

封演　古今年號録一卷 天寶末進士第。 《崇文總目》云:"七卷。"演著有《聞見記》。

韋美　嘉號録一卷 中和中進士。 見《崇文總目》。

柳璨　正閏位曆三卷 璨,本書列傳。見《崇文總目》。

李匡文　两漢至唐年紀一卷 昭宗時宗正少卿。 謹按匡文即匡乂,避宋諱。見《崇文總目》。

右編年類,四十一家,四十八部,九百四十七卷。失姓名四家,柳芳以下不著録十九家,三百五十五卷。

常璩　華陽國志十三卷 《隋志》:"《華陽國志》十二卷,常璩撰。"《四庫提要》:"璩字道將,江原人,李勢時官至散騎常侍。"今存十二卷,《附録》一卷。《舊志》脱"十"字。

華陽國志三卷 常璩撰。

又　漢之書十卷 《隋志》:"《漢之書》,常璩撰。"紀成李事,後改稱《漢書》十卷。入晋改爲《蜀李書》。此《志》二書並列重出。《顔氏家訓・書證篇》:"《蜀李書》,一名《漢之書》。"

蜀李書九卷

蜀李書九卷 常璩撰。

和包　漢趙紀十四卷 《隋志》:"《漢趙紀》十卷,和包撰。"《全晋文编》:"和苞仕劉曜,爲侍中,封平輿子,領諫議大夫。"紀劉氏三世事。

漢趙紀十卷 和包撰。

田融　趙石紀二十卷 《隋志》:"《趙書》十卷,一曰《二石集》,紀石勒事,僞太傅長史田融撰。"謂石勒爲前石,石虎爲後石。二書似是一書,重出。

趙石紀二十卷 田融撰。

又　二石紀二十卷

二石紀二十卷 田融撰。

符朝雜紀一卷 似亦田融撰。

王度　隨翽　二石僞事六卷 《隋志》:"《二石傳》二卷,晋北中郎參軍王度撰。"《二石僞治時事》二卷,王度撰。《全晋文》:"王度,太原人,仕石虎爲中書著作郎。"謹按二石書似即《二石紀》重出,①"隨翽"似"陸翽"之誤,蓋合《鄴中記》爲一帙。

二石僞事六卷 王度、隨翽等撰。

二石書十卷

范亨　燕書二十卷 《隋志》:"《燕書》二十卷,紀慕容儁事,僞燕尚書范亨撰。"亨,入後魏,與崔浩同撰國書。見《史通・正史篇》。

燕書二十卷 范亨撰。

王景暉　南燕録六卷 《隋志》:"《南燕録》六卷,紀慕容德事,僞燕中書郎王景暉撰。"②　景暉,見《史通・正史篇》。《舊志》"暄"當作"暉"。

南燕録六卷 王景暄撰。

---

① "二石書"原作"二名書",據藕香簃本改。

② "中"原作"尚",據藕香簃本改。

張銓　南燕書十卷　《隋志》:"《南燕録》五卷,紀慕容德事,僞燕尚書郎張銓撰。"①

南燕書五卷　張銓撰。

高閭　燕志十卷　《隋志》:"《燕志》十卷,記馮跋事,魏侍中高閭撰。"閭,見《魏書》本傳。

燕志十卷

段龜龍　涼記十卷　《隋志》:"《涼記》十卷,記吕光事,僞涼著作郎佐郎段龜龍撰。"今有張澍輯本。

西河記二卷　《隋志》:"《西河記》二卷,記張重華事,晋侍御史喻歸撰。"謹按两《志》无喻歸,别有《段龜龍記》二卷,似因上文而誤。今有張澍輯本。

西河記二卷　段龜龍撰。

張諮　涼記十卷　《隋志》:"《涼記》八卷,記張軌事,僞燕右僕射張諮撰。"《舊志》作"證"。

涼記十卷　张證撰。

劉昞　涼書十卷　《隋志》:"《涼書》十卷,記張軌事,僞涼大將軍從事中郎劉景撰。""景"即"昞",避唐諱。昞,見《魏書》本傳。

又　敦煌實録二十卷　《隋志》:"《敦煌實録》十卷,劉景撰。記李氏西涼事。"《舊志》入雜傳類。

敦煌實録二十卷　劉延明撰。

裴景仁　秦記十一卷　杜惠明注。　《隋志》:"《秦記》十一卷,宋殿中將軍裴景仁撰,梁雍州主簿席惠明注。"本《志》、《舊志》均作"杜"。景仁,見《宋書・沈曇慶傳》。

秦記十一卷　裴景仁撰、杜惠明注。

拓拔涼録十卷　《隋志》:"《拓拔涼録》十卷。"記禿髪三朝事。《舊志》入編年類。

拓拔涼録十卷

桓玄僞事二卷　《舊志》入故事類,並云應德擔志,當是"應詹"。

桓玄僞事二卷　應德遠志。

---

①　"銓",藕香簃本作"詮"。

鄴洛鼎峙記十卷　《舊志》入編年類。謹按似齊、周、陳三國時事，《御覽》引之。

鄴洛鼎峙記十卷

守節先生　天啓記十卷　《隋志》："《天啓記》，梁元帝子諝據湘州事。"謹按蕭莊據鄂州，號天啓，是元帝之孫，"子諝"疑誤。守節先生，姓名無考，亦非湘州。《舊志》入編年類。

天啓記十卷　守節先生撰。

崔鴻　十六國春秋一百二十卷　《隋志》："《十六國春秋》一百卷，魏崔鴻撰。"鴻，見《崔玄傳》。今有明屠孫、項琳之輯本。

十六國春秋一百二十卷　崔鴻撰。

蕭方　三十國春秋三十卷　《隋志》："《三十國春秋》三十一卷，梁湘東世子蕭萬等撰。"萬，當爲"方"，先訛"万"，再改"萬"。本《志》脱"等"字。方等，見《梁書》本傳。《玉海》："以晋爲主，上取吴孫皓事，起宣帝，迄恭帝，劉淵以下二十九國，桓玄、譙縱均在焉。"

李槩　戰国春秋二十卷　《隋志》："《戰國春秋》二十卷，李槩撰。"槩，見小學類。《舊志》入編年類。記十六國春秋之事。

蔡允恭　後梁春秋十卷

武敏之　三十國春秋一百卷　敏之，即賀蘭敏之。

又一百卷　武敏之撰。

右僞史類，一十七家，二十七部，五百四十二卷。失姓名三家。

右七十五部，編年五十五家，雜僞國史二十家，凡一千四百十卷。

古文鎻語四卷　《隋志》："《古文瑣語》四卷，汲冢書。"事見《晋書·束皙傳》。今有洪頤煊、馬國翰輯本。"鎻"、"瑣"通。

古文瑣語四卷

汲冢周書十卷　《隋志》："《周書》十卷，汲冢書，似仲尼删書之餘。今存孔晁注十卷，七十一篇，缺十一篇。"

周書八卷　孔晁注。

子貢　越絶書十六卷　《隋志》雜史篇："《越絶記》十六卷，子貢撰。"即《越絶書》。今存。《四庫提要》考以爲漢袁康撰。

越絶書十六卷　子貢撰。

孔晁　注周書八卷　見上。

何承天　春秋前傳十卷　《隋志》:"《春秋前傳》十卷,何承天撰。《春秋前雜傳》九卷,何承天撰。"謹按《隋志》脱"語"字。承天,見禮類。《南史》本傳:"承天《前傳》、《雜語》行於世。"姚振宗云:"此記春秋以前事,既仿《左氏》爲《傳》十卷,復仿《國語》爲《雜語》。《唐志》所題與《南史》本傳合。"

春秋前傳十卷　何承天撰。

又　春秋前傳雜語十卷

春秋前傳雜語十卷　何承天撰。

樂資　春秋後傳三十卷　資,見編年類。《史通·左傳篇》:"魯国樂資以周貞王續前傳魯哀公後,至王赧入秦,又以秦文公繼周,終以二世之滅,合成三十卷。"今有王謨輯本。

春秋後傳三十卷　樂資撰。

孟儀　注周載十卷　《隋志》:"《周載》八卷,東晋臨賀太守孟儀撰。略記前代,下至秦,本三十卷,亡。"孟儀,始末未詳。陸游《南唐書》曰:"後主嘗得《周載》,江東初無此書,以訪徐鍇,一一條對。"《初學記》、《御覽》共引三事。

周載二十卷　孟儀注。

趙曄　吴越春秋十二卷　《隋志》雜史篇:"《吴越春秋》十二卷,趙曄撰。"曄,見詩類。今存止十卷,《宋志》已如此。

吴越春秋十二卷　趙曄注。

楊方　吴越春秋削繁五卷　《隋志》:"《吴越春秋削繁》五卷,楊方撰。"方,見論語類。

吴越春秋削煩五卷　楊方撰。

吴越記六卷　《隋志》:"《吴越記》六卷。"《隋志》、本《志》均不著撰人。顧櫰三《後漢藝文志》云:"張遐字子遠,餘干人,撰《吴越春秋外記》。"疑即此書。其人在順、桓之世,趙曄之後。

吴越記六卷

劉向　戰國策三十一卷　《隋志》:"《戰國策》三十二卷,劉向撰。"向見《漢書·

楚王交傳》。

戰國策三十二卷 劉向撰。

高誘　注戰國策三十二卷 《隋志》:"《戰國策》二十一卷,高誘撰注。"誘,涿郡涿人,建安中曹操辟爲司空掾,除東郡濮陽令,監河東。今存止十卷,是高注。

戰國策三十二卷 高誘注。

延篤　戰國策論一卷 《隋志》:"《戰國策論》一卷,漢京兆尹延篤撰。"謹按《顏氏家訓》稱延篤《戰國策音義》。

戰國策論一卷 延篤撰。

陸賈　楚漢春秋二十卷 《隋志》:"《楚漢春秋》九卷,陸賈撰。"賈,見《漢書》列傳。今有洪頤煊、茆泮林輯本。

楚漢春秋九卷 陸賈撰。

衛颯　史記要傳十卷 《隋志》:"《史要》十卷,漢桂陽太守衛颯撰。約《史記》要言,以類相從。"颯,見范書《循吏傳》。《舊志》"正記"是"史記"之譌。

正記要傳十卷 衛颯撰。

張瑩　史記正傳九卷 《隋志》:"《史記正傳》九卷,張瑩撰。"瑩,見正史類。

史記正傳九卷 張瑩撰。

譙周　古史考二十五卷 《隋志》正史類:"《古史考》二十五卷,晋義陽亭侯譙周撰。"

古史考二十五卷

王粲　漢書英雄記十卷 《隋志》:"《漢末英雄記》八卷,王粲撰。"謹按《隋志》作"漢末","書"字誤。《續漢・郡國志》引作"《英雄交争記》",各言初平三年事,似即此書,後人省"交争",加入"漢末"字。

葛洪　史記鈔十四卷 洪,見禮類。

又　漢書鈔二十卷 《隋志》:"《漢書鈔》三十卷,晋散騎常侍葛洪撰。"《抱朴子・自序》:"手鈔五經、七史。"本《志》止有三書。

後漢書鈔二十卷

後漢書鈔三十卷 葛洪撰。

張緬　後漢書略二十五卷 已見編年類,此重出。

後漢書略二十五卷 張緬撰。

又　晉書鈔二十卷　《隋志》:"《晉書鈔》三十卷,梁豫章内史張緬撰。"

晉書鈔三十卷　張緬撰。

范曄　後漢書纘十三卷　《隋書》正史類:"《漢書纘》十八卷,范曄撰。"《舊志》有"後"字。

後漢書纘十三卷　范曄撰。

孔衍　春秋時國語十卷　衍,見禮類。

春秋國語十卷　孔衍撰。

又　春秋後國語十卷　今存敦煌石室本。

漢尚書十卷

漢春秋十卷　《隋志》古史類:"《漢魏春秋》九卷,孔舒元撰。"舒元,衍之字。

漢春秋六卷　孔衍撰。

後漢尚書十卷

後漢尚書六卷　孔衍撰。

後漢春秋六卷

後漢春秋六卷　孔衍撰。

後魏尚書十四卷　《隋志》:"《魏尚書》八卷,孔衍撰。梁十卷,成。"謹按《史通·尚書篇》:"衍有《漢尚書》、《後漢尚書》、《漢魏尚書》,凡二十六卷。"今《隋志》《魏尚書》梁十卷,今兩漢十六卷,與《史通》二十六卷。① 此《志》"四"字誤增,而《漢尚書》十卷、《後漢尚書》六卷,《隋志》不著録。

後魏尚書十四卷　孔衍撰。

後魏春秋九卷　《隋志》古史類:"《漢魏春秋》九卷,孔舒元撰。"舒元字名衍,見禮類。謹按《隋志》作《漢魏春秋》,此作"後",似"漢"字之訛。衍既撰《漢春秋》、《後漢春秋》,此文云漢魏者,殆以魏武在漢獻帝之世與?

後魏春秋九卷　孔衍撰。

王越客　後漢文武釋論二十卷

後漢文武釋論二十卷　王越客撰。

---

① 據文義,"二十六卷"後當有"合"字。

袁希之 漢表十卷

漢表十卷 袁希之撰。

張温 三史要略三十卷 《隋志》:"《三史略》二十九卷,吴太子太傅張温撰。"三史者,《史》、《漢書》、《東觀記》。温,見《吴志》本傳。

三史要略三十卷 張温撰。

阮孝緒 正史削繁十四卷 《隋志》:"《正史削繁》九十四卷,阮孝緒撰。"孝緒,見小學類。

正史削繁十四卷 阮孝緒撰。

王延秀 史要二十八卷

史要三十八卷 王延秀撰。

蕭肅 合史二十卷 又 録一卷

合史二十卷

王蔑 史漢要集二卷 《隋志》:"《史漢要集》二卷,晋祠部郎王蔑撰。"鈔《史記》入春秋者,不録。

史漢要集二卷 王蔑撰。

司馬彪 九州春秋九卷 《隋志》:"《九州春秋》十卷,司馬彪撰。"記漢末事。彪,見正史類。《史通・國語篇》曰:"州爲一篇。"明《世善堂書目》猶有此名。

九州春秋九卷 司馬彪撰。

後漢雜事十卷

後漢雜事十卷

魚豢 魏略五十卷 《隋志》:"《典略》八十九卷,魏郎中魚豢撰。"謹按《新志》歸入雜史類,《舊志》入正史類。《隋志》雜史篇有魚豢《典略》八十九卷,《魏略》即在其中。①《舊唐志》始分析著録,曰《典略》五十卷,《魏略》三十八卷。《新唐志》歸入雜史,云《魏略》五十卷,仍似《典略》之誤,宜從《舊志》爲是。按《魏略》即《舊志》之《典略》,《隋志》八十九卷,即《舊志》之《魏略》三十八卷,《典略》五十卷,兩書合并八十八卷,加《録》一卷也,輯之可以成卷。

典略五十卷 魚豢撰。

---

① "九"字原誤作"卷",據藕香簃本改。

孫壽　魏陽秋異同八卷

魏陽秋異同八卷　孫壽撰。

魏武本紀年曆五卷　已見編年類。

魏武本紀年曆五卷

王隱　删補蜀記七卷

删補蜀記七卷　王隱撰。

張勃　吴録三十卷　《隋志》正史類:"梁有張勃《吴録》三十卷,亡。"謹按諸書所引,不似正史類。

吴録三十卷　張勃撰。

李槩　左史六卷　《隋志》:"《左史》六卷,李槩撰。"槩,見小學類。謹按槩以東魏末爲殿侍御史,修國史,殆其所作史稾,取《左史》記言之意。

胡沖　吴朝人士品秩狀八卷

吴朝人士品秩狀八卷　胡沖撰。

又　吴曆六卷

吴曆六卷　胡沖撰。

虞禹　吴士人行狀名品二卷

吴士人行狀名品二卷　虞禹撰。

虞溥　江表傳五卷

江表傳五卷　虞溥撰。

徐衆　三國評三卷　《隋志》正史類:"《三國志評》三卷,徐爰撰。"衆,咸康中黄門郎,建初進侍御史,有《三國志評》三卷。《隋志》"衆"作"爰",誤,此脱"志"字。

三國評三卷　徐衆撰。

王濤　三國志序評三卷　《隋志》正史類:"梁有《三國志序評》三卷,晋著作郎王濤撰,亡。"濤,見《晋書·王鑒傳》。

傅暢　晋諸公贊二十二卷　《隋志》:"《晋諸公贊》二十一卷,晋祕書監傅暢撰。"暢,見《晋書》傳。傳叙事於前,而系以贊,《世説注》引甚多。

晋諸公贊二十二卷　傅暢撰。

晋曆二卷

晋曆二卷

荀綽　晋後略五卷　《隋志》:"《晋後略記》五卷,晋下邳太守荀綽撰。"綽,見《晋書·荀勖傳》。

晋後略記五卷　荀綽撰。

賈匪之　漢魏晋帝要紀三卷

漢魏晋帝要紀三卷　賈匪之撰。

郭頒　魏晋代説十卷　《隋志》:"《魏晋世説》十卷,晋襄陽郭頒撰。"《世説·方正篇》:"郭頒,西晋人,時世相近,爲《魏晋世語》,時多詳覈。""語"誤作"説","代"即"世"字。

魏晋代語十卷　郭頒撰。

謝綽　宋拾遺録十卷　《隋志》:"《宋拾遺》十卷,梁少府謝綽撰。"《全梁文編》:"謝綽,陳郡陽夏人,天監初終少府卿。"

宋拾遺録十卷　謝綽撰。

孔思尚　宋齊語録十卷

宋齊語録十卷　孔思尚撰。

陰僧仁　梁撮要三十卷　《隋志》古史類:"《梁撮要》三十卷,陳征南諮議陰僧仁撰。"僧仁,始末未詳。《舊志》入編年類。

梁撮要三十卷　陰僧仁撰。

宋孝王　關東風俗傳六十三卷

關東風俗傳六十三卷　宋孝王撰。

來粤　帝王本紀十卷　《隋志》:"《帝王本紀》十卷,來粤撰。"來粤,始末未詳。吴興人,沈隱侯見其書,是晋宋時人。

帝王本紀十卷　來粤撰。

環濟　帝王略要十二卷　《隋志》:"《帝王要略》十二卷,環濟撰。紀帝王及天官、地理、喪服。"濟,見禮類。謹按《隋志》禮類有環濟《喪服要略》一卷,必有單行,非重出。

帝王略要十二卷　環濟撰。

劉滔　先聖本紀十卷　《隋志》:"《先聖本紀》十卷,劉滔撰。"滔,見《梁書·文學·劉昭傳》。又作"《聖賢帝紀》"。

先聖本紀十卷 劉滔撰。

楊曄 華夷帝王紀三十七卷 《隋志》:"《華夷帝王世紀》三十卷,楊曄撰。"曄,始末未詳。

華夷帝王紀三十七卷 楊曄撰。

張愔等 帝系譜二卷

帝系譜二卷 張愔等撰。

韋昭 洞紀四卷 《隋志》:"《洞紀》四卷,韋昭撰。"庖犧已來至漢建安二十七年。昭,見詩類。《開元占經》、《御覽》等書引之。

洞紀四卷 韋昭撰。

皇甫謐 帝王代紀十卷 《隋志》:"《帝王世紀》十卷,皇甫謐撰。"起三皇,盡漢魏。謐,見《晋書》本傳。今有宋翔鳳、錢保塘輯本。

帝王代紀十卷 皇甫謐撰。

又 年曆六卷

年曆六卷 皇甫謐撰。

何茂林 續帝王代紀十卷 《隋志》:"《續帝王代紀》十卷,何茂林撰。"《舊志》作"何集",字茂林,續皇甫謐之書。"世"改"代",唐諱。

續帝王代紀十卷 何集撰。

帝王代紀十六卷

帝王代紀十六卷

曆紀十卷

曆紀十卷

姚恭 年曆帝紀二十六卷 《隋志》:"《年曆帝紀》三十卷,姚恭撰。"恭,始末未詳。姚振宗云:"疑是姚、察。"①

年曆帝紀二十六卷 姚恭撰。

吉文甫 十五代略十卷 《隋志》:"《十五代略》一卷,吉文甫撰。起庖犧,至晋。"文甫,見小學類。

---

① "振"原作"繼",藕香簃本同,據姚振宗《隋書·經籍志考証》改。

十五代略十卷 吉文甫撰。

代譜四十八卷 周武帝敕撰。

代譜四百八十卷 周武帝敕撰。

諸葛耽　帝録十卷

帝録十卷 諸葛耽撰。

庾和之　歷代紀三十卷 《隋志》:"《歷代紀》三十二卷。"不著撰人。

歷代紀三十卷 庾和之撰。

熊襄　十代紀十卷 《隋志》古史類:①"《齊典》十卷。"不著撰人。《南齊書·文學·檀詔之傳》:"時豫章熊襄著《齊典》,上起十代。其書有三名,曰《齊典》,曰《河洛金匱》,曰《十代紀》。"

十代紀十卷 熊襄撰。

盧元福　帝王編年録五十一卷

帝王編年録五十一卷 盧元福撰。

又　共和已來甲乙紀年二卷

共和已來甲乙紀年二卷 盧元福撰。

趙弘禮　王業曆二卷 《隋志》:"《陳王業曆》二卷,陳中書郎趙齊旦撰。"齊旦,名知禮,見《陳書》列傳。"弘"當作"知"。

王業曆二卷 趙弘禮撰。

周樹　洞曆紀九卷 《論衡》:"周長生,會稽人,爲從事,著《洞曆》十篇。"此《志》九卷,已亡其一。長生,即樹之字。

洞曆紀九卷 周树撰。

徐整　三五曆紀二卷 整,見前。今有馬国翰輯本。

三五曆紀二卷 徐整撰。

又　通曆二卷 佚康。《御覽》屢引之。徐整《長曆》及《正曆》,疑即此二書之異名。

通曆二卷 徐整撰。

雜曆五卷

---

① "史"原作"文",據藕香簃本改。

雜曆五卷 徐整撰。

孔衍　國志曆五卷

國志曆五卷 孔衍撰。

長曆十四卷

長曆十四卷

千年曆二卷

千年曆二卷

許氏　千歲曆三卷

千歲曆三卷 謝氏志作。

陶弘景　帝王年曆五卷

帝王年曆五卷 陶弘景撰。

羊瑗　分王年曆五卷

分王年表八卷 羊瑗撰。

王嘉　拾遺録三卷 《隋志》:"《拾遺録》二卷,僞秦姚萇方士王子年撰。"子年,名嘉,見《晋書·藝術傳》。

拾遺録三卷 王嘉撰。

又　拾遺記十卷　蕭綺録。 綺,始末未詳。王嘉書已散,綺輯而序之。今存。

王子年拾遺記十卷[1] 蕭綺録。

周祗　崇安記二卷 晋安帝隆安年事,避唐諱作"崇"。

崇安記二卷 周祗撰。

王韶之　崇安記十卷 《隋志》古史類:"《晋紀》十卷,宋吴興太守王韶之撰。"韶之,見《宋書》本傳。謹案各書引作"《晋安帝紀》",即一書。

又十卷 王韶之撰。

鮑衡卿　乘輿飛龍記二卷

---

① "子"字下原缺"年"字,藕香簃本同,據中華書局點校本《舊唐書》補。

乘輿飛龍記二卷 鮑衡卿撰。

蕭大圜 淮海亂離四卷 《隋志》編年類:"《淮海亂離志》四卷,蕭世怡撰。叙侯景之亂。"大圜字仁顯,梁簡文之子,見《周書》列傳。《隋志》以爲蕭世怡,《周書》又以爲蕭圜。蕭世怡,鄱陽王恢之子。圜,肅武陵王紀之子。

淮海亂離志四卷 蕭大圜撰。

李仁實 通曆七卷 見本書《李延壽傳》。仁實,魏州頓邱人。

通曆七卷 李仁實撰。

裴矩 隋開業平陳記十二卷 《隋志》故事類:"《開業平陳記》二十卷。"矩,見《隋書》,又見本書列傳。《册府元龜》引作"《開皇平陳記》"。

隋開業平陳記十二卷 裴矩撰。

褚元量 帝王紀録三卷 元量,見本書《儒學傳》。字宏度,杭州鹽官人。

帝王紀録三卷

皇甫遵 吴越春秋傳三卷 《隋志》:"《吴越春秋》十卷,皇甫遵撰。"《崇文總目》:"唐皇甫遵注。趙曄書十卷,楊方削之爲五卷,遵合二家書考定而注之。"

吴越春秋傳十卷 皇甫遵。

盧彦卿[①] 後魏紀三十三卷 彦卿,見本書《儒學傳》。

魏紀三十三卷 盧彦卿撰。

劉允濟 魯後春秋二十卷

魯語春秋二十卷 劉允濟。

邱悦 三國典略三十卷 《崇文總目》:"唐汾州司户參軍邱悦撰,以關中、鄴都、江南爲三國,起西魏,終後周,而東包魏、北齊,南總梁、魏,凡三十篇。"

元行沖 魏典三十卷 《崇文總目》:"唐太常少卿元行沖撰,起道武帝,終宇文革命,三十篇。"

員半千 三國春秋二十卷 半千,見本書列傳,字榮。齊州全節人。《姓氏尋源》:"員,本姓劉。"半千之祖凝之改姓員。

李荃 閫外春秋十卷 《書録解題》云:"唐少室山布衣。"《集仙傳》稱其"仕至荆

---

① "盧"原作"虞",據藕香簃本改。

南節度副使。"今存敦煌石室本二卷。

李吉甫　六代略三十卷　吉甫,見本書附《李栖筠傳》。

張絢古　五代新記二卷　《崇文總目》作"新説"。晁氏曰:"以梁、陳、北齊、周、隋分三十六門編次。"

許嵩　建康實録二十卷　今存。

柳氏　自備三十卷　柳仲郢。　仲郢,見本書《公綽傳》。

鄭暐　史雋十卷　見《崇文總目》:"漢雋之名本此。"

吕才　隋記二十卷　才,見本書列傳,博州清平人。

邱啓期　隋記十卷　開元管城尉。

杜寶　大業雜記十卷　見《崇文總目》。今存一卷,與《通志略》合。

杜儒童　隋季革命記五卷　武后時人。　見《崇文總目》。

劉氏　行年記二十卷　劉仁軌。　見《崇文總目》。

崔良佐　三國春秋　卷亡。良佐,深州安平人,日用從子,居共白鹿山,門人謚曰貞文孝父。

裴遵度　王政記

楊岑　皇王寶運録　並卷亡。岑,憲宗時人。

功臣録三十卷

唐潁　稽典一百三十卷　開元中,潁罷臨汾尉,上之,張説奏留史館修史,兼集賢待制。

王彦威　唐典七十卷　彦威,見《穆宗實録》撰人。

吴兢　唐書備闕記十卷　見《崇文總目》。兢,見本書列傳,汴州浚儀人。

續皇王寶運録十卷　韋昭度、楊涉撰。　見《崇文總目》。

韓祐　續古今人表十卷　開元十七年上,授太常寺太祝。

張薦　宰輔傳略　卷亡。

蒋乂　大唐宰輔録七十卷　乂見本書列傳,①字德源,常州義興人。

---

①　"乂"原作"又",據藕香簃本改。

又　淩煙功臣秦府十八學士史臣等傳四十卷

淩璠　唐録政要十二卷　昭宗時江都尉。

南卓　唐朝綱領圖一卷　字昭嗣，大中黔南觀察使。見《崇文總目》。

淩璠　唐聖運圖一卷　見《崇文總目》。

劉肅　大唐新語十三卷 元和中江都主簿。　見《崇文總目》，今存。

李肇　國史補三卷 翰林學士，坐薦柏耆，自中書舍人左遷將作少監。　見《崇文總目》。今存。

林恩　補國史十卷　僖宗時進士。

傳載一卷

史遺一卷

温大雅　今上王業記　大雅，本書有傳。

李延壽　太宗政典三十卷　延壽，見上。

吴兢　太宗勲史一卷　見《崇文總目》。

又　貞觀政要十卷　今存。

李康　明皇政録十卷　見《崇文總目》。

鄭處誨　明皇雜録二卷　《崇文總目》作"趙元"，與此異。陳氏云："處誨，大中八年進士。"

鄭棨　開天傳信記一卷　見《崇文總目》。

温畬　天寶亂離西幸記一卷　《崇文總目》作"温侖。"《宋志》無"西幸"二字。

宋巨　明皇幸蜀記一卷　《崇文總目》作"宋巨周"，而脱"明皇"二字。晁氏云："宋居白合李匡文、宋巨周二書而增廣之。"

姚汝能　安禄山事迹三卷 華陰尉。　見《崇文總目》。《書録解題》作"汝"。今存。

包諝　河洛春秋二卷 安禄山、史思明事。　見《崇文總目》。

徐岱　奉天記一卷 德宗西狩事。　見《崇文總目》。《宋志》作"賀楚"。

崔光庭　德宗幸奉天録一卷　《崇文總目》作"崔光庭"。

趙元一　奉天録四卷　見《崇文總目》。今存《大典》本。

張讀　**建中西狩録十卷**　字聖用,僖宗時吏部侍郎。

袁皓　**興元聖功録三卷**　見《崇文總目》。

谷況　**燕南記三卷** 張孝忠事。　見《崇文總目》。陳氏云:"況,恒州司户,專紀成德事。"①

路隋　**平淮西記一卷**　見《崇文總目》。隋,見本書列傳,字南式。

杜信　**史略三十卷**

又　**閑居録三十卷**

鄭澥　**涼國公平蔡録一卷**　字藴士,李愬山南東道掌書記,開州刺史。見《崇文總目》。陳氏云:"澥,唐山南東道掌書記。"

薛圖存　**河南記一卷**　李師道事。

李潛用　**乙卯記一卷**　李訓、鄭注事。見《崇文總目》。陳氏云:"唐布衣李潛用。"

大和摧兇記一卷　見《崇文總目》。陳氏云:"自鄭注而下十七人。"

野史甘露記二卷　見《崇文總目》。

開成紀事二卷　《宋志》:"楊時撰。"

李石　**開成承詔録二卷**　見《崇文總目》。石,見本書列傳。

李德裕　**次柳氏舊聞一卷**　晁氏云:"唐柳芳撰,李德裕編次上之。"德裕,見本書列傳。今存。

又　**文武兩朝獻替記三卷**　見《崇文總目》。《宋志》無"文武"二字。

會昌伐叛記一卷　見《崇文總目》。陳氏云:"記平澤潞事。"

上黨紀叛一卷　劉從諫事。

韓昱　**壺關録三卷**

裴庭裕　**東觀奏記三卷**　大順中詔脩宣、懿、僖《實録》,以日曆注記亡闕,因摭宣宗政事奏記於監脩國史杜讓能。廷裕字膺餘,②昭宗時翰林學士,左散騎常侍,貶湖南,卒。　見《崇文總目》。

---

① "成"原作"咸",據藕香簃本改。

② "膺"原作"應",據藕香簃本改。

今存。

令狐澄 貞陵遺事二卷 綯子也,乾符中書舍人。 見《崇文總目》。

柳玭 續貞陵遺事一卷 見《崇文總目》。玭,見本書《公綽傳》。

鄭言 平剡録一卷 裘甫事。言字垂之,浙西觀察使,王式從事,咸通翰林學士,户部侍郎。見《崇文總目》。

張雲 咸通解圍録一卷 字景之,一字瑞卿,起居舍人。 見《崇文總目》。陳氏云:"唐成都少尹張雲景之撰,言南詔圍城扞禦事。"

鄭樵 彭門紀亂三卷 龎勛事。見《崇文總目》。謹按樵,唐人,非宋鄭樵。

王坤 驚聽録一卷 黄巢事。

郭廷誨 廣陵妖亂志二卷 高駢事。 見《崇文總目》。《書録解題》作"鄭延誨"。今有荃孫輯本。

乾寧會稽録一卷 董昌事[①] 見《崇文總目》。

韓偓 金鑾密記五卷 見《崇文總目》。《説郛》止五條。

王振 汴水滔天録一卷 昭宗時拾遺。見《崇文總目》。陳氏云:"言朱温篡逆事。"[②]

公沙仲 大和野史十卷[③] 起大和,迄龍紀。 《姓氏尋源》云:"公沙,漢世膠東有之。"

右雜史類,八十八家,一百七部,一千八百二十八卷。失姓名八家,元行沖以下不著録六十八家,八百六十一卷。

右雜史,一百二部,凡二千五百五十九卷。

郭璞 穆天子傳六卷 《隋志》:"《穆天子傳》六卷,汲冢書,郭璞注。"璞,見詩類。今存。

穆天子傳六卷 郭璞注。

漢獻帝起居注五卷 《隋志》:"《漢獻帝起居注》五卷。"又曰:"今之存者有漢獻帝

---

① "董昌事"三字原缺,據藕香簃本補。

② "篡逆"二字,原作"1",藕香簃本同,據《直齋書録解題》補。

③ 藕香簃本同,中華本《新唐書》"仲"字下有"穆"字。

及晋代以來起居注,皆近侍之臣所録。"《史通》云:"及在許都,楊彪頗存注記。"意即是彪所存,當時必曰"今上起居注","漢獻帝"三字後人所加。

漢獻帝起居注

李軌　泰始起居注二十卷　《隋志》:"《泰始起居注》二十卷,李軌撰。"軌,見易類。泰始,晋武帝年號,凡十年。

晋泰始起居注二十卷　李軌撰。

又　晋咸寧起居注二十卷　《隋志》:"《晋咸寧起居注》十卷,李軌撰。"武帝改元咸寧,凡五年。

晋咸寧起居注三十卷

晋太康起居注二十二卷　《隋志》:"《晋太康起居注》二十一卷,李軌撰。"太康,武帝改元,凡十年。

晋太康起居注二十二卷

晋永平起居注八卷　《隋志》:"梁有《永平元康永寧起居注》六卷。"謹按八卷,疑并《惠帝起居注》二卷在内,皆李軌撰。

晋永平起居注六卷

晋愍帝起居注三十卷　李軌撰。

晋咸和起居注十八卷

晋咸和起居注十六卷　李軌撰。

晋咸康起居注二十二卷　《隋志》:"《晋咸和起居注》十六卷,李軌撰。《晋咸康起居注》二十二卷。"謹按咸和、咸康,成帝年號,皆李軌撰。

晋咸康起居注二十二卷　李軌撰。

劉道薈　晋起居注三百二十卷　《隋志》:"《晋起居注》三百一十七卷,宋北徐州主簿劉道薈撰。梁有三百二十二卷。"謹按其書總记兩晋。

晋起居注三百二十卷　劉道薈撰。

晋建武大興永昌起居注二十二卷　《隋志》:"《晋建武大興永昌起居注》九卷。"謹按建武、大興、永昌,皆元帝年號。

晋建武大興永昌起居注二十二卷

晋建元起居注四卷　《隋志》:"《晋建元起居注》四卷。"康帝在位二年,改元建元。

晋建元起居注四卷

晋永和起居注二十四卷 《隋志》:"《晋永和起居注》七十卷,梁有二十四卷。"

晋永和起居注二十四卷

晋升平起居注十卷 《隋志》:"《晋升平起居注》十卷。"謹按《舊志》作"永平",疑"升平"之誤。① 升平,穆帝年號。

晋永平起居注十卷

晋隆和興寧起居注五卷 《隋志》:"《晋隆和興寧起居注》五卷。"《舊志》改"崇和",避諱。隆和、興寧,均哀帝年號。

晋崇和興寧起居注五卷

晋太和起居注六卷 《隋志》:"《太和起居注》六卷。"太和,海西公年號。

晋太和起居注六卷

晋咸安起居注三卷 《隋志》:"《晋咸安起居注》三卷。"咸安,簡文帝年號。

晋咸安起居注三卷

晋寧康起居注六卷 《隋志》:"《晋寧康起居注》六卷。"按寧康,武帝年號。

晋寧康起居注

晋太元起居注五十二卷 《隋志》:"《晋太元起居注》二十五卷,梁五十四卷。"太元,孝武帝年號。

晋太元起居注五十二卷

晋崇寧起居注十卷 《隋志》:"《晋隆安起居注》十卷。"按隆安,晋安帝年號,改崇寧者,唐宋人諱改。章宗源别出《崇寧起居注》,不知晋無此年號。

晋崇寧起居注十卷

晋元興起居注九卷 《隋志》:"《晋元興起居注》九卷。"元興,晋安帝改元。

晋元興起居注九卷

晋義熙起居注三十四卷 《隋志》:"《晋義熙起居注》十七卷,梁三十四卷。"義熙,晋安帝反正年號。

晋義熙起居注三十四卷

晋元熙起居注二卷 《隋志》:"《晋元熙起居注》二卷。"元熙,晋恭帝年號。

---

① "疑"原作"擬",據藕香簃本改。

晉元熙起居注十卷

何始真　晉起居注三十四卷　《隋志》:"梁有《晉宋起居注鈔》五十卷,《晉宋先朝起居注》二十卷,亡。"始真,見春秋類,宋人。章氏《考證》云:"二書俱不言有宋。"

晉起居注鈔二十四卷

宋永初起居注六卷　《隋志》:"《宋永初起居注》十卷。"永初,宋武帝年號。

宋永初起居注六卷

宋景平起居注六卷　《隋志》:"《宋景平起居注》三卷。"景平,少帝年號。

宋景平起居注三卷

宋元嘉起居注七十一卷　《隋志》:"《宋元嘉起居注》五十五卷,梁六十卷。"元嘉,宋文帝年號。十二年以前,裴松之撰。

宋元嘉起居注六十卷

宋孝建起居注十七卷　《隋志》:"《宋孝建起居注》十二卷。"孝建,宋武帝年號。

宋大明起居注十五卷　《隋志》:"《宋大明起居注》十五卷,梁三十四卷。"大明,孝武帝改元。

宋大明起居注十五卷

後魏起居注二百七十六卷　《隋志》:"《後魏起居注》三百三十六卷。"謹按北魏十五帝,一百七十二年,自孝文始有起居注。

後魏起居注二百七十六卷

齊永明起居注二十五卷　《隋志》:"《齊永明起居注》二十五卷,梁有三十四卷。"永明,齊武帝年號。沈約、王逡之所撰。

梁大同七年起居注十卷　《隋志》:"《梁大同起居注》十卷。"大同,梁武帝年號。大同十一年,此云七年,即大同亦不全。梁初周捨、裴子野以他官領之。

陳起居注四十一卷　謹按《隋志》,《陳永定起居注》十八卷,《天嘉起居注》二十三卷,《天康光大起居注》十卷,《大建起居注》五十六卷,《至德起居注》四卷。似殘佚之餘并爲一帙。

陳起居注四十一卷

隋開皇元年起居注六卷　《隋志》:"《開皇起居注》六十卷。"似脱"十"字。

王逡之　三代起居注鈔十五卷

流别起居注四十七卷　《隋志》:"《流别起居注》三十七卷。"謹按似徐勉之殘本。

流别起居注三十七卷

温大雅　大唐創業起居注三卷　見《崇文總目》。今存。

開元起居注三千六百八十二卷

姚璹脩　時政記四十卷

凡實録,二十八部,三百四十五卷。劉知幾以下不著録四百五十七卷。

周興嗣　梁皇帝實録二卷　《隋志》雜史類:"《梁皇帝實録》三卷,周興嗣記撰武帝事。"興嗣,見小學類。

又五卷

梁太清實録十卷　《隋志》雜史類:"《梁太清實録》八卷。"此書裴政所撰。政,見《隋書》列傳。

梁太清實録十卷

高祖實録二十卷　敬播撰,房玄齡監脩,許敬宗删改。　見《崇文總目》。

高祖實録二十卷

今上實録二十卷　敬播、顧胤撰,房玄齡監脩。　晁氏曰:"房玄齡等撰《今上實録》,止十四年,成二十卷。無忌與史官續之,盡昭陵事,成四十卷。"

太宗實録二十卷　房玄齡撰。

長孫無忌　貞觀實録四十卷　見《崇文總目》。

太宗實録四十卷　大聖皇后撰。

許敬宗　皇帝實録三十卷　陳氏曰:"敬宗當高宗時,以私意改定。"

高宗實録三十卷　許敬宗撰。

高宗後脩實録三十卷　初,令狐德棻撰,止乾封,劉知幾、吴兢續成。　見《崇文總目》。陳氏曰:"令狐德棻撰,止乾封,劉知幾續成之,故號後脩。"

韋述　高宗實録三十卷

武后　高宗實録一百卷

高宗實録一百卷　大聖皇后撰。

則天皇后實録二十卷　魏元忠、武三思、祝欽明、徐彦伯、柳沖、韋承慶、崔融、岑羲、徐堅撰。劉知幾、吴兢删正。見《崇文總目》。晁氏曰:“起嗣聖改元甲申臨朝,止長安四年甲辰傳位,凡二十一卷。”

宗秦客　聖母神皇實録十八卷

聖母神皇實録十八卷　秦客撰。秦客,楚客之兄。

吴兢　中宗實録二十卷　見《崇文總目》。晁氏曰:“起神龍元年復位,盡景龍四年。”

中宗皇帝實録二十卷　吴兢撰。

劉知幾　太上皇實録二十卷　《崇文總目》:“十卷。”知幾,見前。

吴兢　睿宗實録五卷　見《崇文總目》。《通考》:“十卷。”

張説　今上實録五卷　説與唐潁撰次玄宗開元初事。見《崇文總目》。

開元實録四十七卷　失撰人名。

玄宗實録一百卷　令狐峘撰,元載監脩。　見《崇文總目》。謹按峘,德棻五世孫。

肅宗實録三十卷　元載監脩。　見《崇文總目》。

令狐峘　代宗實録四十卷　見《崇文總目》。

沈既濟　建中實録十卷　《崇文總目》云:“起天曆十四年德宗即位,盡建中二年十月。① 自作五例。”

德宗實録五十卷　蔣乂、樊紳、林寶、韋處厚、獨孤郁撰,裴垍監脩。見《崇文總目》。

順宗實録五卷　韓愈、沈傳師、宇文籍撰,李吉甫監脩。見《崇文總目》。謹按有二本,一詳一略,今存略本。

憲宗實録四十卷　沈傳師、鄭澣、宇文籍、蔣係、李漢、陳夷行、蘇景胤撰,杜元潁、韋處厚、路隋監脩。景胤,弁子也,中書舍人。見《崇文總目》。晁氏曰:“唐路隋等撰,起即位,盡元和十五年。”

---

① “建中”後原有“四年”二字,藕香簃本同,據《崇文總目》删。

穆宗實録二十卷　蘇景胤、王彦威、楊漢公、蘇滌、裴休撰，路隋監脩。滌字玄獻，冕子也，荆南節度使，吏部尚書。　見《崇文總目》。晁氏曰："盡長慶四年。"

敬宗實録十卷　陳商、鄭亞撰，李讓夷監脩。商字述聖，禮部侍郎，秘書監。　見《崇文總目》。晁氏曰："長慶四年甲辰即位，止寶曆二年丁未，凡三年。"

文宗實録四十卷　盧耽、蔣偕、王渢、盧告、牛叢撰，魏謩監脩。耽字子嚴，一字子重，歷西川節度使，同中書門下平章事。渢字中德，歷東都留守。告字子有，弘宣子也，歷吏部侍郎。　《崇文總目》："起寶曆二年，盡開成五年，凡十四年。"

武宗實録三十卷　韋保衡監脩。《崇文總目》一卷。①

凡詔令，一家，一十一部，三百五卷。失姓名十家，温彦博以下不著録十一家，二百二十二卷。

晋雜詔書一百卷②　《隋志》總集："《晋朝雜詔》九卷，梁有《晋雜詔》百卷，《録》一卷。"《舊志》上"書"字衍。

晋書雜詔書一百卷

又二十八卷　《隋志》總集類："梁又有《晋雜詔》二十八卷，《録》一卷。"

又二十八卷

又六十六卷　《隋志》："梁又有《晋詔》六十卷，亡。"

晋雜詔書六十六卷

晋詔書黄素制五卷

晋書詔書黄素制五卷

晋定品雜制一卷

晋定品制一卷

晋太元副詔二十一卷　《隋志》總集類："梁有《泰元咸寧寧康副詔》二十一卷。"

---

① "一卷"二字原脱，據藕香簃本補。

② "雜"原作"書"，據藕香簃本改。

姚振宗云:[①]“咸寧在太元之前。寧康,武帝年號,更在前,此四字誤衍。”

晉太元副詔二十一卷

晉崇安元興大亨副詔八卷　《隋志》總集類:“《隆安詔》五卷,《元興大亨副詔》三卷,亡。”此八卷即兩書合并。

晉崇安元興大亨副詔八卷

晉義熙詔二十二卷　《隋志》:“《晉義熙詔》十卷,梁有《義熙副詔》十卷,亡。”謹按多二卷,似即目録。

晉義熙詔二十二卷

宋永初詔六卷　《隋志》:“《宋永初雜詔》十三卷。”

宋永初詔六卷

宋幹　詔集區别二十七卷　《隋志》總集類:“《詔集區别》四十一卷。後周獸門學宗幹撰。”宗幹,或作“宋幹”,始末未詳。“獸”即“虎”,避唐諱。

詔集區别二十七卷　宋幹撰。

温彦博　古今詔集三十卷　彦博,見本書《大雅傳》,大雅弟,字大彦。

李義府　古今詔集一百卷　義府,見本書《姦臣傳》。

薛克構　聖朝詔集三十卷　克構,本書附《大鼎傳》,大鼎子。

唐德音録三十卷

太平内制五卷

明皇制詔録十卷

元和制集十卷

王起　寫宣十卷　起,見本書《王播傳》,播弟,字舉之。[②]　謹按宣即宣詔之宣,[③]五代有梁宣底。

馬文敏　王言會要最五卷

唐舊制編録六卷　費氏集。

---

① “振”原作“繼”,藕香簃本同,據姚振宗《隋書經籍志考證》改。

② “舉”字上原脱“字”字,據藕香簃本補。

③ “宣”原作“立”,據藕香簃本改。

擬狀注制十卷

右起居注類,六家,三十八部,一千二百七十二卷。失姓名二十六家,開元起居注以下不著録三家,三千七百二十五卷。總七家,七十七部。

秦漢以來舊事八卷 《隋志》:"《秦漢以來舊事》十卷。"姚振宗云:"似漢魏三國舊事,爲六朝以來之舊笈。"

秦漢以來舊事八卷

漢武帝故事二卷 《隋志》:"《漢武帝故事》二卷。"晁氏曰:"王儉造。"今存。

漢武帝故事二卷

韋氏 三輔舊事一卷 章宗源據范書《韋彪傳》,以爲彪作。

三輔舊事一卷 韋氏撰。

葛洪 西京雜記二卷 《隋志》:"《西京雜記》二卷。"盧文弨曰:"漢劉向撰。"今存。

西京雜記二卷 葛洪撰。

建武故事三卷 謹按東京立故事,自伏湛、侯霸兩尚書始皆收集前世遺文爲之,猶西京張蒼定章程。《唐志》刑法類有《建武律令故事》三卷,此與《永平故事》相屬,與刑法實爲一書,重出。

建武故事三卷

永平故事二卷 袁宏《漢紀》建初五年紀:"是時用《永平故事》吏治尚嚴,尚書決事。"類近于重。

應劭 漢朝駁三十卷 謹按《隋》、《唐志》刑法類有應劭《漢朝議駁》三十卷,考劭本奏,不盡刑法事,自當入故事。

漢諸王奏事十卷 《通志·校讐略》以《隋志》編入刑法類,今按《隋志》並未載入此書。

漢魏吴蜀舊事八卷 《隋志》:"《漢魏吴蜀舊事》八卷。"謹按此不知何人輯兩漢三國舊事以爲一編,《建武故事》、《永平故事》或即此書佚出者。

漢魏吴蜀舊事八卷

魏名臣奏事三十卷 不知撰人。謹按《隋志》刑法類有陳壽撰《魏名臣奏事四十卷》,《日》一卷。總集類云:"梁有《魏名臣奏事》三十卷,陳壽撰。"疑即陳壽編次之本。

魏臺褋訪議三卷　《隋志》刑法類:"《魏臺褋訪議》三卷,高堂隆撰。"謹按《隋志》儀注類:"高堂隆《魏臺褋訪議》三卷。"疑重出。《舊志》"高崇"即"高堂隆"之譌。

魏臺褋訪議三卷　高崇撰。

魏廷尉決事十卷　《隋志》刑法類《魏廷尉決事》十卷,不著撰人。又見律法類,重出。

南臺奏事九卷　謹按刑法類有《南臺奏事》,疑有以別曹奏事解,然此《事》、《廷尉決事》連屬,彼亦《廷尉駁事》、《廷尉雜詔書》連屬也。

晋太始太康故事八卷

晋太始太康故事五卷

孔愉　晋建武咸和咸康故事四卷　《隋志》:"《晋建武故事》一卷,《晋咸和咸康故事》四卷,晋孔愉撰。"愉,見《晋書》本傳。謹按此似與《建武舊事》合并。

晋建武咸和咸康故事四卷　孔愉撰。

建武已來舊事三卷　《隋志》:"《晋建武故事》一卷。"不著撰人。

建武已來舊事三卷

晋氏故事三卷

晋故事三卷

晋朝雜事二卷　《隋志》:"《晋朝雜事》二卷。"不著撰人。謹按《梁書・處士傳》:"庾詵字彦賓,新野人,撰《晋朝雜事》五卷行世。"似即此書之殘本,孫即庾季才。

晋朝雜事二卷

晋故事四十三卷　《隋志》:"《晋故事》四十三卷。"不著撰人。謹按《晋書・刑法志》云:"其常事、品式、章程,各還其府爲故事。"又曰:"凡《律令》六十卷,《故事》三十卷。"此四十三卷殆後續修增益者。

晋故事四十三卷

晋諸雜故事二十二卷

晋諸雜故事二十二卷

晋雜議十卷　《隋志》刑法類:"《晋雜議》十卷。"不著撰人。謹按《晋代雜議略》,見《晋・刑法志》中,而儀注類又有荀顗等《晋褋議》十卷,疑是書不專爲刑法。

晋要事三卷　《隋志》:"《晋要事》三卷。"不著撰人。謹按《舊志》有《晋故事》,似即此書，前别《晋氏故事》三卷，疑重出。

晋故事三卷

晋宋舊事一百三十卷　《隋志》："《晋宋舊事》一百三十五卷。"謹按"舊事"即"故事"，故事自東漢以來皆録在尚書。《宋書・張茂度傳》："茂度子永爲尚書中兵郎，元嘉中徙永爲删定，即掌其任。"疑即是書其稱晋宋者。宋之條制，皆由晋室故事也。

晋宋舊事一百三十卷

車灌　晋修復山陵故事五卷　《隋志》："《晋修復山陵故事》五卷，車灌撰。"灌，見《穆帝紀》。謹按修復山陵，桓温入洛陽時。

修復山陵故事五卷　車灌撰。

盧綝　晋八王故事十二卷　《隋志》："《晋八王故事》十卷。"綝，見《晋書・盧欽傳》。

晋八王故事十二卷　盧綝撰。

又　晋四王起事四卷　《隋志》："《晋四王起事》四卷，晋廷尉盧綝撰。"

四王起事四卷　盧綝撰。

張敞　晋東宫舊事十卷　《隋志》："《晋東宫舊事》十卷。"不著撰人。敞，見《宋書・张邵傳》。

東宫舊事十卷　張敞撰。

范汪　尚書大事二十一卷　《隋志》："《尚書大事》二十卷，范汪撰。"汪，見禮類。謹按汪爲中書侍郎。① 大事，記其事之大者。

尚書大事二十一卷

華林故事名一卷

劉道薈　先朝故事二十卷

交州雜故事九卷　《隋志》："《交州雜事》九卷，記士燮及陶黄事。"士燮，見春秋類。璜，見《晋書》本傳。

交州雜故事九卷

中興伐逆事二卷　《隋志》古史類："《宋中興伐逆事》二卷。"謹按此記宋孝武伐元

① "郎"字原脱，據藕香簃本補。

凶之事迹。

中興伐逆事二卷

温子昇　魏永安故事三卷　《隋志》輿地類:"《魏永安記》三卷,魏温子昇撰。"子昇,見《北齊書》列傳。記敬宗誅爾朱榮事。

蕭大圜　梁魏舊事三十卷　《隋志》:"《梁魏舊事》三十卷,内史侍郎蕭大圜撰。"大圜,見前。《隋志》無"魏"字。《寰宇記》引三事,並作《梁陳舊事》。

僧亡名　天正舊事三卷　《隋志》:"《天正舊事》三卷,釋撰,亡名。"謹按豫章、武林二王,皆號天正。《隋志》别集有後周沙門《釋亡名集》十卷,本姓宋,名缺,南郡人,嘗仕梁元帝,梁亡出家,①當即其人。②

應詹　江南故事三卷　《隋志》:"《沔南故事》三卷,應思遠撰。"詹,見《晋書》本傳,字思遠,汝南人。應作"沔南",《通志略》作"征南"。

江南故事三卷

大司馬陶公故事三卷　《隋志》:"《大司马陶公故事》三卷。"陶侃,見《晋書》本傳。

大司馬陶公故事三卷

郗太尉爲尚書令故事三卷③　《隋志》:"《郗太尉爲尚書令故事》三卷。"不著撰人。"郗"當爲"郄"。郄鑒,見《晋書》本傳。

郗太尉爲尚書令故事二卷

王愆期　救襄陽上都府事一卷

救襄陽上都府事一卷

春坊舊事三卷

春坊舊事三卷

武后　述聖紀一卷

述聖紀一卷　大聖天后撰。

杜正倫　春坊要録四卷

春坊要録四卷　杜正倫撰。

---

①　"亡"原作"王",據藕香簃本改。

②　按此處考僧亡名有誤,詳見陳垣《中國佛教史籍概論》卷一《歷代三寶記》條。

③　"三"原作"二",據藕香簃本改。

王方慶　南宫故事十二卷

裴矩　鄴都故事十卷

馬總　唐年小録八卷

張齊賢　孝和中興故事三卷

盧若虚　南宫故事三十卷

令狐德棻　淩煙閣功臣故事四卷

敬播　文貞公傳事四卷　播，見本書列傳。記魏文貞公傳事，以下四書皆同。

劉禕之　文貞公故事六卷　禕之，見本書列傳，字希美，常州晋陵人。

張大業　魏文貞故事八卷

王方慶　文貞公事録一卷　《書録解題》："《魏鄭公諫録》五卷，唐王綝撰。綝字方慶，以字行，所録魏文貞進諫奏對之事，又名《魏文貞公故事》。"今存。

李仁實　衛公平突厥故事二卷

謝偃　英公故事四卷

劉禕之　英國貞武故事四卷

陳諫等　彭城公故事一卷　劉晏。

張九齡事迹一卷

李渤事迹一卷

杜悰事迹一卷

吴湘事迹一卷

邱據　相國涼公録一卷　李抱玉事。據，諫議大夫。

右故事類，十七家，四十三部，四百九十六卷。　失姓名二十三家，裴矩以下不著録十六家，九十卷。

王隆　漢官解詁三卷　胡廣注。《隋志》："《漢官解詁》三篇，漢新汲令王隆撰，胡廣注。"謹按《隋志》云"胡廣注"者，即謂其解詁也，當易"注"字爲"解詁"，則明顯矣。隆，見范書《文苑傳》。廣，見范書本傳。孫星衍輯本《序》曰："《漢官篇》仿《凡將》、《急就》，四字一句。"今有孫星衍輯本。

漢官解故事三卷

應劭　漢官五卷　《隋志》:"《漢官》五卷,應劭注。"謹按《志》于《漢官》稱"應劭注",《漢官儀》稱"應劭撰",疑《漢官》即王隆《小學篇》,劭與胡廣皆有注也。

漢官儀十卷　《隋志》:"《漢官儀》十卷,應劭撰。"今有孫星衍輯本。

漢官儀十卷　應劭志。

蔡質　漢官典儀一卷　《隋志》:"《漢官典職儀式選用》二卷,漢衛尉蔡質撰。"質,見范書《蔡邕傳》。今有孫星衍輯本。

丁孚　漢官儀式選用一卷　孚,太史令,撰《漢儀》。此則《漢儀》中之一類,後人析出别行。今有孫星衍輯本。

荀攸等　魏官儀一卷　《隋志》:"梁有《魏官儀》一卷,亡。"攸,見《魏志》本傳。

魏官儀一卷　荀攸撰。

傅暢　晋公卿禮秩故事九卷　《隋志》:"《晋公卿禮秩故事》九卷,傅暢撰。"暢,見雜史類。

晋公卿禮秩九卷　傅暢撰。

百官名十四卷　《隋志》:"《魏晋百官名》五卷,《晋百官名》三十卷。"《舊志》又作"四十卷",疑此"十四"字倒。

百官名四十卷

干寶　司徒儀注五卷　《隋志》:"梁有干寶《司徒儀》一卷,亡。"寶,見易類。

司徒儀一卷　干寶撰。

陸機　晋惠帝百官名三卷

晋官屬名四卷　《隋志》:"《晋官屬名》四卷。"

晋官屬名四卷

晋過江人士目一卷

晋過江人士目一卷

衛禹　晋永嘉流士二卷

晋永嘉流士目[①]　衛禹撰。

登城三戰簿三卷

---

① 藕香簃本同,中華書局點校本《舊唐書》無"目"字。

登城三戰簿三卷

范曄　百官階次一卷　《隋志》:“《百官階次》一卷。”《舊志》有作“沈曄”者。

百官階次一卷　范曄撰。

荀欽明　宋百官階次三卷　《隋志》:“《百官階次》三卷。”欽明,始末未詳。或因范書而廣之。

宋百官階次三卷　荀欽明撰。

宋百官春秋六卷　《隋志》:“《百官春秋》二十卷。”

魏官品令一卷　《唐六典》:“魏命陳群等撰《尚書官令》、《軍中令》,合百八十餘篇。”疑《魏令》别行者。

魏官品令一卷

王珪之　齊職官儀五十卷　《隋志》:“《齊職儀》五十卷,齊長水校尉王珪之撰。”珪之,见《齊書·王選之傳》。《舊志》以爲范曄,何以致誤,或據其遺書而纂次之與?

齊職儀五十卷　范曄撰。

徐勉　梁選簿三卷　《隋志》:“《梁選簿》五卷,徐勉撰。”勉,見《梁書》本傳。傳云:“在選曹撰《選品》三卷。”

梁選簿三卷　徐勉撰。

沈約　梁新定官品十六卷　《隋志》:“《新定官品》二十卷,梁沈約撰。”約,見論語類。謹按沈約是書。本傳不載,與百官人名連帙。又有沈峻助賀琛撰《梁官》,或“約”为“峻”之誤與?

梁百官人名十五卷

陳將軍簿一卷　《隋志》:“《陳將軍簿》一卷。”

陳將軍簿一卷

太建十一年百官簿狀二卷　《隋志》:“《陳百官簿狀》二卷。”謹按似即此書,唐惟存太建十一年耳。

太建十一年百官簿狀二卷

郎楚之　隋官序録十二卷

王道秀　百官春秋十三卷　《隋志》:“《百官春秋》,王道秀撰。”道秀,始末未詳。謹按《經義考》入儗經篇,又云王道彦。

百官春秋十三卷　王道秀撰。

郭演　職令古今百官注十卷　《隋志》:"《職令古今百官注》十卷,郭演撰。"《舊志》有"員"字,又作"演之"。

職員令百官古今注十卷　郭演之撰。

陶彦藻　職官要録三十六卷　《隋志》:"《職官要録》三十卷,陶藻撰。"藻,始末未詳。謹按《日本國見在書目》云"陶勉撰",疑勉其名,彦藻其字。《舊志》又脱"彦"字。

職官要録三十卷　[1]陶藻撰。

職員舊事三十卷

職員舊事三十卷

王方慶　宫卿舊事一卷　方慶見雜史類。《舊志》"宫"作"公","舊"作"故"。

公卿故事二卷　王方慶撰。

六典三十卷　開元十年,起居舍人陸堅被詔集賢院脩《六典》,玄宗手寫六條,曰理典,教典,禮典,政典,刑典,事典。張説知院,委徐堅,經歲無規制,乃命毋煚、余欽、咸廙業,孫季良、韋述參撰,[2]始以令式象《周禮》六官爲制。蕭嵩知院,加劉鄭蘭、蕭晟、盧若虚。張九齡知院,加陸善經。李林甫代九齡,加范咸,二十六年書成。《崇文總目》:"玄宗撰,李林甫等注。"今存。

王方慶　又撰尚書考功簿五卷

又　尚書考功狀績簿十卷

尚書科配簿五卷

五省遷除二十卷

裴行儉　選譜十卷

唐循　資格一卷 天寶中定。

沈既濟　選舉志十卷

---

① "官"原作"員",據藕香簃本改。

② "季"原作"李",據藕香簃本改。

梁戴言　具員故事十卷　《崇文總目》:“戴言,鳳閣舍人。”

又　具員事迹十卷　見《崇文總目》。謹按《唐志》兩書宋合爲一而存七卷。

杜英師　職該二卷　見《崇文總目》。

任戩　官品纂要十卷　見《崇文總目》。陳氏曰:“戩,樂安人,爲此書當大和之丁未。”

温大雅　大丞相唐王官屬記二卷

杜易簡　御史臺雜注五卷　易簡,見本書《審言傳》。①

韓琬　御史臺記十二卷　見《崇文總目》。晁氏曰:“叙唐初至開元御史臺中制度故事。”

韋述　御史臺記十卷　述,見本書列傳,宏機曾孫。

又　集賢注記三卷　見《崇文總目》。晁氏曰:“唐集賢學士韋述天寶丙申撰。”

李構　御史臺故事三卷　陳氏曰:“唐朝集使洺州録事參軍李構撰。”

劉貺　天官舊事一卷　貺,見本書《劉子元傳》,子元子,字惠卿。

柳芳　大唐宰相表二卷　芳,見本書列傳,字仲敷,河東人。

馬宇　鳳池録五十卷　見《崇文總目》。

賀蘭　正元輔佐記十卷②

又　舉選衡鑑三卷　昭義判官,貞元十三年上。

韋瑄　國相事狀七卷　憲宗時人。　見《崇文總目》。

張之緒　文昌損益　益,德宗時人。　見《崇文總目》。

李肇　翰林志一卷　見《崇文總目》。今存。

李吉甫　元和國計簿十卷　吉甫,見本書列傳。

又　元和百司舉要一卷　見《崇文總目》。

王涯　唐循資格五卷　見《崇文總目》。涯,見本書列傳。

韋處厚　大和國計二十卷　處厚,見本書列傳,字子全,萬年人。大和,文宗年號。

---

① “見”字原脱,據藕香簃本補。

② “元”原作“言”,據藕香簃本改。

王彦威　占額圖一卷

孫結　大唐國照圖一卷　文宗時人。

大唐國要圖五卷　左僕射賈耽纂,監察御史褚璆重脩。

翰林内誌一卷　《崇文總目》:"《翰林内志》一卷。"錢繹按《宋志》作"李肇撰",疑《翰林志》重出,或《宋史》誤。

楊鉅　翰林學士院舊規一卷　字文碩,收子也,昭宗時翰林學士,吏部侍郎。見《崇文總目》。陳氏曰:"唐學士馮翊、楊鉅、文碩撰,雜記院中事例。"

右職官類,十九家,二十六部,二百六十二卷。失姓名十家,六典以下不著録二十九家,二百八十卷。

右一百四部,列代起居注四十一家,列代故事四十二家,列代職官二十一家,凡二千二百三十三卷。

趙岐　三輔決録十卷　摯虞注。《隋志》:"《三輔決録》七卷,漢太僕趙岐撰,摯虞注。"岐,見《後漢書》列傳。虞,見《晋書》列傳。今有張澍、茆泮林輯本。

三輔決録七卷　趙岐撰,摯虞注。

魏文帝　海内士品録三卷　《隋志》:"《海内士品》一卷。"不著撰人。謹按《隋志》子部:"《名家士操》一卷,魏文帝撰。"文帝不當以操名書,似即此《士品》之誤。

海内士品録二卷　魏文帝撰。

海内先賢傳五卷　魏明帝時撰。《隋志》:"《海内先賢傳》四卷,魏明帝時撰。"謹按《群輔録》云:"魏文帝初,爲丞相。魏王所旌表二十四賢,明帝乃述撰其狀,曰《甄表狀》。"此《傳》大抵因《甄表狀》推廣之。章宗源云:"所紀多東漢名賢。"

海内先賢傳四卷　魏明帝撰。

李氏　海内先賢行狀三卷　謹按《隋志》:"《先賢集》三卷。"即此書。各書所引有省"海内"二字者。

海内先賢行狀三卷　李氏撰。

韋氏　四海耆舊傳一卷　《隋志》:"《四海耆舊傳》一卷。"謹按《隋志》無撰人,《舊志》作"李氏"。

四海耆舊傳一卷　李氏撰。

諸國先賢傳一卷 《隋志》:"《諸國清賢傳》一卷。"即此書。

諸國先賢傳一卷

圈稱　陳留風俗傳三卷 《隋志》:"《陳留耆舊傳》二卷,漢議郎圈稱撰。"《通志·氏族略》:"圈氏,音倦,芈姓。"《風俗通》:"楚鬻熊之後,望出陳留。"《廣韵》:"字幼舉。"謹按《隋志》,圈稱書凡五卷,《耆舊傳》二,《風俗傳》三,分别著録于雜傳、地理。兩《唐志》但有《風俗傳》三卷,是《耆舊傳》已亡矣。

蘇林　陳留耆舊傳三卷 《隋志》:"《陳留耆舊傳》一卷,魏散騎常侍蘇林撰。"林,見孝經類。謹按圈稱有《陳留耆舊傳》,林蓋廣稱之書。

陳留耆舊傳三卷 蘇林撰。

劉昞　敦煌實録二十卷

敦煌實録二十卷 劉延明撰。

陳英宗　陳留先賢傳象讚一卷 《隋志》:"《陳留先賢象讚》一卷。"陳英,始末未詳,謹按范書《蔡邕傳》:"邕死獄中,兖州陳留皆畫象而頌焉。"此書中一事也。《隋志》、《舊志》均無"傳"字。

陳留先賢象讚一卷 陳英撰。

江敞　陳留人物志十五卷 《隋志》:"《陳留志》十五卷,東晋剡令江敞撰。"《舊志》作"江徽"。群書所引又有作"江微"者。始末未詳。

陳留志十五卷 江徽撰。

周裴　汝南先賢傳五卷 《隋志》:"《汝南先賢傳》五卷,魏周斐撰。"謹按《史通·外篇》注作"《汝南先賢行狀》",即此書。《舊志》作"周裴"。

汝南先賢傳五卷 周裴撰。

陸胤　廣州先賢傳七卷 胤,見《吴志》陸凱附傳。

廣州先賢傳七卷 陸胤撰。

劉芳　廣州先賢傳七卷

徐整　豫章舊志八卷 《隋志》:"《豫章舊志》三卷,晋會稽太守熊默撰。"與此撰人不同,書似宜入地理類,而《隋》、《唐志》俱入雜傳。

豫章舊志八卷 徐整撰。

又　豫章烈士傳三卷 《隋志》:"《豫章烈士傳》三卷,徐整撰。"謹按《隋》、《唐志》作"烈士",《初學記》作"列士"。

豫章烈士傳三卷　徐整撰。

華隔　廣陵烈士傳一卷

廣陵烈士傳一卷　華隔撰。

张勝　桂陽先賢畫贊五卷　《隋志》:"《桂陽先賢書贊》一卷,吴左中郎張勝撰。""書贊"是"畫贊"之誤。侯康云:"《御覽》或引作'《先賢傳》',核其文義,即一書。"

桂陽先賢畫贊五卷　张勝撰。

朱育　會稽記四卷　《隋志》:"《會稽土地記》一卷,朱育撰。"謹按《吴志·虞翻傳》注引《會稽典録》:孫亮太平三年,育爲郡門下書佐,對太守濮陽興訪本郡人物及吴會分郡始末,凡千數百言。即此書之緣起。《隋志》:"《土地記》一卷。"兩《唐志》似合人物、土地爲一書,故四卷,又以其書人物爲多,改入傳記類。

會稽土地記四卷　朱育撰。

虞預　會稽典録二十四卷　《隋志》:"《會稽典録》二十四卷,虞預撰。"預,見正史類。《史通》謂之郡書。

會稽典録二十四卷　虞預撰。

謝承　會稽先賢傳七卷　《隋志》:"《會稽先賢傳》七卷,謝承撰。"

會稽先賢傳五卷　謝承撰。與本《志》七卷不同。

賀氏　會稽先賢傳像贊四卷　《隋志》:"《會稽先賢象贊》五卷。"謹按地理類有《會稽記》一卷,賀循撰,似一書而析出別行者,則賀氏其循與?

會稽先賢傳像贊四卷　賀氏撰。

鍾離岫　會稽後賢傳三卷　《隋志》:"《會稽後賢傳記》二卷,鍾離岫撰。"岫,始末未詳。謹按魯相鍾離意,會稽人,岫是其後,東晋時人。

會稽後賢傳三卷　鍾離岫撰。

賀氏　會稽太守像讚二卷　同上。

會稽太守像讚二卷　賀氏撰。

陆凱　吴國先賢傳五卷　《隋志》:"《吴先賢傳》四卷,吴左丞相陸凱撰。"凱,見《吴志》本傳。《舊志》有《吴國先賢傳贊》三卷,不著撰人,疑即此書。《初學記》引三條,皆傳贊。

吴國先賢像讚三卷　《舊志》無"象"字。

吴國先賢讃三卷

陳壽　益部耆舊傳十四卷　《隋志》:"《益部耆舊傳》十四卷,陳長壽撰。"長壽即壽,見正史類。

益部耆舊傳十四卷①　陳壽撰。

益州耆舊雜傳記二卷　此書或云陳術撰,或云常寬撰,《国志》注引之。

白褒　魯國先賢傳十四卷　《隋志》:"《魯國先賢傳》二卷,晋大司農白褒撰。"褒,見《晋書·山濤傳》。《舊志》又出《魯國先賢志》,白雜傳,岑本削。

魯國先賢志十四卷　白褒撰。

張方　楚國先賢傳一卷　《隋志》:"《楚國先賢傳贊》十二卷,晋張方撰。""張方"亦作"張方賢",《舊志》又作"楊方"。方,始末未詳。

楚國先賢志十二卷②　楊方撰。

高範　荆州先賢傳一卷

荆州先賢傳一卷　高範撰。

仲長統　山陽先賢傳一卷　《隋志》:"《兖州先賢傳》一卷。"謹按《元和姓纂》云:"晋太宰參軍長仲穀著。"本《志》"仲長統",誤。

兖州山陽先賢讃一卷　仲長統撰。

范瑗　交州先賢傳四卷　《隋志》:"《交州先賢傳》三卷,晋范瑗撰。"謹按《史通》云"士燮著録"瑗殆續之。"瑗,始末未詳。

交州先賢傳四卷　范瑗撰。

習鑿齒　襄陽耆舊傳五卷　《隋志》:"《襄陽耆舊記》五卷,習鑿齒撰。"鑿齒,見古史類。《宋史·志》"傳"作"記"。

襄陽耆舊傳五卷　習鑿齒撰。

又　逸人高士傳八卷　謹按《隋志》有《高隱傳》十卷,無習氏《逸人高士傳》。《袁洲真隱傳》二卷,疑此合爲一,而失注撰人名。

逸人高士傳八卷　習鑿齒撰。

王基　東萊耆舊傳一卷　《隋志》:"《東萊耆舊傳》一卷,王基撰。"基,見詩類。

---

① "部"原作"州",據藕香簃本改。

② "二"字原脱,據藕香簃本補。

王義度　徐州先賢傳九卷　又　一卷 《隋志》:"《徐州先賢傳》一卷,《徐州先賢傳贊》九卷,劉義慶撰。"義慶,見《宋書·宗室傳》。此删"臨川"二字,"義"訛"羲","慶"訛"度"。宋氏,漢楚元王之後世,爲彭城人,故臨川王爲是書。

徐州先賢傳九卷

劉義慶　徐州先賢傳讚八卷

徐州先賢傳一卷

劉彧　長沙舊邦傳讚四卷 《隋志》:"《長沙舊傳贊》三卷,晋臨川王郎中劉彧撰。"彧,始末未詳。《舊志》作"成"。

長沙舊邦傳讚三卷 劉成撰。

郭緣生　武昌先賢傳三卷 《隋志》:"《武昌先賢志》二卷,宋天門太守郭緣生撰。"緣生,疑郭翻之後。翻,武昌人,兩《唐志》皆作"先賢傳",不作"志"。

武昌先賢傳三卷 郭延生撰。

虞溥　江表傳三卷 溥,見《晋書》本傳。謹按裴松之注《三国》徵引最多,皆述魏、蜀、吴事,尤詳吴事。本《志》雜史類重出。

崔慰祖　海岱志十卷 《隋志》:"《海岱志》二十卷,齊前將軍記室崔慰祖撰。"慰祖,見《齊書·文苑傳》。

海岱志十卷 崔慰祖撰。

吴均　吴郡錢塘先賢傳五卷

吴郡錢塘先賢傳三卷 吴均撰。

陽休之　幽州古今人物志三十卷

幽州古今人物志十三卷 陽休之撰。

劉叔先　東陽朝堂書讚一卷 《隋志》:"《東陽朝堂象贊》一卷,晋南平太守留叔先撰。"叔先,始末未詳。謹按"畫"誤"書","留""劉"通。

濟北先賢傳一卷 《隋志》:"《濟北先賢傳》一卷。"不著撰人。

廬江七賢傳二卷 《隋志》:"《廬江七賢傳》二卷。"謹按各書所引均作"七賢傳"。《隋志·序》有曰:"後漢光武,始詔南陽撰作風俗,故沛三輔有耆舊節士之序,魯、廬江有名德先賢之作。""七"當作"先"。

廬江七賢傳一卷

零陵先賢傳一卷 《隋志》:"《零陵先賢傳》。"不著撰人。謹按所引皆劉曹時事。

零陵先賢傳一卷

蕭廣濟　孝子傳十五卷 《隋志》:"《孝子傳》十五卷,晉輔國將軍蕭廣濟撰。"廣濟,始末未詳。今有茆泮林輯本,《孝子傳》下師覺授、宋躬均在内。

孝子傳十五卷 蕭廣濟撰。

師覺授　孝子傳八卷 《隋志》:"《孝子傳》八卷,師覺授撰。"覺授,見《宋書·臨川王義慶傳》。

又八卷 師覺授撰。

王韶之　孝子傳十五卷

孝子傳十五卷 王韶之撰。

又　贊三卷 《隋志》:"《孝子傳贊》三卷,王昭之撰。"韶之,見古史類。"昭"當作"韶"。今有茆泮林輯本。

宗躬　孝子傳八卷 《隋志》:"《孝子傳》二十卷,宋躬撰。"謹按"宗"、"宋"二字難别。躬,在南齊朝。

孝子傳十卷 宗躬撰。

又　止足傳十卷 《隋志》:"《止足傳》十卷。"謹按宗躬與蕭子良同時,疑兩書衹是一書,故《舊志》無宗躬書,又脱"竟陵"二字。

止足傳十卷 王子良撰。

齊竟陵文宣王子良　止足傳十卷

虞盤佐　孝子傳一卷

孝子傳一卷 虞盤佐撰。

又　高士傳二卷 《隋志》:"《高士傳》二卷,虞盤佐撰。"又作"虞敬叔"。

高士傳二卷 虞盤佐撰。

徐廣　孝子傳三卷

又三卷 徐廣撰。

梁武帝　孝子傳三十卷

雜孝子傳二卷 《隋志》有《孝子傳略》,或即此書。

雜孝子傳一卷

鄭緝之　孝子傳讚十卷　《隋志》:"《孝子傳》十卷,宋員外郎鄭緝之撰。"緝之,始末未詳。謹按《法苑珠林》引鄭《感通傳》,則具有篇目。

孝子傳讚十卷　鄭緝之撰。

申秀　孝友傳八卷　《隋志》:"《孝友傳》八卷。"不著撰人。謹按《魏志・韓麒麟傳》:"子顯宗,撰《孝友傳》。"或是此書。申秀,始末未詳。

孝友傳八卷　梁元帝撰。

元懌　顯忠録二十卷　《隋志》:"《顯忠録》二十卷,梁元帝撰。"懌,見《魏書・文五王傳》。①《隋志》云:"梁元帝者,因上文而誤。"

顯忠録二十卷　元懌撰。

嵇康　聖賢高士傳八卷　《隋志》:"《聖賢高士傳贊》三卷,嵇康撰,周續之注。"康,見《晋書》本傳。續之,見《宋書》本傳。《舊志》卷數不同。

高士傳三卷　嵇康撰。

皇甫謐　高士傳十卷　《隋志》:"《高士傳》六卷,皇甫謐撰。"謐,見雜史類。《舊志》:"七卷。"今存。

高士傳七卷　皇甫謐撰。

又　逸士傳一卷　《隋志》:"《逸士傳》一卷,皇甫謐撰。"

玄晏春秋二卷　《隋志》:"《玄晏春秋》二卷,皇甫謐撰。"謹按《書鈔》、《初學記》所引,似編年法,如後世年譜之類。

玄晏春秋二卷　皇甫謐撰。

韋氏家傳三卷　《隋志》:"《韋氏家傳》一卷。"《舊志》入譜牒類。

韋氏家傳三卷　皇甫謐撰。

周續之　上古以來聖賢高士傳贊三卷

上古以來聖賢高士傳贊三卷　周續之撰。

劉晝　高才不遇傳四卷　《隋志》:"《高才不遇傳》四卷,北齊劉晝撰。"晝,見《北齊書》本傳。

高才不遇傳四卷　劉晝撰。

---

① "五王"原作"武子",據藕香簃本改。

周弘讓　續高士傳八卷 《隋志》:"《續高士傳》七卷,周弘讓撰。"弘讓,見《南史·周朗傳》。

續高士傳八卷 周弘讓撰。

張顯　逸人傳三卷 《隋志》:"《逸民傳》七卷,張顯撰。""民"作"人",避唐諱。顯,泰始初爲議郎。

逸人傳三卷 張顯撰。

鍾離儒　逸人傳八卷

袁宏　名士傳三卷 《隋志》:"《正始名士傳》三卷,袁敬仲撰。"謹按敬仲即袁宏,見孝經類。《正始名士傳》、《竹名士傳》,皆即此書。

名士傳三卷 袁宏撰。

袁洲　真隱傳二卷 見上。

真隱傳二卷 袁洲撰。

阮孝緒　高隱傳十卷 《隋志》:"《高隱傳》十卷,阮孝緒撰。"孝緒,見小學類。

高隱傳二卷 阮孝緒撰。

劉向　列士傳二卷 《隋志》:"《列士傳》二卷,劉向撰。"向,見尚書類。

范晏　陰德傳二卷 《隋志》:"《陰德傳》二卷,宋光禄大夫范晏撰。"晏,見《范泰傳》。

齊竟陵文宣王子良　止足傳十卷

鍾岏　良吏傳十卷 《隋志》:"《良吏傳》十卷,鍾岏撰。"岏,見《梁書·文學傳》。

良吏傳十卷 鍾岏撰。

先儒傳五卷 謹按《隋志》合於《孔子弟子傳》。

先儒傳五卷

殷系　英藩可録事三卷　一云張萬賢撰。《隋志》:"《英藩可録》二卷,张萬賢撰,①邵武侯新注。②"謹按張萬賢,疑即撰《楚國先賢傳》張方賢,英藩蓋列代藩鎮之屬。

---

① 原脱"撰"字,藕香簃本同,據武英殿本《舊唐書》補。

② "新"原作"衍",藕香簃本同,據武英殿本《隋書》改。

英藩可録事二卷 殷系撰。

鄭忱　文林館記十卷

文林館記三卷

張騭　文士傳五十卷 《隋志》:“《文士傳》五十卷,張隱撰。”“隱”當爲“騭”。

文士傳五十卷 張騭撰。

梁元帝　孝德傳三十卷 《隋志》:“《孝德傳》三十卷,梁元帝撰。”梁元帝,見正史類。

孝德傳三十卷 梁元帝撰。

又　忠臣傳三十卷 《隋志》:“《忠臣傳》十卷,梁元帝撰。”

忠臣傳三十卷 梁元帝撰。

全德志一卷 《隋志》:“《全德志》,梁元帝撰。”

全德志一卷 梁元帝撰。

丹陽尹傳十卷 《隋志》:“《丹陽尹傳》十卷,梁元帝撰。”

丹陽尹傳十卷 梁元帝撰。

同姓名録一卷 《隋志》:“《同姓名録》一卷,梁元帝撰。”今存。

同姓名録一卷 梁元帝撰。①

懷舊志九卷 《隋志》:“《懷舊志》九卷,梁元帝撰。”

裴懷貴兄弟傳三卷

悼善列傳四卷 《隋志》:“《悼善傳》十一卷。”不著撰人。

悼善列傳四卷

劉昭　幼童傳十卷 《隋志》:“《幼童傳》十卷,劉昭撰。”昭,見正史類。

幼童傳十卷 劉昭撰。

盧思道　知己傳一卷 《隋志》:“《知己傳》一卷,盧思道撰。”思道,見《隋書》本傳。明胡應麟《甲乙剩言》猶引此書。

知己傳一卷 盧思道撰。

孫敏　春秋列國名臣傳九卷

---

① 原脱“撰”字,藕香簃本同,據武英殿本《舊唐書》補。

春秋列國名臣傳九卷 孫敏撰。

孔子弟子傳五卷 《隋志》:"《孔子弟子先儒傳》十卷。"謹按當是兩書各五卷。

孔子弟子傳五卷

東方朔傳八卷 《隋志》:"《東方朔傳》八卷。"不著撰人。朔,見《漢書》本傳。

東方朔傳八卷

李固別傳七卷 固,見范《書》本傳。《太平御覽》引之。

李固別傳七卷

梁冀傳二卷 冀,見范《書》本傳。《通典》引之。

梁冀傳二卷

郭沖　諸葛亮隱没五事一卷 《魏志》注引之。

諸葛亮隱没五事一卷

何顒傳一卷 《隋志》:"《何顒使君家傳》一卷。"顒,見范書《党錮傳》。

何顒傳一卷

曹瞞傳一卷 此吴人所作,不應稱太祖,皆裴松之所改。

曹瞞傳一卷 吴人作。

毌丘儉記三卷 《隋志》:"《毌丘儉記》三卷。"儉,見《魏志》本傳。謹按《魏志·明帝紀》注引此書,未知爲儉記事之作,抑他人記儉事。

毌丘儉記三卷

管辰　管輅傳二卷 《隋志》:"《管輅傳》三卷,管辰撰。"辰,見《魏志·管輅傳》。今存。

管輅傳二卷 管辰撰。

戴逵　竹林七賢論二卷 《隋志》:"《竹林七賢論》二卷,太子中庶子戴逵撰。"逵,見論語類。今有嚴可均輯本。

竹林七賢論二卷 戴逵撰。①

孟仲暉　七賢傳七卷 《隋志》:"《七賢傳》,孟氏撰。"仲暉,見《洛陽伽藍記》。

---

① "逵",原誤作"筵",藕香簃本同,據武英殿本《舊唐書》改。

七賢傳七卷 孟仲暉撰。

桓玄傳二卷

桓玄傳二卷

雜傳六十九卷

雜傳六十五卷

又四十卷 《隋志》:"《雜傳》四十卷,賀蹤撰。本七十卷,亡。"蹤,見《任昉傳》。

又四十卷

又九卷

又九卷

任昉雜傳一百二十卷 《隋志》:"《任昉雜傳》三十六卷,任昉撰。本一百四十七卷,亡。"昉,見《梁書》本傳。

荆揚二州遷代記四卷

元暉等 祕録二百七十卷

祕録二百七十卷 元暉等撰。

王孝恭 集記一百卷

集記一百卷 王孝恭撰。

漢明帝 畫讃五十卷

畫讃五十卷 漢明帝撰。

姚澹 四科傳贊四卷

四科傳贊四卷 姚澹撰。

七國叙贊十卷

七國叙贊十卷

益州文翁學堂圖一卷 《隋志》:"《蜀文翁學堂象題記》二卷,《歷代名畫記》十卷。"畫古聖帝賢臣七十子,後又增漢晋帝王、名臣,蜀之賢相牧守,似東晋時人所作。

益州文翁學堂圖一卷

荀伯子 荀氏家傳十卷 又 薛常侍集二卷 《隋志》:"《薛常侍家傳》一卷。"伯子,見《宋書》列傳,潁州潁陰人。① 謹按《吴志》,薛綜子瑩爲散騎常侍,

① "潁"原作"穎",據藕香簃本改。

子兼亦爲常侍，即其家傳。

薛常侍傳二卷　荀伯子撰。

明氏世録六卷明粲[①]　《隋志》："《明氏世録》六卷，梁武記室明粲撰。"《舊志》入譜牒類。

明氏世録五卷　明粲撰。

漢南庾氏家傳三卷　庾守業。《隋志》："《庾氏家傳》一卷，庾斐撰。"斐，始末未詳。又有《漢南家傳》三卷，不著撰人。《舊志》入譜牒類。

漢南庾氏家傳三卷　庾守業撰。

褚氏家傳一卷　褚結撰，褚陶注。《隋志》："《褚氏家傳》一卷，褚凱等撰。"陶，見《晋書・文苑傳》。謹按凱與結音之似。《舊志》入譜牒類。

褚氏家傳一卷

殷氏家傳三卷　殷敬。敬，始末未詳。《御覽》引之。《舊志》在譜牒類。

殷氏家傳三卷　殷敬等撰。

崔氏世傳七卷　崔鴻。《隋志》："《崔氏五門家傳》二卷，崔氏撰。"鴻，見霸史類。

邵氏家傳十卷　或引稱"《會稽邵氏家傳》"。《舊志》在譜牒類。

邵氏家傳十卷

王氏家傳二十一卷　《隋志》："《王氏家傳》二十三卷。"《舊志》"二十二卷"。《舊志》入譜牒類。

王氏家傳二十二卷

江氏家傳七卷　江饒。《隋志》："《江氏家傳》七卷，江祚等撰。"謹按《隋志》作"江祚"，《舊志》譜牒類作"江統"，未知孰是。《舊志》入譜牒類。

江氏家傳七卷　江統撰。

暨氏家傳一卷　《隋志》："《暨氏家傳》一卷。"不著撰人。《舊志》入譜牒類。

暨氏家傳一卷

虞氏家傳五卷　虞覽。《隋志》："《虞氏家傳》，虞覽撰。"覽，始末未詳。《舊志》入譜牒類。

---

① "明粲"二字原脱，據藕香簃本補。

虞氏家傳五卷 虞覽撰。

裴氏家記三卷 裴松之。《隋志》:"《裴氏家傳》四卷,裴松之撰。"松之,見禮類。謹按松之撰,子野又續之,見《梁書·子野傳》。《舊志》入譜牒類。

裴氏家記三卷 裴松之撰。

諸葛傳五卷 《舊志》入譜牒類。

諸葛傳五卷

曹氏家傳一卷 曹毗。《隋志》:"《曹氏家傳》一卷,曹毗撰。"毗,見論語類。《舊志》入譜牒類。

曹氏家傳一卷 曹毗撰。

諸王傳一卷 《舊志》入譜牒類。

諸王傳一卷

陸史十五卷 陸煦。《隋志》:"《陸史》十五卷。"不著撰人。煦,見《南史·陆杲傳》。《舊志》入譜牒類。

陸史十五卷 陸煦撰。

王劭 尔朱氏家傳二卷 《隋志》:"《尔朱家傳》二卷,王氏撰。"劭,見古史類。謹按尔朱,契胡部落,居尔朱川,因以爲氏。《舊志》入譜牒類。

尔朱氏家傳二卷 王劭撰。

何妥家傳二卷 《隋志》:"《何氏家傳》三卷。"《群書》引作"廬江《何氏家傳》"。妥,見易類。《舊書》入譜牒類。

何妥家傳二卷

賀若弼家傳一卷 弼,見《隋書》列傳。《舊志》入譜牒類。

賀若弼家傳一卷

令狐德棻[1] 令狐氏家傳一卷 《隋志》:"《令狐氏家傳》一卷。"德棻,見前。《舊志》入譜牒類。

令狐氏家傳一卷 令狐德棻撰。

張太素 敦煌張氏家傳二十卷 太素,見正史類。《舊志》入譜牒類。

---

① "令狐德棻"四字原脱,據藕香簃本補。

敦煌張氏家傳二十卷 張太素撰。

魏徵 自古諸侯王善惡録二卷

自古諸侯王善惡録二卷 魏徵撰。

章懷太子 列藩正論三十卷

列藩正論三十卷 章懷太子撰。

鄭世翼 交游傳二卷

交游傳二卷 鄭世翼撰。

李襲譽 忠孝圖傳讚二十卷

忠孝圖傳讚二十卷 李襲譽撰。

許敬宗 文館詞林文人傳一百卷

文館詞林文人傳一百卷

崔玄暐 友義傳十卷

又 義士傳十五卷

傅奕 高識傳十卷

郎餘令 孝子後傳三十卷

平貞昚 養德傳 卷亡。

徐堅 大隱傳三卷

裴朏 續文士傳十卷 開元中懷州司馬。

李襲譽 又撰江東記三十卷

李義府 宦游記七十卷①

王方慶 友悌録十五卷 方慶,見故事類。

又 王氏訓誡五卷

王氏列傳十五卷

王氏尚書傳五卷

魏文貞故事十卷 《崇文總目》作《文正公事實録》,止一卷。

---

① “宦”原作“官”,據藕香簃本改。

唐臨　冥報記二卷　臨,見本書列傳,漢孫,字本德,京兆萬安人。

李筌　中台志十卷　筌,見故事類。

盧詵　四公記一卷　一作"《梁載言》"。《崇文總目》、陳氏云:"《梁四公記》,張説撰。"今《廣記》内采此篇。

王瓘　廣軒轅本紀三卷　瓘,閬州晋安縣主簿,唐人。今存一卷,名曰《廣黄帝本行記》。

李渤　六贤圖讚一卷　見《崇文總目》。

陸龜蒙　小名録五卷　見《崇文總目》。龜蒙,見本書《隱逸傳》。①

張昌宗　古文紀年新傳三卷　昌宗,冀州南宫人,太子舍人。昌宗,見本書列傳。

王緒　永寧公輔梁記十卷　緒,開元人,僧辨兄孫也。永寧,即僧辨所封。緒,見本書《王潮傳》。

賈閏甫　李密傳三卷　閏甫,密舊屬。見《崇文總目》。密、閏甫均見本書列傳。

顔師古　安興貴家傳　卷亡。師古,見正史類。

陸氏　英賢徵記三卷　陸師儒。

李邕　狄仁傑傳三卷　見《書録解題》。邕、仁傑,見本書列傳。

郭湜　高氏外傳一卷　力士。湜,大曆大理司直。《書録解題》:"《高力士外傳》一卷,唐大理司直郭湜撰。"在大曆中。

李翰　张巡姚闇傳二卷　翰、巡、闇均見本書列傳。

陳翃②　**郭公家傳八卷**　子儀,翃嘗爲其寮屬,後又從事渾瑊河中幕。見《崇文總目》,"陳翃"作"陳翊"。晁氏曰:"又作陳雄云。雄本汾陽王屬吏。弟九行狀,弟十録,副佐三十三人,大將二十七人,曰《正武將佐略》。"

殷亮　顔氏家傳一卷　杲卿。見《崇文總目》,無"家"字。

殷仲容　顔氏行狀一卷　真卿。見《崇文總目》。

---

① "傳"字原脱,據藕香簃本補。

② "翃"原作"雄",據藕香簃本改。

馬宇　段公別傳二卷　秀實。宇,元和秘書少監,史館脩撰。見《崇文總目》。

李繁　相國鄴侯家傳十卷　見《崇文總目》。

王起　李趙公行狀一卷　李吉甫。起,見故事類。

張茂樞　河東張氏家傳三卷　弘靖孫。

崔氏　唐顯慶登科記五卷　失名。《通考》云:"書有趙儋序而失崔名。"

姚康　科第録十六卷　字汝諧,南仲孫也,兵部郎中,金吾將軍。

李奕　唐登科記二卷

文場盛事一卷

张鷟　朝野僉載二十卷　自號浮休子。今存。[1]

封氏聞見記五卷　封演。今存。[2]

劉餗　國朝傳記三卷　見《崇文總目》。

國朝舊事四十卷　見《崇文總目》。

蘇特　唐代衣冠盛事録一卷　謹按《四庫闕書》有《國朝衣冠盛事》一卷,即仿此爲之。

李綽　尚書故實一卷　尚書即張延賞。見《崇文總目》。今存。[3]

柳氏訓序一卷　柳玭。見《崇文總目》。

武平一　景龍文館記十卷　見《崇文總目》。平一,見本書列傳,載德子,今存[4]。

蕭叔和　天祚永歸記一卷　睿宗事。

韋機　西征記　卷亡。機,見雜史類。

韩琬　南征記十卷　琬,見故事類。

凌準　邠志二卷　見《崇文總目》。

---

① "今存"二字原脱,據藕香簃本補。

② "今存"二字原脱,據藕香簃本補。

③ "今存"二字原缺,據藕香簃本補。

④ "今存"二字原缺,據藕香簃本補。

陸贄　遣使録一卷　見《崇文總目》。摯,見本書列傳。①

裴肅　平戎記五卷　休父。

房千里　投荒雜録一卷　字鵠舉,大和初進士第,高州刺史。

杜佑　賓佐記一卷

文宗朝備問一卷

黄璞　閩川名士傳一卷　字紹山,大順中進士第。晁氏《讀書志》:“録神龍以来閩人知名於世者,效《楚國先賢傳》爲之。”

魏徵　祥瑞録十卷　徵,見故事類。

徐景　玉璽正録一卷

國寶傳一卷

許康佐　九鼎記四卷　康佐,見本書《儒學傳》。

顔師古　王會圖　卷亡。

李德裕　異域歸忠傳二卷　見《崇文總目》。陳氏:“會昌二年波斯内附,德裕奉詔撰。”

西蕃會盟記三卷　見《崇文總目》。

西戎記二卷　見《崇文總目》。

英雄録一卷

趙琉　孝行志二十卷　字盈之,晋州岳陽人,會昌中。

武誼②　自古忠臣傳二十卷　字子思,楚州盱眙人,咸通中州從事。

凡女訓十七家,二十四部,三百八十三卷。失姓名一家,王方慶以下不著録五家,八十三卷。

劉向　列女傳十五卷　曹大家注。《隋志》:“《列女傳》十五卷,劉向撰,曹大家注。”曾鞏《序録》曰:“劉向序《列女傳》,凡八篇,《隋志》及《崇文總目》皆稱‘向

① “贊”原作“摯”,據藕香簃本改。

② “誼”原作“宜”,據藕香簃本改。

《列女傳》十五篇，曹大家注。'以《頌義》考之，蓋大家所注，離其七篇爲十四與《頌義》凡十五篇，而益以陳嬰母及東漢以來凡十六事耳。"今存八卷，有圖，大家注已佚。

列女傳二卷　劉向撰。

皇甫謐　列女傳六卷　《隋志》："《列女傳》六卷，皇甫謐撰。"謐，見前。

列女傳六卷　皇甫謐撰。

綦毋邃　列女傳七卷　《隋志》："《列女傳》七卷，綦毋邃撰。"邃，始末未詳。"邃"或作"遂"，東晋穆、哀時人。《元和姓纂》云："爲邵陽太守。"

列女傳七卷　綦毋邃撰。

劉熙　列女傳八卷　熙，見小學類。

趙母　列女傳七卷　《隋志》："《列女傳》七卷，趙母注。"趙母，見《世説·賢婦篇》。

項宗　列女後傳十卷　《隋志》："《列女後傳》十卷，項原撰。"宗，始末未詳。《隋志》作"項原"，《舊志》作"顔原"。

列女後傳十卷　顔原撰。

曹植　列女傳頌一卷　《隋志》："《列女傳頌》一卷，曹植撰。"植，見《魏志》列傳。

孫夫人　列女傳序讚一卷

列女傳序讚一卷　孫夫人撰。

杜預　列女記十卷　《隋志》："《女記》十卷，杜預撰。"預，見禮類。是書《史通·褋説篇》所推。

女記十卷　杜預撰。

虞通之　后妃記四卷　又　妬記二卷　《隋志》："《妬記》二卷，虞通之撰。"通之，見《南史·文學·丘巨源傳》。事見《宋書·后妃傳》。

后妃記四卷　虞通之撰。

諸葛亮　貞潔記一卷

曹大家　女誡一卷　《舊志》入儒家類。

女誡一卷　曹大家撰。

辛德源　王劭等　内訓二十卷　《舊志》入儒家類。

内訓二十卷　辛德源、王劭等撰。

徐湛之　婦人訓解集十卷

女訓集六卷

長孫皇后　女則要録十卷　《舊志》入儒家類。文德皇后即長孫皇后也。

女則要録十卷　文德皇后撰。

魏徵　列女傳略七卷

武后　列女傳一百卷

列女傳一百卷　大聖天后撰。

又　孝女傳二十卷

古今内範一百卷

古今内範記一百卷

内範要略十卷

内範要略十卷

保傅乳母傳七卷

保傅乳母傳一卷　大聖天后撰。

鳳樓新誡二十卷　《舊志》入儒家類。張后,肅宗后。

鳳樓新誡二十卷　張后撰。

王方慶　王氏女記十卷

又　王氏王嬪傳五卷

續妬記五卷　謹按《四庫存目》有王《續補妬記》八卷,①書中亦采《妬記》,疑與此編合而爲一,故有八卷之多。

尚宫宋氏　女論語十篇

薛蒙妻韋氏　續曹大家女训十二章　韋温女蒙字仲明,開成中進士第。

王搏妻楊氏　女誡一卷　搏,見本書列傳。

右雜傳記類,一百二十五家,一百四十六部,一千六百五十六卷。失姓名十四家,崔玄暐以下不著録五十一家,二千五百

① 按此處"王"即宋代王績。

七十四卷。總一百四十七家,一百五十一部。

右雜傳,一百九十四部。褒先賢耆舊三十九家,孝友十家,忠節三家,列藩三家,良史二家,高逸十八家,雜傳五家,科録一家,雜傳十一家,文士三家,仙靈二十六家,高僧十家,鬼神二十六家,列女十六家,凡一千九百七十八卷。

衛宏　漢舊儀四卷 《隋志》:"《漢舊儀》四卷,衛敬仲撰。"宏,見詩類。今存《大典》本二卷,孙星衍補二卷。

漢舊儀四卷 衛宏撰。

董巴　大漢輿服志一卷 《隋志》:"《大漢輿服志》一卷,魏博士董巴撰。"巴,見司馬彪《續漢五行志·序》。

輿服志一卷 董巴撰。

徐廣　車服雜注一卷 《隋志》:"《車服雜注》一卷,徐廣撰。"廣,見詩類。

車服雜注一卷 徐廣撰

又　晋尚書儀曹新定儀注四十一卷

晋尚書儀曹新定儀注四十一卷 徐廣撰。

晋儀注三十九卷

傅瑗　晋新定儀注四十卷 《隋志》:"《新定儀注》四十卷,晋安成太守傅瑗撰。"瑗,見《宋書·傅亮傳》。

晋尚書儀曹吉禮儀注三卷

晋尚書儀曹事九卷

晋雜儀注二十一卷 《隋志》:"《晋雜儀注》十一卷。"不著撰人。《隋志》脱"二"字。

晋雜儀注二十一卷

宋尚書儀注三十六卷 《隋志》:"《宋儀注》十卷,《宋儀注》二十卷,《宋尚書雜注》十八卷。本二十卷。"不著撰人。謹按與本《志》不類,而類未知孰完孰缺。

宋儀注二十六卷

宋儀注二卷

張鏡　東宮儀記二十三卷 《隋志》:"《宋東宮儀記》二十三卷,宋新安太守張鏡撰。"鏡,見《宋書·張茂度傳》。謹按張鏡祖敞,在晋末撰《東宫舊事》,見前舊事篇。東宫,指元凶劭也。

嚴植之　南齊儀注二十八卷

又　梁皇帝崩凶儀十一卷

梁皇帝崩凶儀十一卷 嚴植之撰。

梁皇太子喪禮五卷

梁王侯以下凶禮九卷

梁王侯以下凶禮九卷 嚴植之撰。

士喪禮儀注十四卷

沈約　梁儀注十卷

梁儀注十卷 沈約撰。

又　梁祭地祇陰陽儀注二卷

梁祭地祇陰陽儀 沈約撰。

鮑泉　新儀三十卷 《隋志》:"《新儀》三十卷,鮑泉撰。"泉,見詩類。《舊志》"新"作"雜","泉"作"彔",誤。

雜儀三十卷 鮑彔撰。

明山賓等　梁吉禮十八卷

梁吉禮十八卷 明山賓等撰。

梁吉禮儀注四卷　又　十卷 《隋志》:"《梁吉禮儀注》十卷,明山賓撰。《梁賓禮儀注》九卷,賀瑒撰。"本注曰:"按梁明山賓撰《吉儀注》二百六卷,《録》六卷,嚴植之撰《凶儀注》四百七十九卷,《録》四十五卷,陸璉撰《軍儀注》一百九十卷,《録》二卷,司馬褧撰《嘉儀注》一百一十二卷,《録》三卷,並亡。存者唯《士》、《吉》及《賓》,合十九卷。"謹按《舊志》載明山賓等儀注十二部,《藝文志》載十七部,皆是書之佚存者。《徐勉傳》載《上修五禮表》。

梁吉禮儀注十卷

梁尚書儀曹儀注十八卷　又　二十卷

梁尚書儀注十八卷 雜撰。

梁天子喪禮七卷　又　五卷

梁凶禮天子喪禮七卷　天子喪禮五卷 嚴植之撰。

梁大行皇帝皇后崩儀注一卷

大行皇后崩儀注一卷

梁太子妃薨凶儀注九卷

太子妃薨凶儀注九卷

梁諸侯世子卒凶儀注九卷

梁諸侯世子凶儀注九卷 嚴植之撰。

梁陳大行皇帝崩儀注八卷

梁陳大行皇帝崩儀注八卷

賀瑒等　梁賓禮一卷

梁賓禮一卷 賀瑒等撰。

梁賓禮儀注十三卷

陸璉　梁軍禮四卷

梁軍禮四卷 陸璉撰。

司馬褧　梁嘉禮三十五卷

梁嘉禮三十五卷 司馬褧撰。

又　嘉禮儀注四十五卷

梁嘉禮儀注二十一卷 司馬褧撰。

陳吉禮儀注五十卷 《隋志》:“《陳尚書雜儀注》五百五十卷,《陳吉禮》一百七十一卷,《陳賓禮》六十五卷,《陳軍禮》六卷,《陳嘉禮》一百二卷。”皆不著撰人。謹按本《志》無《軍禮》、《嘉禮》,僅據所存者著之。

陳吉禮儀注三十卷

陳雜吉儀注三十卷

陳雜吉儀注三十卷

陳雜儀注六卷

陳雜儀注六卷

陳諸帝后崩儀注五卷

　陳諸帝后崩儀注五卷

陳雜儀注凶儀十三卷

　陳雜儀注凶儀十三卷

陳皇太后崩儀注四卷　儀曹撰。

　陳皇太后崩儀注四卷　儀曹撰。

陳皇太子妃薨儀注五卷　儀曹撰。

　皇太子妃薨儀注五卷　儀曹撰。

張彦　陳賓禮儀注六卷

　陳賓禮儀注六卷　張彦志。

常景　後魏儀注五十卷　《隋志》:"《後魏儀注》五十卷。"不著撰人。常景,見《魏書》列傳。

　後魏儀注三十二卷　常景撰。

趙彦深　北齊吉禮七十二卷　謹按《隋志》有《後齊儀注》二百九十卷,不著撰人,本《志》只有吉禮一種。趙彦深《皇太后喪禮》十卷,無撰人,《舊志》亦兩種,"皇太后"改"皇太子",大約"后"字是。以有婁太后之喪而太子皆不得,其死無主名也。彦深,《北齊書》有傳,本淵字。《舊志》又作"彦琛"。

北齊皇太子喪禮十卷

　北齊皇太子喪禮十卷　趙彦琛撰。

高熲　隋吉禮五十四卷　高熲,見《隋書》列傳。謹按《隋志》有《隋朝儀禮》一百卷,牛弘撰,大約以弘領銜,本《志》存吉禮一種。《舊志》"書禮"或"嘉禮"之誤。

　隋書禮七卷　高熲等撰。

牛弘　潘徽　隋江都集禮一百二十卷　謹按《隋志》在禮類,《舊志》同。現存《序》一篇。"牛弘"字衍。

　江都集禮一百二十卷　潘徽等撰。

大駕鹵簿一卷　謹按唐張彦遠《大駕鹵簿圖》三卷,即此類。

　大駕鹵簿一卷

周遷　古今輿服雜事十卷　《隋志》:"《古今輿服雜事》二十卷,梁周遷撰。"

遷，始末未詳。

古今輿服雜事十卷 周遷撰。

蕭子雲　古今輿服雜事二十卷

甲辰儀注五卷 《隋志》："《甲辰儀》，江左撰。"謹按此書疑即《魏故事》中佚卷，或首篇有"甲辰"，遂以"甲辰儀"名書。《舊志》次董巴《輿服志》之後，蓋亦以爲曹魏時。江左，始末未詳。

甲辰儀注五卷

摯虞　决疑要注一卷 《隋志》："《决疑要注》一卷，摯虞撰。"虞，見《晋書》本傳。

崔豹　古今注一卷今存。[①]

諸王國雜儀注十卷

諸王國雜儀十卷

雜儀注一百卷 《隋志》："《雜儀注》一百八卷。"此書疑范岫撰，事見《南史》岫本傳。

雜儀注一百八卷

范汪　雜府州郡儀十卷

又　祭典三卷

何胤　喪服治禮儀注十卷 《隋志》："梁有何胤《士喪儀注》九卷。"姚振宗曰：[②]"此或胤在齊時所修五禮之一篇，《唐志》作'《喪服治禮儀注》'，又似依《儀禮喪服傳》之制度以為儀注，自爲一家之學，在五禮之外者。"

何點　理禮儀注九卷 《隋志》："《政禮》十卷，何胤注。"胤，見易類。謹按"理"即"治"字，避唐諱。《隋志》又改《政禮》，又脱"儀注"二字。何點爲胤之兄，隱遯不仕，當依《隋志》作胤爲是，事見《徐勉傳》。

陳禮儀注九卷 何點撰。

冠婚儀四卷

崔皓　婚儀祭儀二卷

何晏　魏明帝謚議二卷 謹按《隋志》有《魏晋謚議》十三卷，何晏撰，似合《晋謚議》、《晋簡文謚議》三書，不如本《志》分别著録。何晏死曹爽之難，焉得有晋之《謚

---

① "今存"二字原脱，據藕香簃本補。

② "振"原作"繼"，藕香簃本同，據姚振宗《隋書：经籍志考證》改。

議》?

魏明帝謚議二卷　何晏撰。

郊丘議二卷　《隋志》經部禮類:"梁有《郊丘議》三卷,魏太尉蔣濟撰,亡。"

魏氏郊丘三卷

高堂隆　魏臺雜訪議三卷　見故事類,此重出。

魏臺雜訪議三卷　高崇撰。

晋謚議八卷

晋謚議八卷

晋簡文謚議四卷

晋簡文謚議四卷

孔晁等　晋明堂郊社議三卷

晋明堂郊社議三卷　孔晁等撰。

蔡謨　晋七廟議三卷

晋七廟議三卷　蔡謨撰。

干寶　雜議五卷

雜議五卷　干寶撰。

荀顗等　雜議十卷

晋雜議十卷　荀顗等撰。

王景之　要典三十九卷　謹按《隋志》有《要典雜事》五十卷,不著撰人。本《志》有王景之《要典》,又有王逸《齊典》,王逸即逡之,見禮類,疑"景之"即"逡之"之誤,二書皆此書之殘賸。

要典三十九卷　王景之撰。

王逸　齊典四卷　《隋志》古史類:"《齊典》五卷,王逸撰。"逸當爲王逡之,見禮類。

齊典四卷　王逸撰。

邱仲孚　皇典五卷　《隋志》:"《皇典》二十卷,梁豫章太守邱仲孚撰。"仲孚,見《南史·邱靈鞠傳》。《舊志》"仲孚"誤"孝仲"。

皇典五卷 邱孝仲撰。①

盧諶 雜祭注六卷

盧辨 祀典五卷

徐爰 家儀一卷 《隋志》:"徐爰《家儀》一卷。"爰,見易類。

王儉 吉儀二卷 《隋志》:"《吉書儀》二卷,王儉撰。"儉,見禮類。謹按三種皆王儉撰,齊初建國,禮儀制度皆儉所定。

又 弔答書儀十卷 《隋志》:"《弔答儀》十卷,王儉撰。"

弔答書儀十卷 王儉撰。

皇室書儀七卷

鮑衡卿 皇室書儀十三卷 《隋志》:"《皇室儀》十三卷,鮑行卿撰。"衡卿,《舊志》作"行卿",一人。見《南史·鮑家傳》載其事。

皇室書儀十三卷 鮑行卿撰。

謝朏 書筆儀二十卷 《隋志》:"《書筆儀》二十一卷,謝朏撰。"朏,見《梁書》本傳。《舊志》作"朓",恐誤。

書筆儀二十卷 謝朓撰。

謝允 書儀二卷 《隋志》:"《内外書儀》四卷,謝元撰。"允,《南史》附見《謝裕傳》,字令度,陳郡陽夏人。裕字景仁,以字行,允之子也,不言其有著述,當是元之誤,而又佚二卷。

唐瑾 婦人書儀八卷 《隋志》:"《書儀》十卷,唐瑾撰。"瑾,見《北史·唐永傳》,載撰《新儀》十篇。《隋志》别有《婦人書儀》八卷,不著撰人,疑誤合。

婦人書儀八卷 唐瑾撰。

童悟十三卷 《隋志》雜史類:"《童悟》十二卷。"不著撰人。謹按《通志·藝文略》載此於儀注書儀門中,蓋亦書札之類,便於童蒙者。

童悟十三卷

僧玉真 玉璽譜一卷 《書録解題》:"《秦傳玉璽譜》一卷,題博陵崔逢修,協律郎嚴士元重修,河東少尹魏德謨潤色。"不言僧玉真。然崔逢曰修,曰重修,不言撰,或玉真之本與?

---

① "仲",原誤作"和",藕香簃本同,據中華書局點校本《舊唐書》改。

玉璽譜一卷 僧約真撰。①

姚察　傳國璽十卷 謹按"璽"下似脱"記"字,宋本亦無。

傳國璽十卷 姚察撰。

徐令言　玉璽正録一卷 徐令言名景。《書録解題》云:"徐景撰,乾元元年七月記。"

玉璽正録一卷 徐令言撰。

張大頤　明堂儀一卷

明堂儀一卷 張大頤撰。

姚璠等　明堂儀注三卷

明堂儀注七卷 姚璠等撰。

皇太子方岳亞獻儀二卷

皇太子方岳亞獻儀二卷

蕭子雲　東宫雜事二十卷 《隋志》:"《東宫新記》二十卷,蕭子雲撰。"子雲,見小學類,事見本傳。

宇文愷　東宫典記七十卷 《隋志》故事:"《東宫典記》七十卷,左庶子宇文愷撰。"愷,見《隋書》本傳。

令狐德棻　皇帝封禪儀六卷 《隋志》:"《封禪儀》六卷。"不著撰人。德棻,見正史類。意其人尚存,如《北堂書鈔》不著虞世南之例。

孟利貞　封禪録十卷

裴守真　神岳封禪儀注十卷

神岳封禪儀注十卷 裴子貞撰。

郭山惲　大享明堂儀注二卷

大享明堂儀注二卷 郭仙暉撰。

親享太廟儀注三卷

親享太廟儀三卷 郭仙暉撰。

裴矩　虞世南　大唐書儀十卷

---

① "真",藕香簃本作"貞"。

竇維鋈　吉凶禮要二十卷

韋叔夏　五禮要記三十卷

王憼中　禮儀注八卷　見《崇文總目》。

楊炯　家禮十卷

大唐儀禮一百卷　長孫無忌、房玄齡、魏徵、李百藥、顏師古、令狐德棻、孔穎達、于志寧等撰。《吉禮》六十篇，《賓禮》四篇，《軍禮》二十篇，《嘉禮》四十二篇，《凶禮》六篇，《國恤》五篇，總一百三十篇。貞觀十一年上。

永徽五禮一百三十卷　長孫無忌、侍中許敬宗、兼中書令李義府、黄門侍郎劉祥道、許圉師，太常卿韋琨，博士蕭楚林、孔志約等撰。削《國恤》，以爲豫凶事非臣子所宜論次，定著二百九十九篇。顯慶三年上。

武后　紫宸禮要十卷

開元禮一百五十卷　開元中通事舍人王嵒請改《禮記》，附唐制度，張説引嵒就集賢書院詳議。説奏：《禮記》，漢代舊文，不可更，請修貞觀、永徽五禮爲《開元禮》。命賈登、張烜、施敬本、李鋭、王仲丘、陸善經、洪孝昌撰緝，蕭嵩總之。《書録解題》："書成，唐之五禮始備，新史《禮樂志》大略采摭著于篇。然顯慶削之《國恤》一篇，未能正也。"今存。

蕭嵩　開元禮義鏡一百卷　《崇文總目》云："嵩既定《開元禮》，又以禮家名物繁夥，更隨文釋義，與禮並行。""鏡"後避作"鑑"。

開元禮京兆義羅十卷　《崇文總目》云："據開元已有《義鑑》申衍其説，今此又網羅其遺佚云。"

開元禮類釋二十卷　《崇文總目》云："以唐禮繁重，故彙其名物，粗爲訓釋。"

開元禮百問二卷　《書録解題》云："以古今異制，設爲問答，凡百條。"

顏真卿　禮樂集十卷　禮儀使所定。真卿，見本書列傳。

韋渠牟　貞元新集開元後禮二十卷　渠牟，見本書列傳。

柳逞　唐禮纂要六卷　見《崇文總目》。

韋公肅　禮閣新儀二十卷　元和人。見《崇文總目》。《書録解題》云："唐太常修撰韋公肅撰,有曾南豐序。"公肅,見本書《儒學傳》。

王彦威　元和曲臺禮三十卷

又　續曲臺禮三十卷　見《崇文總目》。《書録解題》云:"太原王彦威撰,元和十三年嘗獻《曲臺新禮》三十卷。至長慶中,又自元和之末次第編録,爲《續禮》三十卷。"彦威,見本書列傳。

李弘澤　直禮一卷　林甫孫,開成太府卿。

韋述　東封記一卷　述,見本書列傳。

李襲譽　明堂序一卷　襲譽,附本書襲志傳。

員半千　明堂新禮三卷　半千,見傳記類。

李嗣真　明堂新禮十卷　嗣真,見本書列傳。

王涇　大唐郊祀録十卷　貞元九年上,時爲太常禮院脩撰。見《崇文總目》。今存,有後人添入文字。

裴瑾　崇豐二陵集禮　卷亡。瑾字封叔,光庭曾孫,元和吉州刺史。見《文獻通考》,有柳子厚序。謹按德宗葬崇陵,順宗葬豐陵。

王方慶　三品官祔廟禮二卷　方慶,見傳記類。

又　古今儀集五十卷

孟詵　家祭儀一卷　見《崇文總目》。詵,見本書《隱逸傳》。

徐閏　家祭儀一卷　見《崇文總目》。

范傳式　寢堂时饗儀一卷　見《崇文總目》。

鄭正則　祠享儀一卷　見《崇文總目》。

周元陽　祭録一卷　見《崇文總目》。

賈頊　家薦儀一卷　見《崇文總目》,不著撰人。

盧弘宣　家祭儀　卷亡。弘宣,見本書《循吏傳》。

孫氏　仲享儀一卷　孙曰用。見《崇文總目》。

劉孝孫　二儀實録一卷　見《崇文總目》。孝孫,見本書《褚亮傳》。

袁郊　二儀實録衣服名義圖一卷

又　服飾變古元録一卷　字之儀,滋子也,昭宗翰林學士。滋,見本書列傳。

王晉　使範一卷　見《崇文總目》。《玉海》云:"記開元以後使者所用章奏文牒之式,凡十二篇。"

戴至德　喪服變服一卷

張戩　喪儀纂要九卷

孟詵　喪服正要二卷

商价　喪禮極議一卷　《崇文總目》云:"裸集先儒五服輕重之論。"本作"殷价",避宋諱作"商"。

張薦　五服圖　卷亡。謹按《崇文總目》有《五服志》三卷。

仲子陵　五服圖十卷　貞元九年上。

裴茝　内外親族五服儀二卷　見《崇文總目》。

又　書儀三卷　朱儔注。茝,元和太常少卿。見《崇文總目》。

葬王播儀一卷　見《崇文總目》。播,見本書列傳。

鄭氏　書儀二卷　鄭餘慶。見《崇文總目》。

裴度　書儀二卷　裴度,見本書列傳。

杜有　晉書儀二卷　見《崇文總目》。

右儀注類,六十一家,一百部,一千四百六十七卷。失姓名三十二家,竇維鍌以下不著録四十九家,八百九十三卷。

右儀注,八十四部,凡一千一百四十六卷。

漢建武律令故事三卷　《隋志》:"《建武律令故事》二卷,亡。"

建武律令故事三卷

漢名臣奏二十九卷　《舊志》在陳壽書之後,《新志》與《南臺奏事》皆在應劭之前,固以爲漢人矣。"

又二十九卷

廷尉決事二十卷　《魏廷尉決事》六十卷,不著撰人。謹按范書《應劭傳》,"決事"下應有"比"字。

廷尉決事二十卷

廷尉駁事十一卷

廷尉駁事十一卷

廷尉雜詔書二十六卷　二條均蒙上"漢"字。

廷尉雜詔書二十六卷

南臺奏事二十二卷　《隋志》:"《南臺奏事》二十二卷。"《唐六典》注:"後漢尚書亦稱臺閣,故曰南臺。"此《南臺奏事》即《三公曹奏事》,故入刑法。

南臺奏事二十三卷

應劭　漢朝議駁三十卷　《隋志》:"《漢朝議駁》十三卷,應劭撰。"重出,應入故事類,説見上。

漢朝議駁三十卷　應劭撰。

陳壽　漢名臣奏三十卷　壽,見正史類。

漢名臣奏三十卷　陳壽撰。

晋駁事四卷　《隋志》:"《晋駁事》四卷。"不著撰人。謹按《晋書・孫鑠傳》:"鑠爲大司馬石苞掾,遷尚書郎,在職駁議十有餘事,爲當時所稱。"當即是書。

晋駁事四卷

晋彈事九卷　《隋志》:"《晋彈事》十卷。"不著撰人。

晋彈事九卷

賈充　杜預　刑法律本二十一卷　《隋志》:"《律本》二十一卷,杜預撰。"預,見禮類。事見《晋書・武帝紀》、①《刑法志》。《唐六典》:"晋命賈充等十四人增損漢魏律,爲二十篇。"

刑法律本二十一卷　賈充等撰。

又　晋令四十卷　《隋志》:"《晋令》四十卷。"不著撰人。《晋・刑法志》:"文帝爲晋王,命賈充等定法律。"《唐六典》云:"撰《令》四十篇。"今有嚴可均輯四十二條。

晋令四十卷　賈充等撰。

宗躬　齊永明律八卷　宗躬,見儀注類。謹按《孔稚圭傳》云:"與王植之律相同,其篇亦與晋目無異。"似即蔡法度之所鈔也。

---

① "書",原誤作"志",藕香簃本同,據中華書局點校本《晋書》改。

齊永明律八卷 宋躬撰。

蔡法度 梁律二十卷 《隋志》:"《梁律》二十卷,梁義興太守蔡法度撰。"事見《梁書·武帝本紀》。

梁律二十卷 蔡法度撰。

又 梁令二十卷 《隋志》:"《梁令》三十卷,《録》一卷,《梁科》三十卷。"不著撰人。謹按《隋·經籍志》云:"晋初,賈充、杜預有《律》有《令》,梁時又取故事之宜者爲《梁科》,唐時只存二卷。"

梁令二十卷 蔡法度撰。

梁科二卷

梁科二卷 蔡法度撰。

條鈔晋宋齊梁律二十卷 《隋志》:"《晋宋齊梁律》二十卷,蔡法度撰。"謹按《隋》無"條鈔"二字,脱落也。《梁律》二十卷是官撰,此似私家著述。

范泉等 陳律九卷 《隋志》:"《陳律》九卷,范泉撰。"《隋·刑法志》:"得梁時明法與尚書删定。"即范泉參定法令。

又 陳令三十卷 《隋志》:"《陳令》二十卷,范泉撰。《陳科》三十卷,范泉撰。"《唐六典·刑部》注云:"《律》三十卷,《令》三十卷,《科》三十卷。"《律》又多於《隋志》。

陳令三十卷 范泉等撰。

陳科三十卷

陳科三十卷 范泉志。

趙郡王叡 北齊律二十卷 《隋志》:"《北齊律》二十卷,《目》一卷。"不著撰人。事見《隋書·刑法志》。"二十"當爲"十二",《舊志》同,並誤"叡"作"獻"。

北齊律二十卷 趙郡王獻撰。

令八卷 《隋志》:"《北齊令》五十卷,《北齊權令》二卷。"《隋·刑法志》:"又上新令四十卷,大抵采魏晋故事。其不可爲定法者,别制《權令》二卷,與之並行。"

北齊令八卷

麟趾格四卷 文襄帝時撰。謹按《通鑑》,高澄議於麟趾閣,謂之麟趾格。

趙肅等 周律二十五卷 《隋志》:"《周律》二十五卷。"不著撰人。《隋·刑法志》:"河南趙肅爲廷尉,撰定法律。"

周大律二十五卷 趙肅等撰。

蘇綽　大統式三卷　《隋志》:"《周大統式》三卷。"不著撰人。綽,見《周書》列傳。《唐六典》:"周文帝輔魏政大統十年,命尚書蘇綽總三十六條,損益爲五卷,謂之《大統式》。"

張裴　律解二十卷　《隋志》:"《雜律解》二十一卷,张裴撰。"嚴可均《全晋文编》:"'斐'一作'裴',一作'斐'。泰始中明法掾,後爲僮長。"謹按《隋志》有《漢晋律序注》一卷,似即新《律解》之序,誤分爲二。

律解二十一卷　張裴撰。

劉邵　律略論五卷　《隋志》:"《應劭律略論》五卷,亡。"謹按"劉"誤"應","邵"誤"劭"。邵,見孝經類。本傳作"律略"。

律略論五卷　劉邵撰。

高熲等　隋律十二卷　《隋志》:"《隋律》十二卷。"不著撰人。熲,見《隋書》列傳。《隋·刑法志》:"開皇元年,乃詔尚書左僕射高熲、上柱國鄭譯等更定新律。"

隋律十二卷　高熲等撰。

牛弘等　隋開皇令三十卷　《隋志》:"《隋開皇志》三十卷,《目》一卷。"不著撰人。弘,見《隋書》列傳。謹按《舊志》作"裴政等撰",與政傳合,此《志》曰"牛弘"。《六典》曰:"高熲均達官領銜者。"

隋開皇令三十卷　裴正等撰。

隋大業律十八卷　《隋志》:"《隋大業律》十一卷。"不著撰人。《隋·刑法志》:"煬帝即位,敕修律,除十惡之條,詔施行之,謂之《大業律》。"

隋大業律十八卷

武德律十二卷　又式十四卷　令三十一卷　尚書左僕射裴寂,右僕射蕭瑀,[1]大理卿崔善爲,給事中王敬業,中書舍人劉林甫、顔師古、王孝達,涇州别駕靖延,太常丞丁孝烏,隋大理丞房軸、天策上將府參軍李桐客、太常博士徐上機等奉詔撰定。以五十三條附新律,餘無增改。武德七年上。

令律十二卷　裴寂撰。

武德令三十一卷　裴寂等撰。

---

① "瑀"原作"璃",據藕香簃本改。

貞觀律十二卷　又　令二十七卷　格十八卷　留司格一卷　式三十三卷　中書令房玄齡、右僕射長孫無忌、蜀王府法曹參軍裴弘獻等奉詔撰定。凡律五百條，令一千五百四十六條，格七百條，以尚書省諸曹爲目，其常務留本司者著爲留司格。

格十八卷　房玄齡撰。

永徽律十二卷　又　式十四卷　式本四卷　令三十卷　散頒天下格七卷　留本司行格十八卷　太尉無忌、司空李勣、左僕射于志寧、右僕射張行成、侍中高季輔、黄門侍郎宇文節、柳奭，尚書右丞段寶玄、太常少卿令狐德棻、吏部侍郎高敬言、邢部侍郎劉燕客、給事中趙文恪、中書舍人李友益、少府丞張行實、太府丞王文端、大理丞元紹、刑部郎中賈敏行等奉詔撰定。分格爲二部，以曹司常務爲行格，天下所共爲散頒格，永徽三年上。至龍朔二年詔司刑太常伯源直心、少常伯李敬玄、司刑大夫李文禮復删定，唯改官曹局名而已。題行格曰留本司行格中本，散頒格曰天下散行格中本。

永徽成式十四卷

永徽中式本四卷

永徽令三十卷

永徽散頒天下格七卷

留本司行格十八卷　長孫無忌撰。

律疏三十卷　無忌、李勣、于志寧、刑局尚書唐臨、大理卿段寶玄、尚書右丞劉燕客、[①]御史中丞賈敏行等奉詔撰。永徽四年上。見《崇文總目》。

永徽留本司格後十一卷　左僕射劉仁軌、右僕射戴至得、侍中

① “右”原作“左”，據藕香簃本改。

張文瓘、中書令李敬玄、右庶子郝處俊、黄門侍郎來恒、左庶子高智周、右庶子李義琰、吏部侍郎裴行儉、馬載、兵部侍郎蕭德昭、裴炎、工部侍郎李義琛、刑部侍郎張楚金、金部郎中盧律師等奉詔撰。儀鳳二年上。

永徽留本司格後本十一卷　劉仁軌撰。

趙仁本　法例二卷

崔知悌　法例二卷

垂拱式二十卷　又　格十卷　新格二卷　散頒格三卷　留司格六卷　秋官尚書裴居道、夏官尚書同鳳閣鸞臺三品岑長倩、鳳閣侍郎同鳳閣鸞臺平章事韋方質、删定官袁智弘、咸陽尉王守慎奉詔撰。加計帳、句帳二式,垂拱元年上新格,武后製序。

垂拱式二十卷

垂拱格二卷

垂拱留司格六卷

删垂拱式二十卷　又　散頒格七卷　中書令韋安石、禮部尚書同中書門下三品祝欽明、尚書右丞蘇瓌、兵部郎中狄光嗣等删定。神龍元年上。

太極格十卷　户部尚書同中書門下三品岑義、中書侍郎同中書門下三品陸象先、右散騎常侍徐堅、[1]右司郎中唐紹、刑部員外郎邵知新、大理寺丞陳義海、評事張名播、右衛長史張處斌、左衛率府倉曹參軍羅思貞、刑部主事閻義顓等删定。太極元年上。

開元前格十卷　兵部尚書兼紫微令姚崇、黄門監盧懷慎、紫微侍郎兼刑部尚書李乂、紫微侍郎蘇頲、舍人吕延祚、給事中魏

---

① "右",原誤作"查",藕香簃本同,據中華書局點校本《新唐書》改。

奉古、大理評事高智静、韓城縣丞侯郢進、瀛州司法參軍閻義顓等奉詔删定。[①] 開元三年上。

開元前格十卷 姚崇等撰。

開元後格十卷 《崇文總目》云:"《傍通開元格》一卷,宋璟撰。"疑即此書。《秘書目》有《開元格鈔》一卷。

開元後格十卷 宋璟等撰。

又三十卷

令三十卷

式二十卷 吏部侍郎兼侍中宋璟、中書侍郎蘇頲、尚書左丞盧從愿、吏部侍郎裴漼、慕容珣,户部侍郎楊滔、中書舍人劉令植、大理司直高智静、幽州司功參軍侯郢璡等删定,開元七年上。見《崇文總目》。

式二十卷

格後長行敕六卷 侍中裴光庭、中書令蕭嵩等删次,開元十九年上。《崇文總目》云:"《唐開元格令科要》一卷,裴光庭撰。"疑是此書之殘賸。

開元新格十卷　格式律令事類四十卷 中書令李林甫、侍中牛仙客、御史中丞王敬從、右武衛胄曹參軍崔晃、衛州司户參軍直中書陳承信、酸棗尉直刑部俞元杞等删定,開元二十五年上。

度支長行旨五卷

王行先　律令手鑑二卷 見《崇文總目》。

元泳　式苑四卷 見《崇文總目》。

裴光庭　唐開元格令科要一卷

元和格敕三十卷 權德輿、劉伯芻等集。 元和,唐憲宗年號。

元和删定制敕三十卷 許孟容、韋貫之、蔣乂、柳登等集。

---

① "顓",原誤作"覞",藕香簃本同,據中華書局點校本《新唐書》改。

大和格後敕四十卷　見《崇文總目》。大和,唐文宗年號。

格後敕五十卷　初,前大理丞謝登纂,凡六十卷。詔刑部詳定,去其繁複,大和七年上。

狄兼謩　開成詳定格十卷　見《崇文總目》。

大中刑法總要格後敕六十卷　刑部侍郎劉瑑等纂。見《崇文總目》。

張戣　大中刑律統類十二卷　見《崇文總目》。

盧紓　刑法要録十卷　裴向上之。見《崇文總目》。

張伾　判格三卷　見《崇文總目》。

李崇　法鑑八卷　見《崇文總目》。《通志略》作"李崇紹"。

右刑法類,二十八家,六十一部,一千四卷。失姓名九家,自開元新格以下不著録十三家,三百二十三卷。

右刑法,五十一部,凡八百一十四卷。

劉向　七略别録二十卷　《隋志》:"《七略别録》,劉向撰。"向,見尚書類。謹按《别録》有解題。今有洪頤煊、馬國翰輯本。

七略别録二十卷　劉向撰。

劉歆　七略七卷　《隋志》:"《七略》七卷,劉歆撰。"歆,見論語類。今有洪頤煊、馬國翰輯本。

七略七卷　劉歆撰。

荀勖　晋中經簿十四卷　《隋志》:"《晋中經》十四卷,荀勖撰。"勖,見《晋書》本傳。《舊志》作"中書簿"。

中書簿十四卷　①荀勖撰。

又　新撰文章家集叙五卷　《隋志》:"《新撰文章家集叙》十卷,荀勖撰。"

新撰文章家集五卷　荀勖撰。

邱深之　晋義熙以來新集目録三卷　《隋志》:"《晋義和已來新集目録》三卷。"不著撰人。深之,即淵之,避唐諱,見《宋書·顧琛傳》。

---

①　"書"原作"經",據藕香簃本改。

義熙已來雜集目録三卷

王儉　宋元徽元年四部書目録四卷　《隋志》:"《宋元徽元年四部書目録》四卷,王儉撰。"儉,見禮類。《舊志》"永徽"當作"元徽"。

永徽元年書目四卷　王儉撰。

今書七志七十卷　賀縱補注。《隋志》:"《今書七志》七十卷,王儉撰。"謹按賀縱有《雜傳》,見前襍傳類。是書本紀作"三十卷",本傳作"四十卷",至梁賀縱補注乃七十卷。

今書七志七十卷　王儉撰,賀縱補。

阮孝緒　七録十四卷　《隋志》:"《七録》十二卷,阮孝緒撰。"孝緒,見小學類。今存《廣弘明集》内《七録》一卷。

七録十二卷　阮孝緒撰。

邱賓卿　梁天監四年書目四卷　謹按《隋志》:"劉孝標《文德殿四部目録》四卷。"成於梁天監四年。而邱賓卿,未知其人。或是一書,或私家著述目録同年所成者。

梁天監四年書目四卷　邱賓之。

劉遵　梁東宫四部書目四卷　《隋志》:"《梁東宫四部目録》四卷,劉遵撰。"遵,見《梁書·劉孺傳》。謹按昭明太子傳,于時東宫有書幾三萬卷,文學最盛,遵爲太子舍人。

陳天嘉四部書目四卷　《隋志》:"《陳天嘉六年壽安殿四部目録》四卷。"不著撰人。

陳天嘉四部書目四卷

牛弘　隋開皇四年書目四卷　《隋志》:"《開皇四年四部目録》四卷。"不著撰人。弘,見正史類。

隋開皇四年書目四卷　牛弘撰。

王劭　隋開皇二十年書目四卷

隋開皇二十年書目四卷　王邵撰。

殷淳　四部書目序録三十九卷

楊松珍　史目三卷

史目三卷　楊公珍撰。

摯虞　文章志四卷　《隋志》:“《文章志》四卷,摯虞撰。”虞,見儀注類。

　文章志四卷　摯虞撰。

宋明帝　晋江左文章志二卷　《隋志》:“《晋江左文章志》三卷,宋明帝撰。”事見《明帝本紀》。

沈約　宋世文章志二卷　《隋志》:“《宋世文章志》二卷,沈約撰。”約,見論語類。事見本傳。

傅亮　續文章志二卷　《隋志》:“《續文章志》二卷,傅亮撰。”亮,見傳記類。

　續文章志二卷　傅亮撰。

名手畫録一卷　《隋志》:“《名手畫録》一卷。”不著撰人。謹按《隋志·序》云:“煬帝起二臺,西曰寶蹟臺,藏古畫。”此一卷或是寶蹟臺之藏之目録。

　名手畫録一卷

虞龢　法書目録六卷　《隋志》:“《法書目録》六卷。”不著撰人。此書見小學類,重出。

　法書目録六卷　虞和撰。

群玉四録二百卷　殷踐猷、王愜、韋述、余欽、毋煚、劉彦直、王彎、王仲丘撰,元行沖上之。

　群書四録二百卷　元行沖撰。

毋煚　古今書録四十卷　《宋志》及《秘書省續編》。《四庫闕書目》有之。

韋述　集賢書目一卷　見《崇文總目》。

李肇　經史釋題二卷　肇,見故事類。

宗諫　注十三代史目十卷　見《崇文總目》。趙氏《讀書後志》作“三卷,殷仲茂撰”,疑仲茂撰目而諫注之。

常寶鼎　文選著作人名目三卷　見《讀書志》。

尹植　文樞秘要目七卷　鈔《文思博要》、《藝文類聚》爲《秘要》。謹按《崇文總目》作《文樞秘要録》,《宋志》作“田鎬、尹直《文樞密要目》”,即一書。

唐書叙例目録一卷　見《崇文總目》。

孫玉汝　唐列聖實録目二十五卷　見《崇文總目》。

吴氏　西齋書目一卷　吴兢。見《崇文總目》。《請書志》云:"吴兢録其家藏書一萬二千四百六十八卷,兢自撰書附于正史之末。"

河南東齋史目三卷　《崇文書目》有"録"字。

蔣彧　新集書目一卷　見《崇文總目》。

杜信　東齋籍二十卷　字立言,元和國子司業。

右目録類,十九家,二十二部,[①]**四百六十卷**。失姓名二家,毋煚以下不著録十二家,一百十四卷。

右雜四部書目,十八部,凡二百一十七卷。

宋衷　世本四卷　《隋志》:"《世本》四卷,宋衷撰。"衷,見易類。全謝山云:"《世本》有三:其一,二卷,劉向所作;其一,四卷,宋衷所作;《漢志》《世本》十五篇,而《隋志》有《世本王侯大夫譜》二卷,不著作者。又劉向《世本》、宋衷《世本》四卷,則所謂《世本王侯大夫譜》者,疑即《漢志》之《世本》,蓋古經也。"今有張澍、洪飴孫輯本。

世本四卷　宋衷撰。

世本别録一卷　按一卷,似乎即小司馬所謂補燕世系之闕者。

世本别録一卷

宋均　注帝譜世本七卷　《隋志》:"《漢氏帝王譜》三卷。"下注云:"梁有《宋譜》四卷,亡。"疑即此書,合《漢氏帝王譜》三卷,正七卷也。

王氏　注世本譜二卷

世本譜二卷

漢氏帝王譜二卷　《隋志》:"《漢氏帝王譜》三卷。"不著撰人。

漢氏帝王譜二卷

齊永元中表簿六卷　《隋志》:"《齊永元中表簿》五卷。"《舊志》作"永和",誤。

永和中表簿六卷

梁大同四年中表簿三卷

大同四年中表簿三卷

---

① "十"原作"百",據藕香簃本改。

齊梁宗簿三卷　謹按《隋志》:"梁又有《齊梁帝譜》四卷,亡。"似《帝谱》一卷,《宗簿》三卷,合爲四卷。

齊梁宗簿三卷

梁親表譜五卷

後魏皇帝宗族譜四卷　《隋志》:"《後魏皇帝宗族譜》四卷。"不著撰人。

元暉業　後魏辨宗録二卷　《隋志》:"《後魏辨宗録》二卷,元暐業撰。"暐業,即暉業,見《景十二王傳》。

後魏辨宗二卷　元暉業撰。

後魏譜二卷　《隋志》:"《魏孝文列姓族牒》一卷。"不著撰人。似即一書。

後魏譜二卷

後魏方司格一卷

後魏方司格一卷

齊高氏譜六卷　《隋志》有《後齊宗譜》一卷。謹按事見《北齊・神武本紀》。此《志》六卷,恐唐人續修。

周宇文氏譜一卷

賈冠　國親皇太子親傳四卷　《隋志》儀注類:"《國親皇太子序親簿》一卷。"不著撰人。本書《儒學・柳沖傳》,冲云賈冠撰。冠,執之孫,執爲梁太尉,大抵梁陳時人。

國親皇太子親傳四卷　賈冠撰。

王儉　百家集譜十卷　《隋志》:"《百家集譜》十卷,王儉撰。"儉,見禮類。

百家集譜十卷　王儉撰。

王僧孺　百家譜三十卷　《隋志》:"《百家譜》三十卷,王僧孺撰。"

百家譜三十卷　王僧孺撰。

又　十八州譜七百一十二卷　《隋志》:"梁又别有《梁武帝總責境内十八州譜》六百九十卷,亡。"僧孺,見《梁書》本傳。

十八州譜七百一十三卷　王僧孺撰。

徐勉　百官譜二十卷

賈執　百家譜五卷　《隋志》:"《百家譜》二十卷,賈執撰。"執,見本書《世系表》。

百家譜五卷 賈執撰。

又 姓氏英賢譜一百卷 《隋志》:“《姓氏英賢譜》一百卷,賈執撰。”

姓氏英賢譜一百卷 賈執撰。

何承天 姓范十卷 《隋志》:“《姓范》一卷,何氏撰。”承天,見禮類。

姓范十卷 何承天撰。

賈希鏡 氏族要狀十五卷 《隋志》:“《氏族要狀》十卷。”不著撰人。希鏡,見《南史·文學傳》。名淵,以字行,此書在永明時。《舊志》“鏡”作“景”。謹按何東賈弼撰《氏族要狀》,傳子匪之,匪之傳子希鏡,傳子執,傳其孫冠。

氏族要狀十五卷 賈希景撰。

官族傳十五卷 《隋志》:“《官族傳》十四卷,何晏撰。”晏,見論語類。書當作於正始中爲吏部尚書時。

冀州姓族譜七卷 《隋志》:“《冀州姓族譜》二卷。”

冀州譜七卷

洪州諸姓譜九卷 《隋志》:“《洪州諸姓譜》九卷。”

洪州譜九卷

袁州諸姓譜七卷 《隋志》:“《袁州諸姓譜》七卷。”

袁州譜七卷

司馬氏世家二卷

司馬氏世家二卷

楊氏譜一卷 《隋志》:“《楊氏譜》一卷。”不著撰人。又見《崇文總目》。

楊氏譜一卷

蘇氏譜一卷 《隋志》:“《蘇氏譜》一卷。”不著撰人。

蘇氏譜一卷

孫氏譜記十五卷

孫氏譜記十五卷

韋氏譜十卷 韋鼎。《隋志》:“《京兆韋氏譜》一卷。”不著撰人。鼎,見《南史·韋叡傳》,譜事亦見傳。

韋氏譜一卷 韋鼎等撰。

裴氏家牒二十卷　裴守貞。

裴氏家牒二十卷 裴守貞撰。

大唐氏族志一百卷　高士廉、韋挺、岑文本、令狐德棻撰。

大唐氏族志一百卷 高士廉撰。

姓氏譜二百卷　許敬宗、李義府、孔志約、陽仁卿、史玄道、吕才撰。

姓氏譜二百卷 許敬宗撰。

柳沖　大唐姓族系録二百卷

大唐姓族系譜二百卷

路敬淳　衣冠譜六十卷

衣冠譜七十　卷路敬淳撰。

又　著姓略記二十卷

著姓略記二十卷 路敬淳撰。

王元感　姓氏實論十卷

崔日用　姓苑略一卷 見《崇文總目》。

岑羲　氏族録　卷亡。

王方慶　王氏家牒十五卷

又　家譜二十卷 見《崇文總目》,止一卷。

王氏著録十卷

韋述　開元譜二十卷

國朝宰相甲族一卷 《崇文總目》云:"韋述、蕭穎士撰,相門甲族王方慶、李義炎、崔元暉以下凡十四家。"

百家類例三卷 見《崇文總目》。

唐新定諸家譜録一卷　李林甫等。見《崇文總目》。《玉海》云:"玄宗御製序。"

林寶　元和姓纂十卷 見《崇文總目》。今存。

竇從一　系纂七卷 見《崇文總目》。

陳湘　姓林五卷　見《崇文總目》。

孔至　姓氏雜録一卷　《崇文總目》作“孔令”。

李利涉　唐官姓氏記五卷　初十卷，利涉貶南方，亡其半。

又　編古命氏三卷　見《崇文總目》。

柳璨　姓氏韻略六卷　見《崇文總目》。

蕭穎士　梁蕭史譜二十卷

柳芳　永泰新譜二十卷　一作《皇室新譜》。

柳璟　續譜十卷

皇唐玉牒一百一十卷　開成二年李衢、林寶撰。

唐皇室維城録一卷　陳氏云：“屯田郎中李衢、沔王長史林寶修，止於僖宗。蓋昭宗修也。”

李匡文　天潢源派譜一卷　陳氏云：“序言前守職圖籍日，①撰《天潢源派譜》。”②

又　唐偕日譜一卷　見《崇文總目》。陳氏云：“偕日，與日齊行之義也。”

玉牒行樓一卷　見《崇文總目》。

皇孫郡王譜一卷　見《崇文總目》。

元和縣主譜一卷　見《崇文總目》。

家譜一卷　《崇文總目》云：“李匡乂家傳。”

李衢　大唐皇室新譜一卷　見《崇文總目》。

黄恭之　孔子系葉傳二卷

謝氏家譜一卷

東萊吕氏家譜一卷

薛氏家譜一卷

顔氏家譜一卷

---

①　“言”上原脱“序”字，“言”下脱“前”字，“守”原誤作“手”，藕香簃本同，均據武英殿本《直齋書録解題》補正。

②　“派”原誤作“流”，藕香簃本同，據武英殿本《直齋書録解題》改。

虞氏家譜一卷

孫氏家譜一卷

吴郡陸氏宗系譜一卷 陸景獻。見《崇文總目》。

劉氏譜考三卷

劉氏家史十五卷 並劉子玄。

紀王慎家譜一卷

蔣王惲家譜一卷 見《崇文總目》。

李用休家譜二卷 紀王慎之後。見《崇文總目》。

徐氏譜一卷 徐商。《崇文總目》有《新定徐氏譜圖》四卷,徐商撰,未知即此書否。

徐義倫家譜一卷

劉晏家譜一卷

劉興家譜一卷

周長球家譜一卷

施氏家譜二卷

萬氏家譜一卷

滎陽鄭氏家譜一卷

竇氏家譜一卷 懿宗時國子博士竇澄之。見《崇文總目》。

鮮于氏家譜一卷

趙郡東祖李氏家譜二卷 見《崇文總目》。

李氏房從譜一卷 陳氏云:"唐洛陽主簿李匡乂撰,時爲圖譜官。"

韋氏諸房略一卷 韋絢。

諱行録一卷

右譜牒類,十七家,三十九部,一千六百一十七卷。王元感以下不著録二十二家,三百三十三卷。

右雜譜諜,五十五部,一千六百九十一卷。

三輔黄圖一卷　《隋志》:"《黄圖》一卷,記三輔、宫觀、陵廟、明堂、辟雍、郊疇等事。"今存。

三輔黄圖一卷

三輔舊事三卷　《隋志》有《三輔故事》二卷,晋世撰。謹按"故事"或稱"舊事",故事類稱"韋氏撰",本《志》"舊事"。《隋志》僅注"晋世撰",無撰人。

漢宫閣簿三卷

漢宫閣簿三卷

洛陽宫殿簿三卷　《隋志》:"《洛陽宫殿簿》一卷。"謹按各書所引有"《洛陽故宫名》","《洛陽宫門名》","《洛陽宫殿名》","《洛陽宫閣名》","《洛陽宫殿記》","《洛陽官舍記》",疑是書之篇目。

洛陽宫殿簿三卷

葛洪　西京雜記二卷　今存。①

西京雜記一卷　葛洪撰。

薛冥　西京記三卷　《隋志》:"《西京記》三卷。"謹按"冥"當爲"寘"。寘,《周書》列傳。

西京記三卷　薛冥撰。

潘岳　關中記一卷　見《崇文總目》。

關中記一卷　潘岳撰。

陸機　洛陽記一卷　《隋志》:"《洛陽記》一卷,陸機撰。"機,見小學類。

洛陽記一卷　陸機撰。

戴延之　洛陽記一卷　《隋志》:"《洛陽記》四卷。"不著撰人。姚氏云:"或因戴氏記而益之。"

洛陽記一卷　戴延之撰。

後魏洛陽記五卷　《隋志》:"《洛陽伽藍記》五卷,後魏楊衒之撰。"嚴可均云:"楊衒之,北平人,爲撫軍司馬,歷秘書監,出爲期城太守,齊天保中卒於官。"今存。

洛陽伽藍記五卷　楊衒之撰。

---

① "今存"二字原缺,據藕香簃本補。

楊佺期　洛城圖一卷　《隋志》:"《洛城圖》一卷,晋懷州刺史楊佺期撰。"佺期,見《晋書》列傳。錢大昕《考異》:"晋無懷州,是雍州之訛。"

洛陽圖一卷　楊佺期撰。

鄧基　陸澄　地理志一百五十卷　《隋志》:"《地理志》一百四十九卷,《録》一卷,陸澄合《山海經》已來一百六十家以爲此書。"澄,見雜傳類。

地理書一百五十卷　陸澄撰。

任昉　地記二百五十卷　《隋志》:"《任昉地記》二百五十二卷,梁任昉增陸澄之書八十四家以爲此記。"昉,見雜傳類。

地記二百五十二卷　任昉撰。

虞茂　區宇圖一百二十八卷　《隋志》:"《隋區宇圖》一百二十九卷。"不著撰人。謹按唐張彦遠《歷代名畫記》云:"《區宇圖》一百二十八卷,每卷有圖,虞茂氏撰。"考虞世恭字茂世,避唐諱,猶韓擒之義也。

區宇圖一百二十八卷　虞茂撰。

郎蔚之　隋圖經集記一百卷　《隋志》:"《隋諸州圖經集》一百卷,郎蔚之撰。"蔚之,見《隋書·郎茂傳》。

隋國經集記一百卷　郎蔚之撰。

周地圖一百三十卷　《隋志》:"《周地圖記》一百十卷。"不著撰人。

周地圖九十卷

雜記十二卷

雜志記十二卷

雜地志五卷

雜地記五卷

地理志書鈔十卷　《隋志》:"《地理書鈔》十卷,劉黄門撰。"姚振宗以爲即此書,①劉黄門疑是梁劉璆,有《京師寺塔記》,嘗官黄門郎,見《周書·劉璠傳》。

地域方丈圖一卷

地城方尺圖一卷

---

① "振"原作"繼",藕香簃本同,據姚振宗《隋書經籍志考證》改。

職方記十六卷

職方記十六卷

晋太康土地記十卷 太康,晋武帝年號。今有洪亮吉輯本。

地記五卷 太康三年撰。

太康州郡縣名五卷

州郡縣名五卷 太康三年撰。

後魏諸州記二十卷 《隋志》:"《大魏諸州記》二十一卷。"不著撰人。諸書亦引作"《魏土地記》"。

魏諸州記二十卷

周處 風土記十卷 《隋志》:"《風土記》三卷,晋平西將軍周處撰。"處,見《晋書》列傳。謹按是記正文協韻,故實皆載於注,注亦自撰。《隋志》"三卷",《唐》作"十卷"。據《咸淳毘陵志》云:"晋後有續補者。"今有嚴可均輯本。

風土記十卷 周處撰。

圈稱 陳留風俗傳三卷 《隋書·經籍志》:"《陳留風俗》三卷,圈稱撰。"説見前。《舊志》"圈"誤作"闕"。

陳留風俗傳三卷 闕稱撰。

揚雄 蜀王本記一卷 《隋志》:"《蜀王本記》一卷,揚雄撰。"雄,見小學類。今有洪頤煊、嚴可均輯本。

蜀王本記一卷 揚雄撰。

譙周 三巴記一卷 《隋志》:"《三巴記》一卷,譙周撰。"周,見論語類。

三巴記一卷 譙周撰。

李充 益州記三卷 《隋志》:"《益州記》三卷,李氏撰。"謹按李膺著《益州記》,見《南史·鄧元起傳》。① "充"字誤。

郭仲産 荆州記二卷

鮑堅 南雍州記三卷 《隋志》:"《南雍州記》六卷,鮑至撰。"至,見《南史·鮑泉傳》。"堅"當作"至"。《舊志》作"郭仲彦","彦"當作"産"。仲産,宋時人,在至之前,

---

① "史",原誤作"陽",藕香簃本同,據中華書局點校本《南史》改。

至蓋續其書也。

南雍州記三卷 郭仲彦撰。

阮叙之 南兖州記一卷

山謙之 南徐州記二卷 《隋志》:"《南徐州記》二卷,山謙之撰。"謙之,見《宋書》沈約《自序》。南徐州即京口。

南徐州記二卷 山謙之撰。

劉損之 京口記二卷 《隋志》:"《京口記》二卷,宋太常劉損撰。"損,見《宋書·劉粹傳》。

京口記二卷 劉損之撰。

孫處玄 潤州圖注二十卷

潤州圖經二十卷 孫處玄撰。

雷次宗 豫章記一卷 《隋志》:"雷次宗《豫章記》一卷,雷次宗撰。"次宗,見詩類。今存,似後人輯本。

鄭緝之 東陽記一卷

東陽記一卷 鄭緝之撰。

張僧監 潯陽記二卷 各書所引或稱"《潯陽地記》"。

李叔布 齊州記四卷 《隋志》:"《齊州記》四卷,李叔布撰。"叔布,始末未詳。

齊州記四卷 李叔布撰。

張勃 吴地記一卷

吴地記一卷 張勃撰。

晏模 齊地記二卷

陸翽 鄴中記二卷 《隋志》:"《鄴中記》二卷,晋國子助教陸翽撰"。今存一卷。

劉芳 徐地録一卷 諸書引作"《徐州記》"。

徐地録一卷 劉芳撰。

梁元帝 職貢圖一卷 見《崇文總目》。

職貢图一卷 梁元帝撰。

又 荆南地志二卷 《隋志》:"《荆南地志》二卷,蕭世誠撰。"世誠,梁元帝也。

王範 交廣二州記一卷 《吴志·孫策傳》注臣松之按:太康八年,廣州大中正王範上《交廣州春秋》。①

樊文深　中岳穎州志五卷

秣陵記二卷

湘州記四卷　《隋志》:"《湘州記》二卷,庾仲雍撰。"殷芸《小説》引庾穆之《湘州記》,似穆之即仲雍也。

湘州圖副記一卷　《隋志》:"《湘州圖副記》一卷 。"

湘州圖記一卷

京邦記二卷

分吴會丹陽三郡記二卷

分吴會丹陽三郡記二卷

西河舊事一卷

闞駰　十三州志十四卷　《隋志》:"《十三州志》十卷,闞駰撰。"駰,《魏書》本傳云:"撰《十三州志》行於世。"今有张澍輯本。

十三州志十四卷　闞駰撰。

顧野王　輿地志三十卷　《隋志》:"《輿地志》三十卷,陈顧野王撰。"野王,見小學類。《隋書·志》序:"陳時顧野王鈔撰衆家之言作《輿地志》。"

輿地志三十卷　顧野王撰。

又　十國都城記十卷　謹按《隋志》:"《國都城記》二卷。"不著撰人,卷數亦不合。諸書所引又有周明帝、徐之才、顧野王三家。

周明帝　國都城記九卷

國郡城記九卷　周明帝撰。

郭璞　注山海經二十三卷　《隋志》:"《山海經》二十三卷,郭璞注。"璞,見詩類。今存。

山海經十八卷　郭璞撰。

又　山海經圖讚二卷　《隋志》:"《山海經圖讚》二卷,郭璞注。"今存讚。

山海經圖讚二卷　郭璞撰。

---

① "二州"原作"二交",據藕香簃本改。

山海經音二卷　《隋志》:"《山海經音》二卷。"

山海經音二卷

桑欽　水經三卷　一作"郭璞撰"。《隋志》:"《水經》三卷,郭璞注。"今存。

水經二卷　郭璞撰。

酈道元　注水經四十卷　《隋志》:"《水經》四十卷,酈善長注。"道元,見《北史·酈範傳》。今存。

又四十卷　酈道元撰。

僧道安　四海百川水源記一卷　又　一卷　《隋志》:"《四海百川水源記》一卷,釋道安撰。"道安,見慧皎《高僧傳》。

四海百川水記一卷　僧道安撰。

江圖二卷　《隋志》:"《江圖》二卷,劉氏撰。"謹按本《志》不著撰人,《隋志》:"一卷,張氏二卷,劉氏撰。"《文選》鮑明遠詩引庾仲雍《江圖》。

庾仲雍　江記五卷　《隋志》:"《江記》五卷,《漢水記》五卷,庾仲雍撰。"

江記五卷　庾仲雍撰。

又　漢水記五卷

漢水記五卷　庾仲雍撰。

尋江源記五卷

尋江源記五卷　庾仲雍撰。

劉澄之　永初山川古今記二十卷　《隋志》:"《永初山川古今記》二十卷,齊都官尚書劉澄之撰。"澄之,見《宗室傳》。謹按《隋志》又有《司州山川古今記》,諸所引有《揚州記》、《荆州記》、《江州記》等,均是書之篇目。

李氏　宜都山川記一卷

沈瑩　臨海水土異物志一卷　《隋志》:"《臨海水土異物志》一卷,沈瑩撰。"

臨海水土異物志一卷　沈瑩撰。

楊孚　交州異物志一卷　《隋志》:"《交州異物志》一卷,楊孚撰。"《舊志》"交"誤"文"。

文州異物志一卷　楊孚撰。

陳祈　暢異物志一卷

異物志一卷 陳祈撰。

萬震 南州異物志一卷 《隋志》:"《南州異物志》一卷,吴丹陽太守萬震撰。"

南州異物志一卷 萬震撰。

米應 扶南異物志一卷 《隋志》:"《扶南異物志》一卷,朱應撰。"此作"米應"誤。《史記·秦大宛傳》正義引大國二事,又作"宋膺。"應字建安,見《梁書·劉杳傳》。

京兆郡方物志二十卷

京兆郡方物志三十卷

諸郡土俗物産記十九卷 《隋志》:"《諸郡土俗物産》一百五十一卷。"不著撰人。事在大業中。

諸郡土俗物産記十九卷

涼州異物志二卷 《隋志》:"《涼州異物志》一卷。"今有張澍輯本。序言疑宋膺所撰。

廟記一卷 舊志:"《廟記》一卷。"謹按《册府元龜》采撰地理篇云:"楊衒之撰《洛陽伽藍記》五卷,《廟記》一卷。"疑《洛陽伽藍記》單記洛陽,此則合西京與?

廟記一卷

薛泰 輿駕東幸記一卷 《隋志》:"《輿駕東行記》一卷,薛泰撰。"泰,始末未詳。此記梁武帝大同十年幸蘭陵謁建陵事。

薛泰輿駕東幸記一卷 薛泰撰。

諸葛穎 巡撫揚州記七卷 《隋志》:"諸葛穎《巡撫揚州記》七卷。"穎,見《隋書·文學傳》。記煬帝巡撫東南事。《舊志》作"巡總",此據宋本,與《隋志》合。

巡總揚州記七卷 諸葛穎撰。

戴祚 西征記二卷 《隋志》:"《西征記》二卷,戴延之撰。《西征記》一卷,戴祚撰。"似即一書而重出者。延之,從宋武入關者。他書引作"《從劉武王西征記》"。

西征記一卷 戴祚撰。

郭緣生 述征記二卷 《隋志》:"《述征記》二卷,郭緣生撰。"緣生,見雜傳類。謹按緣生從宋武帝北征慕容起,西征姚泓時所記。《舊志》作"象",似誤。

述征記二卷 郭象撰。

姚最 述行記二卷 《隋志》:"《序行記》十卷,姚最撰。"謹按周齊王憲東伐,最爲齊王府參軍掌記,即序從行之事。

述行記二卷 姚最撰。

沈懷文　隨王入沔記十卷 《隋志》:"《隋王入沔記》六卷,宋侍中沈懷文撰。"懷文,見《宋書》本傳。時懷文以後軍主簿隨竟陵王至襄陽。

隨王入沔記十卷 沈懷文撰。

魏聘使行記五卷 《隋志》:"《魏聘使行記》六卷。"不著撰人。謹按記宋、齊、梁交聘之事,《隋志》六卷,疑與李《諧行記》一卷合爲一書,皆李滄所集。滄,見《北齊書·李渾傳》。

魏聘使行記五卷

李彤　聖賢塚墓記一卷 《隋志》:"《聖賢塚墓記》一卷,李彤撰。"彤,見小學類。

宋雲　魏國以西十一國事一卷

沈懷遠　南越志五卷 《隋志》雜史類:"《南越志》八卷,沈氏撰。"懷遠,見《宋書·沈懷文傳》。《玉海》云:"記三代至晋南越疆域事蹟。"今有嚴可均輯本。

南越志五卷 沈懷遠撰。

程士章　西域道里記三卷

西域道里記三卷

常駿等　赤土國記二卷

赤土國記二卷 常駿等撰。

王玄策　中天竺國行記十卷

中天竺國行記十卷 王玄策撰。

僧智猛　游行外國傳一卷 《隋志》:"《游行外國傳》一卷,沙門釋智猛撰。"智猛,見慧皎《高僧傳》。

外國傳一卷 釋智猛撰。

僧法盛　歷國傳二卷 《隋志》:"《歷國傳》二卷,釋法盛撰。"法盛,見慧皎《高僧·曇無讖傳》。

歷國傳二卷 釋法盛撰。

日南傳一卷 《隋志》:"《日南傳》一卷。"謹按《漢·地理志》:"日南郡,故秦象郡。"

日南傳一卷

林邑國記一卷 《隋志》:"《林邑國記》一卷。"謹按嵇含《南方草木狀》引東方朔《林邑記》,似《國記》,此疑宋交州刺史檀和之伐林邑國,克之,是時所記。

林邑國記一卷

真臘國事一卷

真臘國事一卷

交州以來外國傳一卷 《隋志》:"《交州以來南外國傳》一卷。"不著撰人。謹按"來"即"南"字之誤。

交州已來外國傳一卷

奉使高麗記一卷

奉使高麗記一卷

西南蠻入朝首領記一卷

西南蠻入朝首領記一卷

裴矩 高麗風俗一卷

高麗風俗一卷 裴矩撰。

鄧行儼 東都記三十卷 貞觀著作郎。

東都記三十卷 鄧行儼撰。

括地志五百五十卷

又 序略五卷 魏王泰命著作郎蕭德言、秘書郎顧胤、記室參軍蔣亞卿、功曹參軍謝偃、蘇勖撰。

括地志序略五卷 魏王泰撰。

長安四年十道圖十三卷

長安四年十道圖十三卷

開元三年十道圖十卷

開元三年十道圖十卷

劒南地圖二卷

劒南地圖二卷

李播　方志圖　卷亡。

西域圖志六十卷　高宗遣使分往康國、吐火,訪其風俗、物産,畫圖以聞,詔史官撰次,許敬宗領之,顯慶三年上。

李吉甫　元和郡縣圖誌五十四卷　《書録解題》云:"李吉甫撰。"今存。

又　十道圖十卷　古今地名三卷　《書録解題》云:"唐宰相趙郡李吉甫弘憲撰。"

删水經十卷

梁戴言　十道志十六卷　見《崇文總目》。《讀書志》云:"唐分天下爲十道,所載詳博,其書多稱咸通中沿革,當是唐末人。"

王方慶　九嵕山志十卷

賈眈　地圖十卷　《崇文總目》:"《唐國要圖》五卷,賈眈撰,褚璆重修。"

又　皇華四達記十卷　見《崇文總目》。

古今郡國縣道四夷述四十卷

關中隴右山南九州别録六卷

貞元十道録四卷

吐蕃黄河録四卷

韋澳　諸道山河地名要略九卷　一作處分語。見《崇文總目》。澳,見本書貫之傳。事見《通鑑》。

劉之推　文括　九州要略三卷　見《崇文總目》。

郡國志十卷　見《崇文總目》。

馬敬寔　諸道行程血脈圖一卷　見《崇文總目》。

鄧世隆　東都記三十卷

韋機　東都記二十卷　機,見前。

韋述　兩京新記五卷　見《崇文總目》,今存一卷。

兩京道里記三卷　見《崇文總目》。

李仁實　戎州記一卷　仁實,見本書附《李延壽傳》。

盧鴻　嵩山記一卷　天寶人。

馬温　鄴都故事二卷 肅、代時人。

劉公鋭　鄴城新記三卷

張周封　華陽風俗録一卷　字子望，西川節度使李德裕從事試協律郎。

盧求　成都記五卷　西川節度使白敏中從事。

見《崇文總目》。

鄭暐　益州理亂記三卷

李璋　太原事迹記十四卷 璋，見本書《宗室傳》。太祖子，仕周爲梁州刺史，以謀隋文帝被殺。

張文規　吴興雜録七卷

房千里　南方異物志一卷 見《崇文總目》。

孟琯　嶺南異物志一卷

劉恂　嶺表録異三卷 《書録解題》云："唐廣州司馬，昭宗時人。"今存。

余知古　渚宫故事十卷　文宗時人。見《崇文總目》。今存五卷。

吴從政　襄沔記三卷 見《崇文總目》。《書録解題》云："唐吴從政删宗懷記。"①

張氏　燕吴行役記二卷　宣宗時人，失名。

韋宙　零陵録一卷 宙，見本書《朱丹傳》。

張密　廬山雜記一卷

張容　九江新舊録三卷　咸通人。見《崇文總目》。

莫休符　桂林風土記三卷 見《崇文總目》。今存。

段公路　北户雜録三卷　文昌孫。見《崇文總目》。公路，文昌之孫。今存。

林諝　閩中記十卷 《崇文總目》："林諝撰。"林世程重修。

裴矩又撰　西域圖記三卷 《隋志》："《隋西域圖記》三卷。"矩，見故事類。②

① "懷"字原脱，據藕香簃本補。

② "故事"原誤作"舊"藕香簃本同，本志故事類有裴矩《鄴都故事》十卷。

顧愔　新羅國記一卷　大曆中,歸崇敬使新羅,愔爲從事。見《崇文總目》。

張建章　渤海國記三卷　見《崇文總目》。建章,見本書列傳。

戴斗　諸蕃記五卷

達奚通　海南諸蕃行記一卷　《崇文總目》無"海南"二字。

袁滋　雲南記一卷　滋。[①]

李繁　北荒君長録三卷　繁,見前。

高少逸　四夷朝貢録十卷　見《崇文總目》。

吕述黠　戛斯朝貢圖傳一卷　字脩業,會昌秘書少監,商州刺史。

樊綽　蠻書十卷　咸通嶺南西道節度使蔡襲從事。綽。今存。

竇滂　雲南别録一卷　見《崇文總目》。滂。

雲南行記一卷　見《崇文總目》。

徐雲虔　南詔録三卷　乾符中人。見《崇文總目》。雲虔,南詔人。

右地理類,六十三家,一百六部,一千二百九十二卷。失姓名三十一家,李播以下不著録五十三家,九百八十九卷。

右地理,九十三部,凡一千七百八十二卷。

① 整理者按,原書如此,當有缺文。下"綽"、"滂"同。

卷　三

丙部子録，其類十七。一曰儒家類，二曰道家類，三曰法家類，四曰名家類，五曰墨家類，六曰縱横家類，七曰雜家類，八曰農家類，九曰小説類，十曰天文類，十一曰曆算類，十二曰兵書類，十三曰五行類，十四曰雜藝術類，十五曰類書類，十六曰明堂經脈類，十七曰醫術類。凡著録六百九家，九百六十七部，一萬七千一百五十二卷。不著録五百七家，五千六百一十五卷。

丙部子録，十七家，七百五十二部書，一萬五千六百三十七卷。儒家類一，道家類二，法家類三，名家類四，墨家類五，縱横家類六，雜家類七，農家類八，小説類九，天文類十，曆算類十一，兵書類十二，五行類十三，雜藝術類十四，事類十五，經脈類十六，醫術類十七。

晏子春秋七卷　晏嬰。《隋志》："《晏子春秋》七卷，齊大夫晏嬰撰。"晏子，見《春秋》、《史記》，皆後人記晏子事。今存八卷。

晏子春秋七卷　晏嬰撰。

曾子二卷　曾參。《隋志》："《曾子》二卷，魯國曾參撰。"曾子，見《論語》、《史記》。今存《大戴禮》中十篇，又宋汪晫輯十二篇。

曾子二卷　曾參撰。

子思子七卷　孔伋。《隋志》："《子思子》七卷，魯繆公師孔伋撰。"子思，見《史記·孔子世家》。今有洪頤煊、黄以周輯本。

子思子八卷　孔伋撰。

公孫尼子一卷　《隋志》："《公孫尼子》一卷，尼似孔子弟子。"謹按《禮記·樂記》、《緇衣》皆公孫尼子作。今有洪頤煊、馬國翰輯本。

公孫尼子一卷　公孫尼撰。

趙岐　注孟子十四卷　孟軻。《隋志》："《孟子》十四卷，齊卿孟軻撰，趙岐注。"今存。

孟子十四卷　孟軻撰,趙岐注。

鄭玄　注孟子七卷　《隋志》:"《孟子》七卷,鄭玄注。"玄,見易家。《鄭學録》:"《史記·五帝本紀》索隱引鄭玄曰:'一條是其遺文僅見者'。"今有馬國翰輯本。

孟子七卷　鄭玄注。

劉熙　注孟子七卷　《隋志》:"《孟子》七卷,劉熙注。"謹按《外書》殘本中有高誘、劉熙舊注,則兩家所注並是《漢志》之十一篇,七卷或非其全。今有宋翔鳳、馬國翰輯本。

孟子七卷　劉熙注。

綦毋邃　注孟子七卷　《隋志》:"梁有《孟子》九卷,綦毋邃注,亡。"邃,見雜傳記類。今有馬國翰輯本。

又七卷　綦毋邃注。

荀卿子十二卷　荀況。　《隋志》:"《孫卿子》十二卷,楚蘭陵令荀況撰。"荀卿,見《史記》列傳。今存。

孫卿子十二卷

董子一卷　董無心。《隋志》:"《董子》一卷,戰國時董無心撰。"六國時人。今有馬國翰輯本。

董子二卷　董無心撰。

魯連子一卷　魯仲連。　《隋志》:"《魯連子》五卷,《録》一卷。魯連,齊人,不仕禄,稱爲先生。"仲連,見《史記》列傳。《漢·藝文志》:"《魯連子》十四篇。"今有洪頤煊、馬國翰、嚴可均輯本。

魯連子五卷　魯仲連撰。

陸賈　新語二卷　《隋志》:"《新語》二卷,陸賈撰。"賈見雜史類。今存十二篇。

新语二卷　陆贾撰。

贾誼　新書十卷　《隋志》:"《贾子》十卷,《録》一卷,漢梁太傅賈誼撰。"誼,見《史記》列傳。今存。

賈子九卷　賈誼撰。

桓寬　鹽鐵論十卷　《隋志》:"《鹽鐵論》十卷,漢廬江府丞桓寬撰。"顔師古注云:"寬字次公,汝南人。孝昭時,丞相御史與諸賢文學論鹽鐵事,寬撰次之。"今存。

鹽鐵論十卷　桓寬撰。

劉向　新序三十卷　《隋志》:"《新序》三十卷,《録》一卷,劉向撰。"向見尚書類。今存。

新序三十卷　劉向撰。

又　説苑三十卷　《隋志》:"《説苑》二十卷,劉向撰。"今存。

説苑三十卷　劉向撰。

揚子　法言六卷　揚雄。《隋志》:"《揚子法言》十五卷,《解》一卷,揚雄撰,李軌注。"雄,見論語類。軌,見易類。今存。

揚子法言六卷　揚雄撰。

宋衷　注法言十卷　《隋志》:"《揚子法言》十三卷,宋衷撰。"按"撰"當作"注"。衷,見易類。

又十卷　宋衷注。

李軌　注法言三卷　脱"十"字。

又十二卷　李軌注。

陸績　注揚子太玄經十二卷　《隋志》:"《揚子太玄經》十卷,陸績、宋衷撰。"按"撰"當作"注"。今存。①

揚子太玄經十二卷　揚雄撰,陸績注。

虞翻　注太玄經十四卷　《隋志》:"梁有《揚子太玄經》十四卷,虞翻注,亡。"陳振孫曰:"本經三卷有《首》、《衝》、《錯》、《測》、《攡》、《瑩》、《數》、《文》、《挩》、《圖》、《告》十一篇,共爲十四。"然則十四卷,本書原第也。

又十四卷　虞翻注。

范望　注太玄經十二卷　晁《志》云:"《太玄經》十卷,晋范望叔明撰。"今司馬光輯舊注有范望。今存。②

又十二卷　范望注。

宋仲孚　注太玄經十二卷　《隋志》:"《揚子太玄經》九卷,宋慈注。"考《隋》、《唐志》,均無疑,即宋仲子注,書"子"爲"孚",因譌爲"孚"。

蔡文邵　注太玄經十卷　《隋志》:"《揚子太玄經》十卷,蔡文邵注。"文邵,始末

---

① "今存"二字原缺,據藕香簃本補。

② "今存"二字原缺,據藕香簃本補。

未詳。謹按《吴録》曰,蔡款字文德,文邵或兄弟行,晋初人。

又十一卷　蔡文邵注。

桓子新論十七卷　桓譚。《隋志》:"《桓子新論》十七卷,後漢六安丞桓譚撰。"今有孫馮翼、嚴可均輯本。

桓子新論十七卷　桓譚撰。

王符　潛夫論十卷　《隋志》:"《潛夫論》十卷,後漢處士王符撰。"今存。

潛夫論十卷

仲長子昌言十卷　仲長統。《隋志》雜家類:"《仲長子昌言》十二卷,《録》一卷,漢尚書郎仲長統撰。"統,見范《書》本傳。今有嚴可均輯本。

仲長子昌言十卷　仲長統撰。

荀悦　申鑒五卷　《隋志》:"《申鑒》五卷,荀悦撰。"悦,見編年類。今存。

申説五卷　荀悦撰。

魏子三卷　魏朗。《隋志》:"《魏子》三卷,後漢會稽人魏朗撰。"今有馬國翰輯本。《舊志》"注"當爲"撰"。

魏子三卷　魏朗注。

魏文帝　典論五卷　《隋志》經部小學類:"《一字石經典論》一卷,《儒家典論》五卷,魏文帝撰。"今有嚴可均輯本。

典論五卷　魏文帝撰。

徐氏中論六卷　徐幹。《隋志》:"《徐氏中論》六卷,魏太子文學徐幹撰,梁《目》一卷。"幹,見《魏志·王粲傳》。今存。

徐氏中論六卷　徐幹撰。

王粲　去伐論集三卷　《隋志》:"梁有《去代論集》三卷,王粲撰,亡。"粲,見《魏志》。馬國翰云:"以題稱《去代論集》,當是王粲著論,後賢多有擬議,一并附入與。'伐'當作'代'。"今有馬國翰輯本。

去伐論集三卷

王肅　政論十卷　《隋志》:"《正論》十卷,王肅撰。"今有馬國翰輯本。"政"當作"正"。

杜氏體論四卷　杜恕。《隋志》:"《杜氏體論》四卷,魏幽州刺史杜恕撰。"恕,見《魏志》。

杜氏體論四卷 杜恕撰。

顧子新論五卷 顧譚。"論"當作"語"。《隋志》:"《顧子新語》十二卷,吴太常顧譚撰。"譚,見《吴志·顧雍傳》。今有馬國翰輯本。

顧子新語五卷 顧譚撰。

文禮 通語十卷 殷興續。《隋志》:"梁有《通語》十卷,晋尚書左丞殷興撰。"興,見《吴志·顧邵傳》。謹按"殷興"一作"殷基",雲陽人,吴零陵太守。殷禮子仕吴爲無難督,入晋還尚書左丞,有《通語》十卷。禮字伯緒,續即續禮之書,"文"或"殷"字之誤。

通語十卷 文禮撰,殷興續。

諸葛亮 集誡二卷 《隋志》:"《諸葛武侯集誡》二卷。"又總集内《諸葛武侯誡》一卷。謹按本集類弟六篇《訓厲》,或鈔出别行。

集誡二卷 諸葛亮撰。

陸景 典訓十卷 《隋志》:"梁有《典訓》十卷,吴中夏督陸景撰,亡。"景,見《吴志·陸遜傳》。今有嚴可均、馬國翰輯本。

典訓十卷 陸景撰。

譙子法訓八卷 《隋志》:"《譙子法訓》八卷,譙周撰。"周,見論語類。今有嚴可均、馬國翰輯本。

又 譙子法訓八卷

又 五教五卷 譙周。《隋志》:"梁有《譙子五教論》五卷,亡。"謹按《尚書》"敬敷五教"注,五常之教,是書命名以之。

譙子五教五卷 譙周撰。

王嬰 古今通論三卷 《隋志》:"梁又有《古今通論》二卷,松滋王嬰撰,亡。"今有馬國翰輯本。

古今通論三卷

周生烈子五卷 《隋志》:"《周生子要論》一卷,《録》一卷,魏侍中周生烈撰,亡。"生烈,見《魏志》王肅附傳。今有馬國翰輯本。

周生烈子五卷 周生子志。

袁子正論二十卷 《隋志》:"《袁子正論》二十卷,袁準撰。"準,見禮類。今有嚴可均、馬國翰輯本。

袁子正論二十卷 袁準撰。

又　正書二十五卷　袁準。《隋志》:"梁又有《袁子正書》二十五卷,袁準撰,亡。"今有嚴可均、馬國翰輯本。

袁子正書二十五卷 袁準撰。

孫氏成敗志三卷　孫毓。

孫氏成敗志三卷 孫敏撰。

夏侯湛　新論十卷 《隋志》:"《新論》十卷,晋散騎常侍夏侯湛撰。"湛,見《晋書》本傳。今有馬國翰輯本。

新論十卷 夏侯湛撰。

楊泉　物理論十六卷 《隋志》:"梁有《楊子物理論》十六卷,晋徵士楊泉撰,亡。"今有錢保塘輯本。謹按《意林》錯入《傅子》,堡塘分别輯出。

物理論十六卷 楊泉撰。

又　太玄經十四卷　劉緝注。《隋志》:"梁有《楊子太玄經》十四卷,楊泉撰,亡。"今有馬國翰輯本。

華譚　新論十卷 《隋志》:"梁有《新論》十卷,金華光禄大夫華譚撰,亡。"譚,見《晋書》本傳。今有馬國翰輯本。

新論十卷 華譚撰。

虞喜　志林新書二十卷 《隋志》:"《志林新書》三十卷,虞喜撰。喜,見禮類。

志林新書二十卷 虞喜撰。

又　後林新書十卷 《隋志》:"又《後林新書》十卷,虞喜撰。"今有馬國翰輯本。

後林新書十卷 虞喜撰。

顧子義訓十卷　顧夷。《隋志》:"梁有《顧子》十卷,晋揚州主簿顧夷撰。"今有馬國翰輯本。

顧子義訓十卷 顧夷撰。

蔡洪　清化經十卷 《隋志》:"梁有《蔡氏清化經》,蔡洪撰。"今有馬國翰輯本。

清化經十卷 蔡洪撰。

干寶　正言十卷 梁有《干子》十八卷,干寶撰,亡。寶,見易類。今有馬國翰輯本。

正言十卷 干寶撰。

又　立言十卷

立言十卷 干寶撰。

蔡韶　閎論二卷 《隋志》:"梁有《閎論》二卷,晋江州從事蔡韶撰,亡。"韶,始末未詳。

吕竦　要覽五卷 《隋志》:"《要覽》十卷,晋郡儒林祭酒吕竦撰。"竦,始末未詳。

要覽五卷 吕竦撰。

周捨正覽六卷 《隋志》:"《正覽》六卷,梁太子詹事周捨撰。"捨,見禮類。

正覽六卷 周捨撰。

劉徽　魯史欹器圖一卷 《隋志》農家類:"《魯史欹器圖》一卷,儀同劉徽注。""徽"當作"暉"。見《北史·藝術·劉祐傳》。

魯史欹器圖一卷 劉徽撰。

綦毋氏　誡林三卷

誡林三卷 綦毋氏撰。

顔氏家訓七卷　顔之推。 今存。

家訓七卷 顔之推撰。

李穆叔　典言四卷

典言四卷 李若等撰。

王滂　百里昌言二卷

百里昌言二卷 王滂撰。

崔子至言六卷　崔靈童。

崔子至言六卷 崔靈童撰。

盧辯　墳典三卷

墳典三十卷 盧辯撰。

王劭　讀書記三十二卷

王通　中説五卷 《崇文總目》云:"十卷。"通,見本書《王績傳》。今存。

中説五卷 王通撰。

辛德源　正訓二十卷

　正訓二十卷　辛德源撰。

太宗序志一卷

　太宗序志一卷　太宗撰。

又　帝範四卷　賈行注。《崇文總目》云:"述修身治國之要言。"今存。

　帝範四卷　太宗撰,賈行注。

高宗　天訓四卷

　天訓四卷

武后　紫樞要録十卷

　紫樞要録十卷

又　臣軌二卷　《崇文總目》云:"唐武后撰。"《通考》作"《臣範》"。

　臣軌二卷　太后撰。

百寮新誡五卷

　百寮新誡四卷　天后撰。

青宫紀要三十卷　《崇文總目》云:"唐武后撰。"

　青宫紀要三十卷　天后撰。

少陽正範三十卷

列藩正論三十卷。

章懷太子　春秋要録十卷

又　脩身要覽十卷　《隋志》:"唐章懷太子撰。"[1]

　修身要録十卷　並章懷太子撰。

君臣相起發事三卷

　君臣相起發事三卷

魏徵諫事五卷

又　自古諸侯王善惡録二卷

---

①　《修身要覽》見於《新唐志》、《宋志》和《通志・藝文略》,不見於《隋志》。

張太玄　平臺百一寓言三卷

平臺百一寓言三卷 張太素撰。

楊相如　君臣政理論三卷 見《崇文總目》。

陸善經　注孟子七卷 《崇文總目》:"善經,唐人,以軻書初爲七篇,因删去趙岐章指與其注之繁重者。"

張鎰　孟子音義三卷

楊倞　注荀子二十卷　汝士子大理評事。今存。

王涯　注太玄經六卷 《闕書目》有王涯《説玄》,即此書。

員俶　太玄幽贊十卷　開元四年,京兆府童子進書,召試及第,授散官文學直弘文館。

柳宗元　注揚子法言十三卷

李襲譽　五經妙言四十卷

鄭澣　經史要録二十卷

劉貺　續説苑十卷 《崇文總目》云:"貺以劉向著《説苑》二十篇,時《漢》、《史》未行,故漢事都缺,因補十篇。"

杜正倫　百行章一卷 見《崇文總目》。

憲宗　前代君臣事跡十四篇

武后　訓記雜載十卷 采《青宫紀要》、《維城典訓》、《古今内範》、《内範要略》等書爲《雜載》云。

維城典訓二十卷

褚無量　翼善記 卷亡。

裴光庭　摇山往則一卷

又　維城前軌一卷

丁公著　皇太子諸王訓十卷

六經法言二十卷 韋處厚、路有撰。

崔郾　諸經纂要十卷

于志寧　諫苑二十卷

王方慶　諫林二十卷
楊浚　聖典三卷 校書郎。開元中上。 見《崇文總目》。
張九齡　千秋金鏡録五卷
唐次辨謗略三卷
元和辨謗略十卷 令狐楚、沈傳師、杜元穎撰。
裴潾　大和新修辨謗略三卷
李仁實　格論三卷
趙冬曦　王政三卷 景龍二年上。
馮中庸　政録十卷 開元十九年上,授汜水尉。
賈子一卷 開元中藍田尉,失名。
儲光羲　正論十五卷 兖州人,開元進士第,又詔中書試文章,歷監察御史。安禄山反,陷賊自歸。
牛希濟　理源二卷 見《崇文總目》。
陸質　君臣圖翼二十五卷
李吉甫　古今説苑十一卷
李德裕　御臣要略 卷亡。
丘光庭　康教論一卷 見《崇文總目》。
元子十卷 見《崇文總目》。
又　浪説七篇　漫説七篇 元結。
杜信　元和子二卷
林慎思　伸蒙子三卷 咸通中人。 見《崇文總目》。今存。
冀子五卷 冀重字子泉,定州容城人,廣明脩武令。
崔慤　儒玄論三卷 字敬之,後魏白馬侯浩七世孫,中和光禄丞。

右儒家類,六十九家,九十二部,七百九十一卷。陸善經以下不著録三十九家,三百七十一卷。

右儒家,二十八部,凡七百七十六卷。

鬻子一卷 鬻熊。《隋志》:"《鬻子》一卷,周文王師鬻熊撰。"熊,見《史記》。今存十四篇。

老子道德經二卷 李耳。《隋志》:"《老子道德經》二卷,周柱下史李耳撰,漢文帝河上公注。"老子,見《史記》。今存。

老子二卷 老子撰。

又三卷

河上公 注老子道德經二卷

老子二卷 河上公撰。

王弼 注新記玄言道德二卷 《釋文·叙録》:"弼年二十四卒,作《易略例》,又注《老子》。"弼,見易類。今存。《提要》云:"從明萬曆中張之象《三經晋注》中録出,有宋晁説之跋,熊吉跋。"

玄言新記道德二卷 王弼注。

又 老子指例略二卷

老子指例略二卷

蜀才 注老子二卷 《釋文·叙録》:"《老子蜀才注》二卷。"《隋志》:"梁有《老子道德經》二卷,蜀才注,亡。"蜀才,見易類。

老子二卷 蜀才注。

鍾會 注二卷 《釋文·叙録》:"《老子鍾會注》二卷。"《隋志》:"《老子道德經》二卷,鍾會注,羊祜解。"會,見易類。

老子二卷 鍾會注。

羊祜 注二卷 《釋文·叙録》:"《老子羊祜解釋》四卷。字叔子,泰山平陽人,晋太傅,鉅平成侯。"《隋志》:"梁有《老子道德經》二卷,晋太傅羊祜解。"祜,見《晋書》列傳。

老子二卷 羊祜注。

又 解釋四卷

孫登 注老子二卷 《釋文·叙録》:"《老子孫登集注》二卷。字仲山,太原中都人,東晋尚書郎。"《隋志》:"《老子道德經》二卷,《音》一卷,晋尚書郎孫登注。"登,見《晋書·孫楚傳》。

老子二卷 孫登注。

王尚 注二卷 《釋文·叙録》:"《老子王尚述》二卷。字君曾,琅邪人,東晋江州刺史,封杜忠侯。"《隋志》:"梁有《老子經》二卷,東晋江州刺史王尚述注,亡。"

老子二卷 王尚注。

袁真 注二卷 《釋文·叙録》:"《老子袁真注》二卷。字彦仁,陳郡人,東晋西中郎將,豫州刺史。"《隋志》:"梁有《老子道德經》二卷,晋西中郎將袁真注。"真,見《晋書·桓温傳》。

老子二卷 袁真注。

張憑 注二卷 《釋文·叙録》:"《老子張憑注》二卷。"《隋志》:"梁有《老子道德經》二卷,張憑注,亡。"

老子二卷 張憑注。

劉仲融 注二卷 《隋志》:"《老子道德經》二卷,劉仲融注。"謹按《晋書·劉隗傳》:"隗,彭城人,伯父訥,訥子疇,疇兄子劭,劭族子黄老太元中注《老子》、《慎子》行於世。"此或其書,黄老亦非名,恐有脱字。

陶弘景 注四卷 張君相《三十家注老子》八卷有陶弘景。弘景,《梁書》有傳。

老子四卷 陶弘景注。

樹鍾山 注二卷

老子二卷 樹鍾山注。

李允愿 注二卷

老子二卷 李允愿注。

陳嗣古 注二卷

老子二卷 陳嗣古注。

僧惠琳 注二卷 《釋文·叙録》:"《老子釋惠琳注》二卷。"《隋志》:"梁有《老子道德經》二卷,釋惠琳注,亡。"惠琳,見孝經類。

惠嚴 注二卷 《釋文·叙録》:"《老子釋惠嚴注》二卷。陳留人,本姓范,宋世沙門。"《隋志》:"梁有《老子道德經》二卷,釋惠嚴注,亡。"

鳩摩羅什 注二卷 見張君相《三十家注》。鳩摩羅什,見《晋書》載記。

老子二卷 鳩摩羅什注。

義盈　注二卷

老子二卷 釋義盈注。

程韶　集注二卷 《釋文·叙録》:“《老子程韶集解》二卷。鉅鹿人,東晋郎中,關内侯。”《隋志》:“梁有《老子》二卷,晋郎中程韶集解,亡。”

老子二卷 程韶集注。

任真子　集解四卷

老子道德經集解四卷 任真子注。

張道相　集注四卷

盧景裕　梁曠等　注二卷 《隋志》:“《老子道德經》二卷,盧景裕撰。”景裕,見易類。曠,安定人,見《北史·薛慎傳》。謹按《宋書·竟陵王誕傳》有山陽内史梁曠,家在廣陵,似别一人。

安丘望之　老子章句二卷 《釋文·叙録》:“《毋丘望之章句》二卷。字仲都,京兆人,漢長陵三老。”《隋志》:“梁有漢長陵三老毋丘望之注《老子》二卷,亡。”《聖賢高士傳》:“安丘望之持老人經,號安丘丈人。”

老子章句二卷 安邱望之撰。

又　道德經指趣三卷

老子道德經指趣四卷 安邱望之撰。

王肅　玄言新記道德二卷

梁曠　道德經品四卷

老子道德經品四卷 梁曠注。

嚴遵　指歸十四卷 《釋文·叙録》:“嚴遵《注》二卷,又作‘《老子指歸》十四卷’。字君平,蜀郡人,漢徵士。”今存。

老子指歸十四卷 嚴遵注。

何晏　講疏四卷 晏,見論語類。

又　道德問二卷 《隋志》:“梁有《老子道德論》。二卷,何晏撰,亡。”謹按《道德論》,似即《道德問》。

梁武帝　講疏四卷 《隋志》:“《老子講疏》六卷,梁武帝撰。”《梁》本紀:“帝洞達儒玄,造制旨《老子講疏》。”

又　講疏六卷

梁武講疏六卷

顧歡　道德經義疏四卷　《隋志》:"《老子義疏》一卷,顧歡撰。"歡,見尚書類。今存。

又　義疏治綱一卷　《隋志》:"《老子義綱》一卷,顧歡撰。"歡,見尚書類。①《南史》本傳有《上義疏治綱表》。

孟智周　義疏五卷　《隋志》:"《老子義疏》五卷,孟智周私記。"智周,始末未詳。謹按張君相《集三十家注》中有大孟、小孟。大孟,孟康。小孟,即智周。

老子義疏四卷　孟智周撰。

戴詵　義疏六卷　《隋志》:"《老子義疏》九卷,戴詵撰。"詵,始末未詳。謹按《御覽》道部道士類《老氏聖記》曰:"孟道養字孝元,時有劉緩、戴詵,相造研論玄理。"則與劉緩同時,緩爲梁劉昭次子,則亦梁時人。

葛洪　老子道德經序訣二卷　《隋志》:"梁有《老子序次》一卷,葛仙公撰,亡。"謹按葛洪,仙公之從孫也。或洪注玄公書,廣爲二卷。"序訣"爲"序注"之訛,皆未可知也。

老子道德經序訣二卷　葛洪撰。

韓莊　玄旨八卷　《隋志》:"梁有《老子玄示》一卷,韓壯撰,亡。"壯即韓莊。莊,始末未詳。謹按此書史志著録互有異同,大抵集諸家玄義之文以爲一書,故多至八卷。

老子玄旨八卷　韓莊撰。

劉遺民　玄譜一卷　《釋文·叙録》:"劉遺民《玄譜》一卷。字遺民,彭城人,東晋柴桑令。"《隋志》:"梁有《老子玄譜》一卷,晋柴桑令劉遺民撰,亡。"《全晋文編》云:"劉程之字仲思,彭城人,漢楚元王交之後,與周續之、陶潛號潯陽三隱。劉裕以其不仕,旌其號曰遺民。"

老子玄譜一卷　劉道人撰。②

節解二卷　《釋文·叙録》云:"《節解》二卷,不詳作者,或云老子所作,一云河上公

---

① "歡見尚書類"五字原脱,據藕香簃本補。

② 中華書局點校本《舊唐書》校勘記云:"唐時避諱改'民'爲人,後又誤'遺'爲'道'耳。"

所作。”

老子節解二卷

章門一卷 《隋志》:“《老子章門》一卷。”不著撰人。

老子章門

李軌 老子音一卷 《隋志》:“《老子音》一卷,李軌撰。”軌,見易類。

鶡冠子三卷 《隋志》:“《鶡冠子》三卷,楚之隱人。”《漢·藝文志》:“楚人,居深山。”師古曰:“以鶡鳥爲冠。”今存。

鶡冠子三卷 鶡冠子注。

張湛 注列子八卷 列禦寇。《隋志》:“《列子》八卷,鄭之隱人列禦寇撰,東晋光禄勳張湛注。”今存。謹按湛自序,湛,晋人,王弼外甥之孫。

列子八卷 列禦寇撰,张湛注。

郭象 注莊子十卷 莊周。 《釋文·叙録》:“莊子者,姓莊名周,梁國蒙縣人也。六國時爲梁漆園吏,與魏惠王、齊宣王、楚威王同時。”《隋志》:“《莊子》二十卷,梁漆園吏莊周撰。”周,見《史記》列傳。《隋志》:“《莊子》二十卷,《目》一卷,晋太傅主簿郭象注。”

又十卷 郭象注。

向秀 注二十卷 《隋志》:“《莊子》二十卷,晋散騎常侍向秀注。”秀,見《晋書》列傳。

莊子二十卷 向秀注。

崔譔 注十卷 《釋文·叙録》:“《莊子崔譔注》十卷,二十七篇。清河人,晋議郎。《内篇》七,《外篇》二十。”

莊子十卷 崔譔注。

司馬彪 注二十一卷 《釋文·叙録》:“《莊子司馬彪注》二十一卷,五十二篇。字紹統,河内人,晋秘書監。《内篇》七,《外篇》二十八,《雜篇》十四,《解説》三,爲《音》三卷。”《隋志》:“《莊子》十六卷,司馬彪注,本二十一卷,今缺。”彪見正史類。

又二十一卷 司馬彪撰。

又 注音一卷 《釋文·叙録》:“司马彪又《注音》一卷。”《隋志》:“《莊子注音》一卷,司馬彪等撰。”今有茆泮林輯本。

李頤 集解二十卷 《釋文·叙録》:“李頤《集解》三十卷,三十篇。字景真,潁川襄城人，晋丞相參軍，自號玄道子。一作三十五篇，爲《音》一卷。"《隋志》："《集注莊子》六卷。"

莊子集解二十卷　李頤集解。

王玄古　集解二十卷

李充　釋莊子論二卷

馮廓　老子指歸十三卷　謹按晁氏《讀書志》："《老子指歸》十三卷，漢嚴遵撰，谷神子注。本理國、修身、清浄之谷神子説。不題姓名，疑即廓。"

老子指歸十三卷　馮廓撰。

又　莊子古今正義十卷

梁簡文帝　講疏三十卷　《隋志》："《莊子講疏》十卷，梁簡文帝撰。本三十卷，今缺。"見《梁書》本紀，徐陵爲序。

莊子講疏三十卷　梁簡文撰。

王穆　疏十卷　《釋文・叙録》："王叔之《義疏》三卷。字穆，琅邪人，宋處士。"《隋志》："《莊子義疏》十卷，又《莊子義疏》三卷，宋處士王叔之撰，亡。"謹按别集類有宋《王叔之集》，①即其人也。

莊子疏十卷　王穆撰。

又　音一卷

莊子音一卷　王穆撰。

莊子疏七卷　謹按《隋志》："《莊子疏》八卷。"不著撰人，似即此書。

文子十二卷　《隋志》："《文子》十二卷。文子，老子弟子。《七略》有九篇，梁《七録》十卷，亡。"今存。

文子十二卷

廣成子十二卷　商洛公撰，張太衡注。《隋志》："《廣成子》十三卷，商洛公撰，張太衡注，疑近人作。"商洛公、張太衡，皆未詳。

廣成子十二卷　商洛公撰。

唐子十卷　唐滂。《隋志》："《唐子》十卷，吴唐滂撰。"謹按《唐書・世系表》滂爲

---

①　"集"字上原脱"别"字，"叔"原作"叙"，藕香簃本同，據本書集部别集類著録補正。

漢尚書林之後，固之弟，字惠潤。今有馬國翰輯本。

唐子十卷 唐滂撰。

蘇子七卷 蘇彦。《隋志》："梁有《蘇子》七卷，晋北中郎參軍蘇彦撰，亡。"謹按《意林》云："名漳，衛人。"今有馬國翰、嚴可均輯本。

蘇子七卷 蘇彦撰。

宣子二卷 宣聘。《隋志》："梁有《宣子》二卷，晋宜城令宣聘撰，亡。"謹按《隋志》别集《宣舒集》五卷，《舊唐志》作"宣聘"，①《新志》作"宣騁"，即宣舒也。《釋文·叙録》則爲宜城令，爲實。宣舒字幼驥，轉寫脱"幼"字，又誤以"驥"爲"騁"，再誤爲"聘"耳。

宣子二卷 宣聘撰。

陸子十卷 陸雲。《隋志》："梁有《陸子》十卷，陸雲撰，亡。"雲，見《晋書·陸機傳》。今有馬國翰輯本。

陸子十卷 陸雲撰。

抱朴子内篇十卷 葛洪。《隋志》："《抱朴子内篇》二十一卷，《音》一卷，葛洪撰。"洪，見禮類。今存。

抱朴子内篇二十卷 葛洪撰。

孫子十二卷 孫綽。《隋志》："《孫子》十二卷，孫綽撰。"綽見論語類。今有嚴可均、馬國翰輯本。

孫子十二卷 孫綽撰。

符子三十卷 符朗。《隋志》："《符子》二十卷，東晋員外符郎撰。"朗，見《晋書》載記。今有嚴可均、馬國翰輯本。

符子三十卷 符朗撰。

賀子十卷 賀道養。《隋志》："梁有《賀子述言》十卷，宋太學博士賀道養撰。"道養，見左氏類。

牟子二卷 牟融。《隋志》："《牟子》二卷，後漢太尉牟融撰。"融，見范《書》列傳。

傅弈 注老子二卷

楊上善 注老子道德經二卷

---

① "聘"原作"騁"，據藕香簃本改。

又　注莊子十卷

老子指略論二卷　太子文學。

辟閭仁諝　注老子二卷　聖曆司禮博士。

賈大隱　老子述義十卷

陸德明　莊子文句義二十卷　德明,見易類。謹按《隋志》,《莊子文句義》二十八卷,不著撰人,疑即此書。德明有《周易文句義疏》,書名相似。

玄宗　注道德經二卷

又　疏八卷　天寶中加號《玄通道德經》,世不稱之。《崇文總目》:"《道德疏》六卷,唐玄宗撰。"

盧藏用　注老子二卷

又　注莊子内外篇十二卷

邢南和　注老子　開元二十一年上。

馮朝隱　注老子

白履忠　注老子　履忠,見本書《隱逸傳》。汴州浚儀人,號梁邱子。

李播　注老子

尹知章　注老子　知章,見孝經類。

傅弈　老子音義　並卷亡。

陸德明　老子疏十五卷　德明,見經解類。

逢行珪　注鬻子一卷　鄭縣尉。　見前。行珪進《鬻子表》在永徽四年。

陳庭玉　老子疏　開元二十年上,授校書郎,卷亡。

陸希聲　道德經傳四卷　見《崇文總目》。

吴善經　注道德經二卷　貞元中人。

楊上善　道德經三略論三卷

略論三卷　楊上善撰。

道士成玄英　注老子道德經二卷　見張君相《三十家注老子》。玄英,唐道士,天寶後人。

又　開題序訣義疏七卷

注莊子三卷

疏十二卷　玄英字子實，陝州人，隱居東海。貞觀五年，召至京師。永徽中，流郁州。書成，道王元慶遣文學賈鼎就授大義，嵩高山人李利涉爲序。唯《老子注》、《莊子疏》著録。今存。

張游朝　南華象罔說十卷

又　沖虚白馬非馬證八卷　張志和父。

孫思邈　注老子　卷亡。

又　注莊子

柳縱　注莊子　開元二十年上，授章懷太子廟丞。

尹知章　注莊子　並卷亡。

甘暉　魏包　注莊子　卷亡，開元末奉詔注。

元載　南華通微十卷

張志和　太易十五卷　《太平廣記》："玄真子張志和，山陰人，自號玄真子。"

又　玄真子十二卷　韋詣作内解。今存一卷。

陳庭玉　莊子疏　卷亡。

道士李含光　老子莊周易學記三卷

又　義略三卷　含光，揚州江都人，本姓弘，避存敬皇帝諱改焉，天寶間人。

張隱居　莊子指要三十三篇　名九垓，號渾淪子，代、德時人。

帥夜光[①]**三玄異義三十卷**　幽州人，開元二十年上，授校書郎，直國子監。

徐靈府　注文子十二卷　《讀書志》："墨希子，唐徐靈府自號，注作於元和四年，注八稔而後成。"今存。

李暹　訓注文子十二卷　《讀書志》："《文子》九篇，此十二篇，疑暹所析，暹師事僧般若流支，元魏時人。"

---

① "帥"原作"師"，據藕香簃本改。

王士元　亢倉子二卷 天寶元年,詔號《莊子》爲《南華真經》,《列子》爲《沖虚真經》,《文子》爲《通玄真經》,《亢桑子》爲《洞靈真經》。然《亢桑子》求之不獲,襄陽處士王士元謂《莊子》作"庚桑子",太史公、《列子》作"亢倉子",其實一也。取諸子大義類者補其亡。[①] 《崇文總目》:"《亢倉子》三卷,王士元補,亡。" 今存。

無能子三卷 不著人名氏,光啓中隱民間。 《崇文總目》:"唐光啓中隱者。"

凡神仙,三十五家,五十部,三百四十一卷。失姓名十三家。自道藏音義以下不著録,六十一家,二百六十五卷。

尹喜　高士老君内傳三卷 見《崇文總目》。

高士老君内傳三卷 尹喜、張林亭撰。

玄景先生　老子道德簡要義五卷

老子道德簡要義五卷 玄景先生注。

梁簡文帝　老子私記十卷 《隋志》道家類:"梁有《老子私記》十卷,梁簡文帝撰。"簡文,見經類。

老子私記十卷 梁簡文帝撰。

戴詵　老子西昇經義一卷

韋處玄　集解老子西升經二卷 《隋志》道家類:"《老子義疏》四卷,韋處玄撰。"謹按《西升經》亦冠以《老子》,疑《隋志》誤以此書當之。韋處玄,陶弘景之弟子。

老子西升經一卷

老子黄庭經一卷

老子黄庭經一卷

老子探真經一卷

老子探真經一卷

老君科律一卷

---

① "大"藕香簃本作"文"。

老君科律一卷

老子宣時誡一卷

老子宣時誡一卷

老子入室經一卷

老子入室經一卷

老子華蓋觀天訣一卷

老子華蓋觀天訣一卷

老子消水經一卷

老子消水經一卷

老子神策百二十條經一卷

老子神策百二十條經一卷

鬼谷先生　關令尹喜傳一卷 四皓注。 《隋志》:“《關令内傳》一卷,鬼谷先生撰。”尹喜,見劉向《列仙傳》。

關令尹喜傳一卷 鬼谷先生撰,四皓注。

清虚真人王君内傳一卷 《隋志》傳記類:“《清虚真人王君内傳》一卷,弟子華存撰。”《御覽》:《三洞珠囊》云:“王褒,號清虚真君。”

清虚真人王君内傳一卷

王萇　三天法師張君内傳一卷 《隋志》傳記類:“《正一真人三天法師張君内傳》一卷。”不著撰人。謹按張君即張道陵,《真靈位業圖》有三天都護王萇,即王羲之之族人,王氏世奉五斗米道。

三天法師張君内傳一卷 王萇撰。

李遵　茅君内傳一卷 《隋志》傳記類:“《太元真人東鄉司命茅君内傳》一卷,弟子李遵撰。”茅君,名盈。謹按《御覽》引《茅君傳》作“東岳上卿司命神”。

茅君内傳一卷

吕先生　太極左仙公葛君内傳一卷 《隋志》傳記類:“《太極左仙公葛君内傳》一卷。”謹按葛即葛洪,左仙公即左元放。今《道藏》有《太極葛仙公傳》一卷。

太極左仙公葛君内傳一卷 吕先生注。

華嶠　紫陽真人周君傳一卷

紫陽真人周君傳一卷 華嶠撰。

趙昇等　仙人馬君陰君内傳一卷 《隋志》傳記類:"《仙人馬君陰君内傳》一卷。"謹按馬君爲馬明生,陰君爲陰長生,《真靈位業圖》三天都護趙昇即此人,不知其時代。①

仙人馬君陰君内傳一卷 趙昇傳。

鄭雲千　清虚真人裴君内傳一卷 《隋志》傳記類:"《清虚真人裴君内傳》一卷。"謹按《雲笈七籤》,"清虚"當作"清靈",弟子鄭雲子撰,《舊志》作"子雲",此作"雲千",皆誤。

清虚真君内傳一卷 鄭子雲撰。

范邈　紫虚元君南岳夫人内傳一卷 《隋志》傳記類:"《南嶽夫人内傳》一卷。"不著撰人。《御覽》道部引《南岳魏夫人傳》:"范邈字度世。"見葛洪《神仙傳》。

紫虚元君南岳夫人内傳一卷 范邈撰。

項宗　紫虚元君魏夫人内傳一卷

九華真妃内記一卷

九華真妃内記一卷

王羲之　許先生傳一卷 《隋志》傳記類:"《仙人許遠游傳》一卷。"不著撰人。許邁字叔玄,改名玄,字遠游,丹陽人,見《晋書》羲之傳。

許先生傳二卷 王羲之撰。

宋都能　嵩高少室寇天師傳三卷 《隋志》傳記類:"《嵩高寇天師傳》一卷。"不著撰人。天師即謙之,見《魏書·釋老志》。

嵩高少室寇天師傳三卷 宋都能撰。

王喬傳一卷 《隋志》傳記類:"《王喬傳》一卷。"不著撰人。喬,見范書《方術傳》。

王喬傳一卷

漢武帝傳一卷 《隋志》傳記類:"《漢武帝内傳》三卷。"不著撰人。今存二卷。

漢武帝傳二卷

---

① "即此人不知其時代"八字原脱,據藕香簃本補。

劉向　列仙傳二卷　《隋志》傳記類："《列仙傳贊》三卷，劉向撰，鬷續，[1]孫綽贊。"向，見前。今存二卷，有贊。

列仙傳讚二卷　劉向贊。

葛洪　神仙傳十卷　《隋志》傳記類："《神仙傳》十卷，葛洪撰。"洪，見禮類。今存。

神仙傳　十卷　葛洪撰。

見素子　洞仙傳十卷　《隋志》傳記類："《洞仙傳》十卷。"謹按《廣記》引之。

洞仙傳十卷　見素子撰。

東方朔　神異經二卷　張華注。　東方朔，見《漢書》。今存。

東方朔　神異經二卷　張華注。

又　十洲記一卷

周季通　蘇君記一卷　《隋志》："《蘇君記》一卷，周季通撰。"謹按蘇仙公名林，字子玄。周季通，名義山，汝陰人。今傳在《雲笈七籤》中。

蘇君記一卷　周季通撰。

梁曠　南華仙人莊子論三十卷　《隋志》道家類："《南華論》二十五卷，梁曠撰。本三十卷。"謹按此似集魏晋以來論《莊子》，如阮籍《達莊論》、李充《釋莊論》、王坦之《廣莊論》之類，以爲一書。

南華仙人莊子論三十卷　梁曠撰。

南華真人道德論三卷

南華真人道德論三卷

任子道論十卷　任嘏。　《隋志》道家類："《任子道論》十卷，魏河東太守任嘏撰。"嘏，康成弟子，見《後漢書·鄭玄傳》。今有馬國翰輯本。

任子道論十卷　任嘏撰。

顧道士論三卷　顧谷。　《隋志》道家類："梁有《顧道士新書論經》三卷，晋方士顧谷撰，亡。"谷，始末未詳。今《玉燭寶典》内引一條。

顧道士論二卷　顧谷撰。

---

① 《四庫提要》云："按鬷續上似脱一字，蓋有《續傳》一卷，故爲三卷也。今無從校補，姑仍舊文。"

姖威　渾輿經一卷 《隋志》道家類:"梁有《渾輿經》一卷,魏安城令桓威撰,亡。"威,見《魏志・王粲傳》。謹按宋本諱"桓",作"桓",《舊志》譌作"姬",此又訛作"姖",實桓威也。又按岑本考證據鄧名世考證,以姖爲姓,然桓威著《渾輿》,見《王粲傳》,不必曲説。

渾輿經一卷 姬威撰。

杜夷　幽求子三十卷 《隋志》道家類:"《杜氏幽求子》二十卷,杜夷撰。"夷,見《晋書・儒林傳》。今有馬國翰輯本。

幽求子三十卷 杜夷撰。

張譏　玄書通義十卷 譏,見經解類。

玄書通義十卷 張譏撰。

陶弘景　登真隱訣一十五卷 《崇文總目》:"《登真隱訣》六十卷,轉多於本書。"

又　真誥十卷 見《崇文總目》。今存。

張湛　養生要集十卷

養性傳二卷 《隋書》傳記類:"《養性傳》二卷。"不著撰人。

養性傳二卷

張太衡　無名子一卷 《隋志》道家類:"《無名子》一卷,張太衡撰。"

無名子一卷 張太衡撰。

劉道人　老子玄譜一卷

劉無待　同光子八卷　侯儼注。

靈人辛玄子自序一卷 《隋志》傳記類:"《靈人辛玄子自序》一卷。"見陶弘景《真誥》,有《自序》并詩,凡十則。

靈人辛玄子自序一卷 辛玄子撰。

華陽子自序一卷　茅處玄。 《隋志》傳記類:"《華陽子自序》一卷。"謹按華陽子,梁陶弘景自號。茅處玄,始末未詳。

華陽子自序一卷 茅處玄撰。

無上祕要七十二卷

道要三十卷

馬樞　學道傳十二卷　《隋志》傳記類："《學道傳》二十卷。"樞，見《陳書》列傳。

學道傳二十卷

郭憲　漢武帝別國洞冥記四卷　《隋志》傳記類："《漢武洞冥記》一卷，郭氏撰。"《舊志》考爲郭憲，脱"武"字。今存。

漢別國洞冥記四卷　郭憲撰。

道藏音義目録一百十三卷　崔湜、薛稷、沈佺期、道士史崇玄等撰。

集注陰符經一卷　太公、范蠡、鬼谷子、張良、諸葛亮、李淳風、李筌、李治、李鑒、李鋭、楊晟。《崇文總目》云："十一家，淳風以下皆唐人。"

李靖　陰符機一卷　《崇文總目》："靖以謂陰符者，應機制變之書，破演其説，爲《陰符機》。"

道士李少卿　十異九迷論一卷

道士劉進喜　老子通諸論一卷

又　顯正論一卷

張果　陰符經太無傳一卷　見《崇文總目》。《太平廣記》："張果者，隱於恒州條山，常往来汾晋間。"

又　陰符經辨命論一卷　見《崇文總目》。

氣訣一卷　《四庫缺書目》："張果老《氣訣》一卷。"

神仙得道靈藥經一卷

罔象成名圖一卷

丹砂訣一卷　開元二十二年上。

韋弘　陰符經正養一卷　見《崇文總目》。

李筌　驪山母傳陰符玄義一卷　筌，號少室山達觀子，於嵩山虎口巖石壁得《黄帝陰符》本，題云："魏道士寇謙之傳諸名山。"筌至驪山，老母傳其説。　見《崇文總目》，"玄義"作"元氣"。《通考》作"《陰符元機》"。

葉静能　太上北帝靈文三卷　見《崇文總目》。《太平廣記》："唐汝陽王好飲，術士葉靜能常飲焉。"

李淳風　注泰乾祕要三卷　淳風,見本書列傳。

楊上器　注太上玄元皇帝聖紀十卷

崔少元　老子心鏡一卷

皇天原太上老君現跡記一卷　文明元年老子降事。[①]

吕氏　老子昌言二卷

王方慶　神仙後傳十卷

玄晋蘇元明太清石壁記三卷　乾元中劍州司馬纂,失名。

議化胡經狀一卷　萬歲通天元年僧惠澄上,言乞毁《老子化胡經》,敕秋官侍郎劉知璿等議狀。《崇文總目》云:"劉知璿等撰。"

寧州寧真觀二十七宿真形圖讚一卷　記天寶中寧州羅川縣金華洞獲玉像,皆列宿之真,唯少氐宿,改縣爲寧真事。

道士令狐見堯　正一真人二十四治圖一卷　貞元人。

孫思邈　馬陰二君内傳一卷　馬、陰二君見前。思邈,見本書《藝術傳》。

又　太清真人煉雲母訣二卷　見《四庫缺書目》。

攝生真録一卷

養生要録一卷

氣訣一卷　見《崇文總目》。

燒煉秘訣一卷

龍虎通元訣一卷　見《崇文總目》。

龍虎亂日篇一卷　見《崇文總目》。

幽傳福壽論一卷　見《崇文總目》。

枕中素書一卷

會三教論一卷

龍虎篇一卷　青羅子周希彭,少室山人孺登同注。《崇文總目》:

---

① "天"原作"太",據藕香簃本改。

"《龍虎篇》一卷,孫思邈撰,周希彭、孺登注。"

朱少陽　道引録三卷 浮山隱士,代、德時人。

張志和　玄真子二卷 見《崇文總目》。志和,見本卷。

戴簡　真教元符三卷

楊嗣復　九徵心戒一卷 《崇文總目》作"《九微心戒》"。嗣復,見本書。

裴煜　延壽赤書一卷

紇干泉　序通解録一卷 字咸一,大中江西觀察使。

守真子秦鑑語一卷

道士張仙庭　三洞瓊綱三卷 見《崇文總目》。

段世貴　演正一炁化圖三卷

女子胡愔　黄庭内景圖一卷 見《崇文總目》,唐人。今存。

道士司馬承禎　坐忘論一卷 《崇文總目》云:"承禎字子微,自號白雲子。"

又　脩生養氣訣一卷 見《崇文總目》。

洞元靈寶五岳名山朝儀經一卷 《崇文總目》云:"司馬承禎撰。"

賈參寥　莊子通真論三卷 垂拱中隱武陵。

白履忠　注黄庭内景經 卷亡。 履忠,見前。今存。

又　三玄精辨論一卷

吴筠　神仙可學論一卷 見《崇文總目》。

又　玄綱論三卷 見《崇文總目》。

明真辨僞論二卷

輔正除邪論一卷 《崇文總目》云:"《輔正除非論》,吴筠撰。"即此書。

辨方正惑論一卷 見《崇文總目》。

道釋優劣論一卷 見《崇文總目》。

心目論一卷

復淳化論一卷

著生論一卷

形神可固論一卷 《崇文總目》云:"吴筠撰。"

李延章　集鄭綽録中元論一卷 大和人。

施肩吾　辨疑論一卷 睦州人,元和進士第,隱洪州西山。 見《崇文總目》。

道士令狐見堯　玉笥山記一卷

道士李沖昭　南岳小録一卷 見《崇文總目》。今存。

沈汾　續神仙傳三卷 見《崇文總目》。

道士胡慧超　神仙内傳一卷 見《崇文總目》。

晋洪州西山十二真君内傳一卷 《崇文總目》云:"胡慧超撰。"

李渤　真系傳一卷 見《崇文總目》。

李遵　茅三君内傳一卷 見《崇文總目》。《東觀餘論》云:"遵非唐人。"《宋志》作"三茅君"。

道士胡法超　許遜脩行傳一卷

張説　洪崖先生傳一卷 張氳先生,唐初人。見《崇文總目》。

沖虚子胡慧超傳一卷 失名。慧超,高宗時道士。見《崇文總目》。

潘尊師傳一卷 師正。 《崇文總目》云:"沖虚子撰。"

蔡尊師傳一卷 名南玉,字叔寶,宋同部尚書郭七世孫,歷金部員外郎,棄官入道。大曆中卒。

劉谷神　葉法善傳二卷 見《崇文總目》。《太平廣記》:"葉法善字道元,今居處州松陽縣。"

正元師　謫仙崔少元傳二卷 見《崇文總目》。謹按"正"當作"王"。《通志》:"少元,崔氏女。"

陰日用　傳仙宗行記一卷 仙宗,開元資陽道士。

謝良嗣　吴天師内傳一卷 吴筠 見《崇文總目》。

温造　瞿童述一卷 大曆辰溪童子瞿柏庭昇仙,造爲朗州刺史,追述其事。 見《崇文總目》。謹按《廣記》有黄山瞿道士,未知是否。

李堅　東極真人傳一卷 果州謝自然。 見《崇文總目》。

江積　八仙傳一卷 大中後事。

王仲丘　攝生纂録一卷

高福　攝生録三卷

郭霽　攝生經一卷

上官翼　養生經一卷

康仲熊　服内元氣訣一卷

氣經新舊服法三卷

康真人氣訣一卷

太元先生炁訣一卷　失名，大曆中，遇羅浮王公傳氣術。

菩提達磨胎息訣一卷

李林甫　唐朝煉大丹感應頌一卷　林甫，見本書列傳。

崔元真　靈沙受氣用藥訣一卷

又　雲母論二卷　天寶隱岷山。

劉知古　日月元樞一卷

海蟾子　元英還金篇一卷　見《崇文總目》。

還陽子　大還丹金虎白龍論一卷　隱士，失姓名。　見《崇文總目》。

陳少微　太洞鍊真寶經脩伏丹砂訣一卷

嚴靜　大丹至論一卷

凡釋氏，二十五家，四十部，三百九十五卷。失姓名一家。玄琬以下不著録七十四家，九百四十一卷。

蕭子良　浄注子二十卷　王融頌。　《隋志》："《浄注子》二十卷，齊竟陵王蕭子良撰。"謹按是書本二卷，《舊志》是，此衍"十"字。釋道宣删爲一卷。子良，見前。

略靜注子二卷　蕭子雲撰，王融頌。

僧祐　法苑集十五卷　《高僧傳》："梁僧祐撰。"僧祐，見慧皎《高僧傳》，本姓俞，彭城下邳人。

法苑十五卷　釋僧祐撰。

又　弘明集十四卷　見《開元釋教録》。今存。

釋迦譜十卷　《隋志》雜家類："《釋氏譜》十五卷。"不著撰人。《高僧傳》："蕭齊建初寺沙門梁僧祐撰。"《開元釋教録》云:"別有五卷本。"《法苑珠林》作"四卷"。今存釋藏本。

薩婆多師資傳四卷　《隋志》傳記類:"《薩婆多部傳》五卷,梁僧祐撰。"《法苑珠林》亦作"《薩婆多師資傳》。"

薩婆多師資傳四卷

虞孝敬　高僧傳六卷

又　内典博要三十卷　《隋志》雜家類:"《内典博要》三十卷。"不著撰人。《法苑珠林》:"《内典博要》,湘東王記室虞孝敬撰,後出家改惠命。"《法苑珠林》云:"頗同《皇覽》、《類苑》之流。"

内典博要三十卷　虞孝敬撰。

僧賢明　真言要集十卷　《隋志》雜家類:"《真言要集》十卷。"不著撰人。

真言要集十卷　釋賢明撰。

郭瑜　脩多羅法門二十卷

脩多羅法門二十卷　郭瑜撰。

駱于義　經論纂要十卷

經論纂要十卷　駱于義撰。

顧歡　夷夏論二卷　《隋志》道家類:"《夷夏論》,顧歡撰,梁二卷。"歡,見《南齊·高逸傳》,論此書。今有馬國翰輯本。

夷夏論二卷　顧歡撰。

甄鸞　笑道論三卷　《廣弘明集·辨惑篇》:"周天和五年,甄鸞上《笑道論》。"今存。

笑道論三卷　甄鸞撰。

衛元嵩　齊三教論七卷　衛元嵩,周道士。

齊三教論七卷　衛元嵩撰。

杜乂　甄正論三卷　《開元釋教録》:"釋玄嶷,姓杜名乂,先爲大弘道觀主,後求剃落,遂造此論。"今釋藏存。

甄正論三卷　杜乂撰。

李思慎　心鏡論十卷

心鏡論十卷 李思慎撰。

裴子野　名僧録十五卷 《隋志》傳記類:"《衆僧傳》二十卷,裴子野撰。"子野,見禮類。謹按本傳作《衆僧傳》。

名僧録十五卷 裴子野撰。

僧寶唱　名僧傳三十卷 《隋志》傳記類:"《名僧傳》三十卷,釋寶唱撰。"《開元釋教録》:"寶唱,楊都莊嚴寺僧,俗姓岑氏,吴郡人,有自序。"

名僧傳三十卷 釋寶唱撰。

又　比丘尼傳四卷 《隋志》傳記類:"《尼傳》二卷,皎法師撰。"謹按"皎法師"當爲"寶唱",説見下。《開元釋教録》又云:"伽梁羅撰,實與寶唱同撰。"今存。

比丘尼傳四卷 釋寶唱撰。

僧惠皎　高僧傳十四卷 《隋志》傳記類:"《高僧傳》十四卷,釋僧祐撰。"謹按"僧祐"當爲"惠皎"。《開元釋教録》:"惠皎,上虞人,《高僧傳》十四卷,天監十八年撰。"今存。

高僧傳十四卷 釋惠皎撰。

僧道宗　續高僧傳三十二卷

陶弘景　草堂法師傳一卷 謹按《藝文類聚》有王筠撰《國師草堂法師智者約法師碑》,當即其人。《隋志》傳記類亦有《梁故草堂法師傳》一卷,不著撰人,恐即此二傳之一也。

草堂法師傳一卷 陶弘景撰。

蕭回理　草堂法師傳一卷 《舊志》脱"回"字。

草堂法師傳一卷 蕭理撰。

稠禪師傳一卷 《廣記》:"稠禪師,鄴人,北齊朝。"

稠禪師傳一卷

陽衒之　洛陽伽藍記五卷 今存。

費長房　歷代三寶記三卷　長房,成都人,隋翻經學士。《隋志》雜家類:"《歷代三寶説》三卷,費長房撰。"《開元釋教録》:"翻經學士費長房,成都人,周時出家,入藏三卷。"今釋藏存。

歷代三寶記三卷

僧彦琮　崇正論六卷 《大唐釋教録》:"彦悰與道宣同時。"

崇正論六卷　釋彦琮撰。

又　集沙門不拜俗議六卷　見《開元釋教録》。今存。

福田論二卷　《崇文總目》云:"釋彦琮撰。"

道宣　統略淨注子二卷　《開元釋教録》:"道宣,姓錢氏,吴興人。"見前。

又　通惑決疑録二卷　《崇文總目》云:"《感通決疑録》一卷,釋道宣撰。"

通惑決疑録二卷　釋道宣撰。

廣弘明集三十卷　見《開元釋教録》。今存。

集古今佛道論衡四卷　見《開元釋教録》。今釋藏存。

集古今佛道論衡四卷　道德宣撰。

續高僧傳二十卷　起梁初,盡貞觀十九年。見《開元釋教録》。

後續高僧傳二十卷　見《開元釋教録》。

東夏三寶感通録三卷　見《開元釋教録》。今釋藏存。

大唐貞觀内典録十卷　見《開元釋教録》,無"貞觀"二字。今釋藏存。

義浄　大唐西域求法高僧傳二卷　《開元釋教録》:"釋義浄,齊州人,姓張字文明,咸亨三年由南海至印度,證聖元年還洛。"今釋藏存。①

法琳　辯正論八卷　陳子良注。《開元釋教録》:"法琳,姓陳氏,潁川人,著《辨正論》破邪説。"今釋藏存。

辨正論八卷　釋法琳撰。

又　破邪論二卷　琳,姓陳氏,太史令傅弈請廢佛,法琳諍之,放死蜀中。今釋藏存。

破邪論三卷　釋法琳撰。

復禮　十門辨惑論二卷　永隆二年答太子文學權無二《釋典稽疑》。《開元釋教録》:"釋復禮,京兆人,俗姓皇甫氏,因太子文學權無二《述釋典稽疑》,用以問禮,禮答之,撰成二卷。"

十門辨惑論二卷　釋復禮志。

---

①　"今釋藏存"四字原缺,據藕香簃本補。

楊上善　六趣論六卷　《法苑珠林》:“《六道論》,皇朝左衛長史兼宏文館學士楊尚善撰。”

六趣論六卷　楊上善撰。

又　三教銓衡十卷

三教銓衡十卷　楊上善撰。

僧玄琬　佛教後代國王賞罰三寶法一卷　《法苑珠林》:“玄琬,唐西京延興寺沙門。”

又　安養蒼生論一卷

三德論一卷　姓楊氏,新豐人,貞觀十年上。

入道方便門二卷

衆經目録五卷　《開元釋教録》:“貞觀初普光寺沙門玄琬撰。”

鏡諭論一卷　《法苑》作“喻”。

無礙緣起一卷

十種讀經儀一卷

無盡藏儀一卷

發戒緣起二卷

法界僧圖一卷　《法苑》無“僧”字。

十不論一卷

懺悔罪法一卷

禮佛儀式二卷　以上均玄琬撰。

李師政　内德論一卷　上黨人,貞觀門下典儀。《法苑珠林》:“李思政,皇朝門下典儀。”謹按《崇文總目》有李師政《法門名義集》。

僧法雲　辨量三教論三卷　《法苑珠林》:“《辨量三教論》三卷,皇朝京師西明寺沙門釋法雲撰。”

又　十王正業論十卷　絳州人。

道宣又撰　注戒本二卷

疏記四卷

注竭磨二卷　《開元釋教録》載道宣有《四分律删補隋機羯磨》一卷,未知即此書否。

《羯磨》,曇無讖撰。

疏記四卷

行事删補律儀三卷 或六卷。 謹按《道宣傳》内有"删補章儀"語,疑此六種皆道宣删補。

釋門正行懺悔儀三卷

釋門亡物輕重儀二卷

釋門章服儀二卷

釋門歸敬儀二卷

釋門護法儀二卷

釋氏譜略二卷 見《開元釋教録》。

聖迹見在圖贊二卷

佛化東漸圖贊二卷 以上均道宣撰。

釋迦方志二卷 見《開元釋教録》。謹按自道宣又撰《注戒本》起,訖此書,皆道宣所撰。

僧彦琮　大唐京寺録傳十卷

又　沙門不敬録六卷 龍朔人,並隋有二彦琮。謹按《志》有二彦琮,然書一作《沙門不拜俗議》,一云《沙門不敬録》,似是一書。

玄應　大唐衆經音義二十五卷 《開元釋教録》:"玄應,大慈寺翻經沙門也,就高齊沙門釋道惠《一切經音》而綴叙之。"今存。

玄惲　敬福論十卷 《法苑珠林》:"《法苑珠林》一百卷,皇朝西京西明寺沙門釋道世字玄惲撰。"

又　略論二卷

大小乘觀門十卷 《法苑珠林》作"《大小乘禪門觀》十卷"。

法苑珠林集一百卷 今存。

四分律僧尼討要略五卷

金剛般若經集注三卷

百願文一卷 玄惲本名道世。以上皆玄惲撰。

玄範　注金剛般若經一卷 《法苑珠林》:"《注新繙金剛般若》一卷,皇朝西京華光寺沙門釋玄範注。"

又　注二帝三藏聖教序一卷　太宗、高宗。玄範撰。

慧覺　華嚴十地維摩纘章義十三卷　姓范氏，武德人。

行友　己知沙門傳一卷　序僧海順事。

道岳　三藏本疏二十二卷　姓孟氏，河陽人，貞觀中。

道基　雜心玄章并鈔八卷

又　大乘章鈔八卷　姓吕氏，[1]東平人，貞觀時。

智正　華嚴疏十卷　姓白氏，安喜人，貞觀時。

慧净　雜心玄文三十卷　姓房，隋國子博士徽遠從子。慧净，《法苑珠林》："皇朝西京紀國寺沙門。"

又　俱舍論文疏三十卷

大莊嚴論文疏三十卷

法華經纘述十卷

那提　大乘集議論四十卷

釋疑論一卷

注金剛般若經一卷

諸經講序一卷　《法苑》以上八種俱云慧净撰。

玄會　義源文本四卷

又　時文釋鈔四卷

涅槃義章句四卷　字懷默，姓席氏，安定人，貞觀中。

慧休　雜心玄章鈔疏　卷亡。姓樂氏，瀛州人。

靈潤　涅槃義疏十三卷

又　玄章三卷

遍攝大乘論義鈔十三卷

玄章三卷　姓梁氏，虞鄉人。

---

① "吕"原作"白"，據藕香簃本改。

辯相　攝論疏五卷　辯相居浄影寺。

玄奘　大唐西域記十二卷　姓陳氏,緱氏人。《開元釋教録》:"本名禕,俗姓陳,陳留人。自貞觀三年詣西域,十九年還京,立繙經廠,出《西域記》十二卷,會昌中沙門辨機寫出之。"

辯機　西域記十二卷

清徹　金陵塔寺記三十六卷　見《崇文總目》。

師哲　前代國王脩行記五卷　盡中宗時。

大唐内典録十卷　西明寺僧撰。[1]

毋煚　開元内外經録十卷　道、釋書二千五百餘部,九千五百餘卷。

智矩　寶林傳十卷　見《崇文總目》。

法常　攝論義疏八卷

又　玄章五卷　姓張氏,南陽人,貞觀末。

慧能　金剛般若經口訣正義一卷　姓盧氏,曲江人。

僧灌頂　私記天台智者詞旨一卷　《釋藏目録》:"《天台智者大師别傳》一卷,隋釋灌頂撰。"

又　義記一卷　字法雲,姓吴氏,章安人。

道綽　浄土論二卷　姓衛氏,并州文水人。

道綽　行圖一卷

智首　五部區分鈔二十一卷　姓皇甫氏。

法礪　四分疏十卷

又　羯磨疏三卷

拾懺儀一卷

輕重儀一卷　姓李氏,趙郡人。

慧滿　四分律疏二十卷　姓梁氏,京兆長安人。

---

① "西",原作"酉",藕香簃本同,據中華書局點校本《舊唐書》改。

慧旻　十誦私記十三卷

又　僧尼行事三卷

尼衆竭磨二卷

菩薩戒義疏四卷　字玄素，河東人。

空藏　大乘要句三卷　姓王氏，新豐人。

道宗　續高僧傳三十二卷　重出。

玄宗　注金剛般若經一卷

道氤　御注金剛般若經疏宣演三卷

高僧嬾殘傳一卷　天寶人。《神僧傳》："嬾殘者，唐天寶初衡岳寺執役僧也。"

元偉　真門聖冑集五卷

僧法海　六祖法寶記一卷　見《崇文總目》。

辛崇　僧伽行狀一卷　見《崇文總目》。

神楷　維摩經疏六卷

靈湍[1]攝山棲霞寺記一卷

破胡集一卷　會昌沙大佛法詔敕。

法藏　起信論疏二卷　《釋藏目録》："《大乘起信論疏》五卷，唐釋法藏撰。"

法琳别傳二卷　《開元釋教録》："《法門法琳傳》三卷，沙門彦悰。"

大唐京師寺録 卷亡。

玄覺　永嘉集十卷　慶州刺史魏靖編次。《釋藏目録》："唐時僧。"今存。

懷海　禪門規式一卷

希運　傳心法要一卷　裴休集。見《秘書省缺書目》。

玄嶷　甄正論三卷　謹按先出杜乂《甄正論》，又出玄嶷《甄正論》，似複出。

光瑶　注僧肇論三卷

李繁　玄聖蘧盧一卷　見《崇文總目》，繁泌之子。

---

① "靈"原作"云"，據藕香簃本改。

白居易　八漸通真議一卷　見《崇文總目》。

七科義狀一卷 雲南國使段立之問,僧悟達答。

棲賢法雋一卷 僧惠明與西川節度判官鄭愚、漢州刺史趙璘論佛書。

禪關八問一卷 楊士達問,唐宗美對。　《崇文總目》:"《禪關入門》一卷。"金錫鬯以爲即是書。

僧一行　釋氏系録一卷　《神僧傳》:"釋一行,姓張氏,鉅鹿人,善布筭,謚曰大慧禪師。"

宗密　禪源諸詮集一百一卷　見《崇文總目》。

又　起信論二卷　見《崇文總目》。

起信論鈔三卷　見《崇文總目》。

原人論一卷

圓覺經大小疏鈔各一卷　《崇文總目》云:"《圓覺經疏》六卷,釋宗密撰。"

楚南　般若經品頌偈一卷

又　破邪論一卷 大順中人。

希還　參同契一卷

良伯　大乘經要一卷

又　激勵道俗頌偈一卷

光仁　四大頌一卷

又　略華嚴長者論一卷

無殷垂誡十卷

神清　參元語録十卷

智月　僧美三卷　見《崇文總目》。

惠可　達摩血脈一卷　見《崇文總目》。

靖邁　古今譯經圖紀四卷　《開元釋教録》:"大唐翻經沙門釋靖邁撰。"

智昇　續古今譯經圖紀一卷　大唐西明寺僧智昇撰。

又　續大唐内典録一卷　《開元釋教録》:"續道宣書。"

續古今佛道論衡一卷 見《開元釋教録》。

對寒山子詩七卷 天台隱士。台州刺史閭丘胤序，僧道翹集。寒山子隱唐興縣寒山巖，於國清寺與隱者拾得往還。今存。

龎藴　詩偈三卷 字道玄，衡州衡陽人，貞元初人。三百餘篇。《宋志》："《龎藴語録》一卷，唐于頔編。"

智閑　偈頌一卷 二百餘篇。

李吉甫　一行傳一卷 吉甫，見本書列傳。

王彦威　内典目録十二卷 彦威，見經解類。

右道家類，一百三十七家，七十四部，一千二百四十卷。失姓名三家。玄宗以下不著録一百五十八家，一千三百三十八卷。總一百三十七家，一百七十四部。

右道家，一百二十五部，老子六十一家，莊子十七家，道釋諸説四十七家，凡九百六十卷。

管子十九卷 管仲。《隋志》："《管子》十九卷，齊相管夷吾撰，書八十六篇，亡十篇，《弟子職》一篇在内。"仲，《史記》有傳。今存。

管子十八卷 管夷吾撰。

商君書五卷 "商鞅"或作"商子"。《隋志》："《商君書》五卷，秦相衛鞅撰。書二十九篇，今亡六篇。"鞅，見《史記》列傳。今存。

商子五卷 商鞅撰。

慎子十卷 慎到撰，滕輔注。《隋志》："《慎子》十卷，戰國時處士慎到撰。"到，見《孟荀列傳》。輔，後漢人，有列傳。今存。

慎子十卷 慎到撰，滕輔注。

申子三卷 申不害。《隋志》："梁有《申子》三卷，韓相申不害撰，亡。"不害，《史記》有傳。今有馬國翰、嚴可均輯本。

申子三卷 申不害撰。

韓子二十卷 韓非。《隋志》："《韓子》二十卷，《目》一卷，韓非撰。"非，見《史記》。今存。

韓子二十卷 韓非撰。

晁氏新書七卷 晁錯。《隋志》:"梁有《韓氏新書》三卷,漢御史大夫晁錯撰,亡。""韓"當作"晁"。錯,《史記》有傳。今有馬國翰輯本。

晁氏新書三卷 晁錯撰。

董仲舒　春秋決獄十卷 黄氏注。

春秋決獄十卷 董仲舒撰。

崔氏政論六卷 崔寔。《隋志》:"《政論》六卷,漢大尚書崔寔撰。"寔,見《後漢書·崔駰傳》。今有嚴可均輯本。

崔氏政論五卷 崔寔撰。

劉氏政論五卷 劉廙。《隋志》:"梁有《政論》五卷,魏侍中劉廙撰,亡。"廙,《魏志》有傳。《舊志》"政"作"正"。今有嚴可均輯本。

劉氏正論五卷 劉廙撰。

阮子政論五卷 阮武。《隋志》:"梁有《阮子政論》五卷,魏清河太守阮武撰,亡。"武,見《魏志·阮武傳》注。今有馬國翰、嚴可均輯本。

阮子政論五卷 阮武撰。

劉氏法論十卷 劉邵。《隋志》:"梁有《法論》十卷,劉邵撰,亡。"邵,見孝經類。《舊志》"言"當作"論"。

劉氏法言五卷 劉邵撰。

桓氏世要論十二卷 桓範。《隋志》:"《世要論》,魏大司農桓範撰,梁有二十卷。"範,見《魏志·曹爽傳》注。今有嚴可均、馬國翰輯本。

桓氏代要論十卷 桓範撰。

陳子要言十四卷 陳融。《隋志》:"《陳子要言》十四卷,吴豫章太守陳融撰,亡"。融,見《吴志·陸瑁傳》。今有馬國翰輯本。

陳子要言十四卷 陳融撰。

李文博　治道集十卷

治道集十卷 李文博撰。

邯鄲綽　五經折疑三十卷 綽,始末未詳。邯鄲,晋《元和姓纂》:①"趙穿食邑邯鄲,因氏焉。"

---

① "晋"乃"唐"字之訛。

五經折疑三十卷 邯鄲綽撰。

尹知章　注管子三十卷 知章,見道家。謹按注今存,昔人以爲房玄齡注,漢陳留人。然《志》次時似非漢人。

又　注韓子 卷亡。

杜佑　管氏指略二卷 佑,本書有傳。

李敬玄　正論三卷

右法家類,十五家,十五部,一百六十六卷。尹知章以下不著録,三家,三十五卷。

右法家,十五部,凡一百五十八卷。

鄧析子一卷 《隋志》:"《鄧析子》一卷,析,鄭大夫。"析,見《左傳》。今存。

鄧析子一卷 鄧析撰。

尹文子一卷 《隋志》:"《尹文子》二卷,尹文子,周之處士,游齊稷下。"文子,見《莊子·天下篇》。今存。

尹文子二卷 尹文子撰。

公孫龍子三卷 《書録解題》:"《公孫龍子》三卷,趙人。《漢志》十四篇,今存六篇。"

公孫龍子三卷 公孫龍撰。

陳嗣古　注公孫龍子一卷

又一卷 陳嗣古注。

劉邵　人物志三卷 《隋志》:"《人物志》三卷,劉邵撰。"邵,見《魏志》本傳。今與劉昞注並存。炳,見《魏書》列傳。

人物志三卷 劉邵撰。

劉炳　注人物志三卷

又三卷 劉邵撰,劉昞注。

姚信　士緯十卷 《隋志》:"梁有《士緯新書》十卷,姚信撰,亡。"信,見易類。今有馬國翰輯本。

士緯十卷 姚信撰。

魏文帝　士操一卷　《隋志》:"《士操》一卷,魏文帝撰。"文帝,見雜傳記。謹按魏武名操,此必《士品》之誤,疑《海内士品》之重出者。

士操一卷　魏文帝撰。

盧毓　九州人士論一卷　《隋志》:"梁又有《九州人士論》一卷,魏司空盧毓撰,亡。"毓,見《魏志》本傳。

九州人士論一卷　盧毓撰。

范謐　辨名苑十卷

辨名苑十卷　范謐撰。

僧遠年　兼名苑二十卷

兼名苑二十卷　釋遠年撰。

賈大隱　注公孫龍子一卷

又一卷　賈大隱注。

趙武孟　河西人物志十卷

杜周士　廣人物志三卷　《書録解題》:"《廣人物志》十卷,云唐鄉貢進士京兆杜周士撰,叙武德至貞元人物事實。"

宋璲　吴興人物志十卷 字勝之,吴興烏程人,大中時。

右名家類,十二家,十二部,五十五卷。趙武孟以下不著録,三家,二十三卷。

右名家,十二部,凡五十六卷。

墨子十五卷 墨翟。　《隋志》:"《墨子》十五卷,《目》一卷,宋大夫墨翟撰。"墨子,見《史記·孟荀列傳》。今存。

墨子十五卷　墨翟撰。

隨巢子一卷　《隋志》:"《隨巢子》一卷,巢似墨子弟子。"《漢古今人表》隨巢子在四等。今有馬國翰輯本。

胡非子一卷　《隋志》:"《胡非子》一卷,非似墨翟弟子。"今有馬國翰輯本。《廣韵》:"胡非,胡公之後,有公子非,因以爲氏。"則齊人也。

胡非子一卷　胡非子撰。

右墨家類,三家,三部,一十七卷。

右墨家,三部,凡一十六卷。

鬼谷子二卷 蘇秦。 《隋志》:"《鬼谷子》三卷,皇甫謐注。鬼谷子周世隱於鬼谷。"今存。

鬼谷子二卷 蘇秦撰。

樂臺 注鬼谷子三卷 《隋志》:"《鬼谷子》三卷,樂一卷。"謹按樂壹注,本書作"臺","壹"之誤字。《隋志》又誤"壹"爲"一"字,《子略》云:①"《鬼谷子》,注其書樂壹、皇甫謐、陶弘景、尹知章。"壹字正,魯郡人。

又三卷 樂壹撰。

梁元帝 補闕子十卷 《隋志》:"梁有《補闕子》十卷,梁元帝撰。"謹按《漢志》縱横家有《闕子》一篇,梁時佚,元帝補之。今有馬國翰輯本。

補闕子十卷 梁元帝撰。

尹知章 注鬼谷子三卷 知章,見上。

又三卷 尹知章注。

右縱横家類,四家,四部,一十五卷。尹知章不著録。

右縱横家,四部凡十八卷。

尉繚子六卷 《隋志》:"《尉繚子》五卷,梁并《録》六卷,尉繚,梁惠王時人。"劉向《别録》:"繚爲商君學。"今存。

尉繚子六卷 尉繚子撰。

尸子二十卷 尸佼。 《隋志》:"《尸子》二十卷,《目》一卷,梁十九卷,秦相衛鞅上客尸佼撰。其九篇亡,魏黄初中續。"佼,見《史記·孟荀列傳》,晋人。今有惠棟、孫馮翼、孫星衍輯本,汪繼培注本。

尸子二十卷 尸佼撰。

吕氏春秋二十六卷 吕不韋撰,高誘注。 《隋志》:"《吕氏春秋》二十六卷,秦相吕不韦撰,高誘注。"不韋,見《史記》列傳。今存高誘注。

---

① 原脱"子"字,藕香簃本同,據宋高似孫《子略》補。

呂氏春秋二十六卷　呂不韋撰。

許慎　注淮南子二十一卷 淮南王劉安。　《隋志》:"《淮南子》二十一卷,漢淮南王安撰,許慎注。"安,見《史記》列傳。《舊志》"商詁",當是"間詁"之訛。今存高注十三篇,許注八篇,又有陶方琦輯許注本。①

淮南商詁二十一卷　劉安撰。

高誘注淮南子二十一卷　誘,見前。

淮南子注解二十一卷　高誘撰。

又　淮南鴻烈音二卷

淮南鴻烈音二卷　高誘撰。

嚴尤　三將軍論一卷

三將軍論一卷　嚴尤撰。

王充　論衡三十卷　《隋志》:"《論衡》二十九卷,後漢徵士王充撰。"充,《後漢書》有傳。今存。謹按《論衡》八十五篇,今逸其一。

論衡三十卷　王充撰。

應劭　風俗通義三十卷　《隋志》:"《風俗通義》三十一卷,《録》一卷,應劭撰,梁三十卷。"劭見正史類。今存二十卷。

風俗通義三十卷　應劭撰。

蔣子萬機論十卷 蔣濟。　《隋志》:"《蔣子萬機論》八卷,蔣濟撰。"濟,見禮類。今有嚴可均輯本。

萬機論八卷　蔣濟撰。

杜恕　篤論四卷　《隋志》:"梁有《篤論》四卷,杜恕撰,亡。"恕,見儒家類。謹按《三國志》裴注引杜氏《新書》,《篤論》爲《新書》中之一種,而本傳中《儒論》與《性論》皆在其内。今有嚴可均、馬國翰輯本。

篤論四卷

鍾會　芻蕘論五卷　《隋志》:"梁有《芻蕘論》五卷,鍾會撰,亡。"

芻蕘論五卷　鍾會撰。

---

①　"琦"原作"埼",據藕香簃本改。

傅子一百二十卷 傅玄。 《隋志》:"《傅子》百二十卷,晋司隸校尉傅玄撰。"玄,《晉書》有傳。今有。四庫輯《大典》本,以錢保塘輯本爲最備。

傅子一百二十卷 傅玄撰。

張儼 默記三卷 《隋志》:"《嘿記》三卷,吴大鴻臚張儼撰。"儼,見《吴志·孫皓傳》。今有馬國翰輯本。

默記三卷 張儼撰。

又 誓論三十卷 《隋志》:"梁有《析言論》二十卷,晋議郎張顯撰,亡。"謹按《舊志》以"張顯"爲"張儼",以"折言"二字合爲"誓"字,本書因之,遂以《誓論》次張儼《默記》之後,又别出張明《誓論》二十卷,另爲一家。其實"顯"字避中宗諱,改作"明"耳。又按《析言》仿仲長統《昌言》、裴玄《新言》之例,"論"字亦後加。顯,見雜家類。今有馬國翰輯本。

誓論三十卷 張儼撰。

裴玄 新言五卷 《隋志》:"《裴氏新言》,吴大鴻臚裴玄撰。"玄,見《吴志·嚴畯傳》。今有馬國翰輯本。

新言五卷

蘇道 立言十卷 《隋志》:"《立言》六卷,蘇道撰。"道,始末未詳。

劉欽 新義十八卷 《隋志》:"梁有《新義》十八卷,吴太子中庶子劉廞撰,亡。"謹案《吴志·嚴畯》之裴欽,又見《孫登傳》。今有馬國翰輯本。

新義十八卷 劉廞撰。

秦子三卷 秦菁。 《隋志》:"梁有《秦子》三卷,吴秦菁撰,亡。"菁,始末未詳。謹按中顧彦先難語,彦先,顧榮之字,亦吴末晋初人。

秦子三卷 秦菁撰。

張明 誓論二十卷 説見前。

古訓十卷 《隋志》:"《古今訓》十一卷,張顯撰。"當作"《古今訓》"。今有馬國翰輯本。

孔衍 説林五卷 《隋志》:"梁有《孔氏説林》二卷,孔衍撰。"衍,見禮類。

説林五卷 孔衍撰。

抱朴子外篇二十卷 葛洪。 《隋志》:"《抱朴子外篇》三十卷,葛洪撰,梁有五十一卷。"今存五十篇。

抱朴子外篇五十卷　葛洪撰。

楊偉　時務論十二卷　《隋志》:"《時務論》十二卷,楊偉撰。"偉,見《魏志·曹爽傳》。今有馬國翰輯本。

時務論十二卷　楊偉撰。

范泰　古今善言三十卷　《隋志》:"《古今善言》三十卷,宋車騎將軍范泰撰。"泰,見《宋書》本傳。今有馬國翰輯本。

古今善言三十卷　范泰撰。

徐益壽　記聞三卷　《隋志》:"《記聞》二卷,宋後軍參軍徐益壽撰。"益壽,始末未詳。

記聞三卷　徐益壽撰。

何子五卷 何楷。　《隋志》:"梁有《何子》五卷,亡。"楷,見《宋書·孝義傳》。何子,平廬江灊人也,曾祖楷,晋侍中。

何子五卷　何楷撰。

劉子十卷 劉勰。　《隋志》:"梁有《劉子》十卷,亡。"謹按此《劉子》均以爲劉晝,所謂或題劉歆,或題劉勰,或題劉孝標者,然晝在北齊孝昭時,著書名《帝道》,又名《金箱璧言》,不名《劉子》。阮氏《七録》作於普通四年,以著録次於吴、晋人之間,似非晝著,書中有"天下陵遲,播遷江表"等語,或真勰所著與?

劉子十卷　劉勰撰。

梁元帝　金樓子十卷　《隋志》:"《金樓子》十卷,梁元帝撰。"元帝,見正史類。今存五卷。

金樓子十卷　梁元帝撰。

朱澹遠　語麗十卷　《隋志》:"《語麗》十卷,朱澹遠撰。"陳氏《書録解題》:"《語麗》十卷,梁湘東王功曹參軍朱澹遠撰,采摭書語之麗爲四十門。"

語麗十卷　朱澹遠撰。

又　語對十卷　《隋志》:"《語對》十卷,朱澹遠撰。"《金樓子·聚書篇》曰:"前在荆,又得州民朱澹遠道送書,又著書篇曰《語對》,三帙三十卷,至唐僅存一帙。"

張公雜記一卷 張華。　《隋志》:"《張公雜記》一卷,張華撰,梁有五卷,與《博物志》相似,小小不同。"

張公雜記一卷

陸士衡　要覽三卷

要覽三卷 陸士衡撰。

郭義恭　廣志二卷 《隋志》:"《廣志》二卷,郭義恭撰。"義恭,始末未詳。今有馬國翰輯本。

崔豹　古今注三卷 《隋志》:"《古今注》三卷,崔豹撰。"豹,見論語類。今存。

古今注五卷 崔豹撰。

伏侯　古今注三卷 謹按伏無忌《古今注》見雜史類,此重出。

江邃　釋文十卷

盧辯　稱謂五卷 《隋志》:"《稱謂》五卷,後周大將軍盧辨撰。"辨,見《周書》列傳。

謝昊　物始十卷 《隋志》:"《物始》十卷,謝昊撰。"昊,見正史類。

物始十卷 謝昊撰。

任昉　文章始一卷 張績補。

文章始一卷 任昉撰,張績補。

姚察　續文章始一卷

續文章始一卷

庾肩吾　采璧三卷 《隋志》:"《采璧》三卷,梁中書舍人庾肩吾撰。"肩吾,見《梁書·文學傳》。

采璧記三卷 庾肩吾撰。

韋道孫　新略十卷 《隋志》:"《雜略》十三卷。"不著撰人。道孫,見《齊書·文苑傳》。謹按"新略"當爲"雜略"。

新略十卷 韋道孫撰。

徐陵　名數十卷 《隋志》:"《名數》八卷。"不著撰人。

名數十卷 徐陵撰。

沈約　袖中記二卷 《隋志》:"《袖中記》二卷,沈約撰。"謹案似《邇言》之節本。

袖中記一卷

范謐　典墳數集十卷

典墳數十卷 范謐撰。

侯亶　祥瑞圖八卷　《隋志》五行類:"《祥瑞圖》八卷,侯亶撰。"亶,見《南史·侯亶傳》。

孟衆　張掖郡玄石圖一卷　《隋志》五行類:"《張掖郡玄石圖》一卷,孟衆撰。"衆,始末無考。

張掖郡玄石圖一卷　孟衆撰。

高堂隆　張掖郡玄石圖一卷　《隋志》五行類:"《張掖郡玄石圖》一卷,高堂隆撰。"隆,見雜家。

張掖郡玄石圖一卷　高堂隆撰。

孫柔之　瑞應圖記三卷　《隋志》五行家類:"梁有孫柔之《瑞應圖記》。"柔之,始末未詳。今有馬國翰輯本。

瑞應圖記二卷　孫柔之撰。

熊理　瑞應圖讚三卷　《隋志》五行類:"《瑞應圖贊》三卷,熊理撰。"

瑞應圖讚三卷　熊理撰。

顧野王　符瑞圖十卷　《隋志》五行類:"《祥瑞圖》十一卷。"不著撰人。

符瑞圖十卷　顧野王撰。

又　祥瑞圖十卷

祥瑞圖十卷

王劭　皇隋靈感志十卷

皇隋靈感志十卷　王劭撰。

許善心　皇隋瑞文十四卷

皇隋瑞文十四卷　許善心撰。

何望之　諫林十卷　《隋志》:"《諫林》五卷,晋陵令何望之撰。"謹按"望之"當爲"翌之"。

諫林十卷　何望之撰。

虞通之　善諫二卷　《隋志》:"《善諫》二卷,宋領軍長史虞通之撰。"通之,見雜傳類。

善諫二卷　虞通之撰。

孟儀　子林二十卷　《隋志》:"梁有《子林》二十卷,孟儀撰,亡。"儀,見雜史類。

謹按此爲庾仲容《子鈔》之先聲。

子林二十卷 孟儀撰。

沈約 子鈔三十卷 《隋志》:"梁有《子鈔》十五卷,沈約撰,亡。"

子鈔三十卷 沈約撰。

庾仲容 子鈔三十卷 《隋志》:"《子鈔》三十卷,梁黟令庾仲容撰。"仲容,見《南史·庾悦傳》。謹按《子鈔》全目,《子略》百十七家,今只見一百十二家。

子鈔三十卷 庾仲容撰。

殷仲堪 論集九十六卷

崔宏 帝王集要三十卷 《隋志》:"《帝王集要》三十卷,崔安撰。""安"當爲"宏"。宏,見《北史》本傳。

陸澄 述正論十三卷 《隋志》:"《述政論》十三卷,陸澄撰。""政"、"正"不同。澄,見正史類。

述正論十三卷 陸澄撰。

又 缺文十卷 《隋志》:"《缺文》十三卷,陸澄撰。"《舊志》入儒家類。

缺文十卷

徐陵 文府七卷 宗道寧注。 《隋志》:"《文府》五卷。"不著撰人。陵,見《陳書》列傳。

文府七卷 徐陵撰,宗道寧注。

劉守敬 四部言心十卷

四部言心十卷 劉守敬撰。

新舊傳四卷 《隋志》:"《新舊傳》四卷。"不著撰人。謹按《隋志》已入雜傳類,又入此卷。

古今辨作録三卷

古今辨作録三卷

博覽十五卷 《隋志》:"《博覽》十三卷。"不著撰人。

博覽十五卷

部略十五卷 《隋志》:"《部略》十五卷。"不著撰人。謹按《南齊書·王子良傳》:"永明五年,鈔五經百家,依《皇覽》例,爲《四部要略》千卷。"此或千卷之殘賸,或部首之總最。

部略十五卷

翰墨林十卷

翰墨林十卷

魏徵　群書治要五十卷　徵,本書列傳,今存。

群書理要五十卷　魏徵撰。

麟閣詞英六十卷　高宗時敕撰。

麟閣詞英六十卷

朱敬則　十代興亡論十卷　見《崇文總目》。

薛克構　子林三十卷

子林三十卷　薛克撰。

虞世南　帝王略論五卷　見《崇文總目》。

劉伯莊　群書治要音五卷

張太素　説林二十卷

王方慶　續世説新書十卷

韓潭　統載三十卷　夏綏銀節度使,貞元十三年上。

熊執易　化統五百卷　執易類九經爲書,三十年乃成,未及上,卒於西川。武元衡將爲寫進,妻薛藏之不許。

李文成　博雅志十三卷　安國公興貴子。[1]

元懷景　屬文要義十卷

崔玄暐　行己要範十卷　玄暐,本書有傳,博陵安平人。

盧藏用　子書要略一卷　見《崇文總目》。藏用,本書有傳,承慶從孫,字子潛,幽州范陽人。

馬總　意林一卷　見《崇文總目》。今存本六卷。

魏氏手略二十卷　魏謩。

---

① "安國公興貴子"六字原缺,據藕香簃本補。

辛之諤　叙訓二卷 開元十七年上,授長社尉。

博聞奇要二十卷 開元武功縣人徐闓上,詔試文章,留集賢院校理。

周蒙　續古今注三卷 《崇文總目》:"《續古今注》三卷,周蒙撰。"

薛洪　古今精義十五卷 見《崇文總目》。

趙蕤　長短要術十卷 字太賓,梓州人。開元召之,不赴。　晁氏《讀書志》云:"蕤,梓州鹽亭人。"今存九卷。

杜佑　理道要訣十卷 見《崇文總目》。《書録解題》云:"唐宰相杜佑君卿撰,凡三十三篇。"

賀蘭正元　用人權衡十卷 貞元十二年上。

樊宗師　魁紀公三十卷 宗師,本書有傳,澤子,字紹述。

又　樊子三十卷

郭昭度　治書十卷 謹按《崇文總目》,《致書》十卷,疑即此書。"治",唐諱作"理"。

朱朴　致理書十卷 見《崇文總目》。朴,本書有傳,襄州襄陽人。

蘇源　治亂集三卷 唐末人。　見《崇文總目》。謹按疑是蘇源明,見本書《藝術傳》。

張薦　江左寓居録 卷亡。

張楚金　紳誡三卷

馮伉　論蒙一卷

庾敬休　論善録七卷

蕭佚　牧宰政術二卷 耒陽令。見《崇文總目》。

魯人初　公侯政術十卷 魯人名初,不著姓,大中人。　《崇文總目》:"《公侯政術》十卷,魯人初撰。"蓋魯人名初,不著姓氏。《宋志》作"魯太公"。

李知保　檢志三卷 代宗信州司倉參軍。見《崇文總目》。

王範　續蒙求三卷

白延翰　唐蒙求三卷 廣明人。

李伉　系蒙二卷

盧景亮　三足記二卷 景亮,見本書列傳,字長晦,幽州范陽人。

右雜家類,六十四家,七十五部,一千一百三卷。失姓名六家。虞世南以下不著録三十四家,六百一十六卷。

右雜家,七十一部,凡九百八十二卷。

范子計然十五卷 范蠡、計然問答。　范蠡、計然,皆越臣,見《史記》。此書漢、隋兩《志》均不收。

尹都尉書三卷 《漢·藝文志》:"《尹都尉》十四篇,不知何世。"

氾勝之書三卷 《漢志》:"《氾勝之》十八篇,成帝時爲議郎。"劉向《别録》云:"使教田,三輔有好田者師之,徙爲御史。"《隋志》:"《氾勝之書》二卷,漢議郎氾勝之撰。"《通志·氏族畧》:"氾氏,周大夫食采于氾,勝之撰《農書》十二篇,《蠶書》六篇。"今有馬國翰輯本。

氾勝之書二卷 氾勝之撰。

崔湜　四人月令一卷 《隋志》:"《四人月令》一卷,後漢大尚書崔寔撰。"寔,見法家類。今有任兆麟、王謨、嚴可均輯本。"湜"當作"寔"。

四人月令一卷 崔寔撰。

賈思協　齊民要術十卷 《隋志》:"《齊民要術》十卷,賈思勰撰。"陳氏《書録解題》云:"後魏高陽太守賈思勰撰,起自耕農,終於醯醢。資生之業,靡不畢書,凡九十三篇。""協"當作"勰",《舊志》又脱"思"字。今存。

齊人要術十卷 賈勰撰。

宗懍　荆楚歲時記一卷 晁氏《讀書志》:"《荆楚歲時記》四卷,梁宗懍撰。自元日至除夕,凡二十餘事。"

杜公贍　荆楚歲時記二卷 謹按《四庫》收公贍《編珠》一書,結銜稱"著作佐郎兼散騎侍郎"。書成於大業七年。

杜臺卿　玉燭寶典十二卷 杜臺卿字少山,隋著作郎。今存,缺十二一卷。

王氏　四時録十二卷

戴凱之　竹譜一卷 《隋志》譜系類:"《竹譜》二卷。"不著撰人。晁氏《讀書志》:"凱之字慶預,武昌人,四字一讀。"謹按《宋書·鄧琬傳》記武昌戴凱之,即此人,亦見《詩品》。今存。

竹譜一卷 戴凱之撰。

顧烜 錢譜一卷 《隋志》譜系類："《錢譜》一卷，顧烜撰。"烜，見《陳書·顧野王傳》。

錢譜一卷 顧烜撰。

浮邱公 相鶴經一卷 謹按《隋志》，《八公相鵠經》、《浮邱公相鶴書》各二卷，亡。"鵠"即"鶴"，二書即一書。浮邱公，趙人，見《意林》第六卷。

相鶴經一卷 浮邱公撰。

堯須跋 鷙繫録二十卷

鷙繫録二十卷 堯須跋撰。

相馬經三卷 《隋志》五行類："《相馬經》一卷。"不著撰人。

相馬經三卷 伯樂撰。

伯樂相馬經一卷 《隋志》五行類："梁有《伯樂相馬經》二卷。"謹按伯樂，孫姓，與王良、郵無正爲一人，趙人。

又三卷

徐成等 相馬經二卷

又二卷 徐成等撰。

諸葛穎 種植法七十七卷

又 相馬經六十卷

寧戚 相牛經一卷 《隋志》五行類："梁有《齊侯大夫寧戚相牛經》二卷。"戚，見《國語》。

相牛經一卷 寧戚撰。

范蠡 養魚經一卷 《隋志》："梁有《陶朱公養魚經》一卷，亡。"今有馬國翰輯本。

養魚經一卷 范蠡撰。

禁苑實録一卷 《隋志》："《禁苑實録》一卷。"不著撰人。《通志》入食貨種藝類。

禁苑實録一卷

鷹經一卷 《隋志》注云："漢世有《鷹經》、《牛經》、《馬經》。"

鷹經一卷

蠶經一卷 又 二卷

相貝經一卷 《隋志》五行類："梁有《相貝經》二卷，亡。"或以爲嚴助，或以爲朱仲。

序見《類聚》,文見宋本《意林》第六卷。

相貝經一卷

武后　兆人本業三卷 見《崇文總目》。

王方慶　園庭草木疏二十一卷

孫氏　千金月令三卷 孫思邈。　謹按嚴可均云:"王謨輯崔寔《四人月令》,内有唐孫思邈《齊人月令》,無'千金'二字。"

李淳風　演齊人要術 卷亡。　淳風,本書有傳。此書似爲《要術》作注耳。

李邕　金谷園記一卷 《書録解題》:"《金谷園記》一卷,唐李邕撰。"按《館閣書目》署銜與北海不合,或疑唐世有兩李邕。

辥登　四時記二十卷

裴澄　乘輿月令十二卷　國子司業,貞元十一年上。

王涯　月令圖一軸

李綽　秦中歲時記一卷 晁氏《讀書志》:"《輦下歲時記》一卷,唐李綽撰"。即此書。謹按《書録解題》作"《秦中歲時記》",與此合,又名《咸淳故事》。

韋行規　保生月録一卷 晁氏《讀書志》:"《保生月録》一卷,唐韋行規撰。分十二月雜纂。李翱爲之序。"①

韓鄂　四時纂要五卷 晁氏《讀書志》:"《四時纂要》十卷,唐韓諤撰。""鄂"即"諤"。

歲華紀麗二卷 晁氏《讀書志》:"《歲華紀麗》四卷,分四時十二月節,序以事實爲偶儷之句。"今存,或以爲僞書。

右農家類,十九家,二十六部,二百三十五卷。失姓名六家。王方慶以下不著録十一家,六十六卷。

鬻子一卷 鬻熊撰。《漢志》一入儒家,一入小説家。

燕丹子一卷 燕太子。　《隋志》:"《燕丹子》一卷。"燕太子丹,見《史·燕召公世家》。今存。

---

① 按此條見《文獻通考·經籍考》,"李翱爲之序"爲馬端臨語。

燕丹子三卷 燕太子撰。

邯鄲淳　笑林三卷 《隋志》:"《笑林》三卷,後漢給事中邯鄲淳撰。"淳,見《魏志·王粲傳》。今有馬國翰輯本。

笑林三卷 邯鄲淳撰。

裴子野　類林三卷 裴子野,見史編年類。

張華　博物志十卷 《隋志》入雜家類,《博物志》十卷,張華撰。華,《晋書》有傳。晁氏《讀書志》云:"周日用注,又有盧氏注。"均不詳。今存。

博物志十卷 張華撰。

又　列異傳一卷

賈泉　注郭子三卷 郭澄之。 《隋志》:"《郭子》三卷,東晋中郎郭澄之撰。"澄之,見《晋書·文苑傳》。賈泉即賈淵,見《南齊書·文學傳》。今有馬國翰輯本。

郭子三卷 郭澄之撰,賈泉注。

劉義慶　世説八卷 《隋志》:"《世説》八卷,宋臨川王劉義慶撰。"《世説》十卷,劉孝標注。孝標,見正史類。義慶,見雜傳類。今存三卷。

世説八卷 劉義慶撰。

又　小説十卷 《隋志》:"《小説》五卷。"不著撰人。姚氏云:"此或是其殘賸。"

小説十卷 劉義慶撰。

劉孝標　續世説十卷 晁氏《讀書志》云:"劉義慶《世説》八卷,劉孝標續十卷。"而《崇文總目》止載十卷,當是孝標續義慶元本八卷,通成十卷耳。

殷芸　小説十卷 《隋志》:"《小説》十卷,梁武帝敕安右長史殷芸撰。梁目三十卷。"芸,見《南史·殷鈞傳》。《史通·雜説篇》:"梁武帝修通史,凡不經之事,皆令殷芸别集爲《小説》。"此小説因通史而作,猶通史之外乘也。① 今存《談助》中一卷。

小説十卷 殷芸撰。

劉齊　釋俗語八卷

釋俗語八卷 劉齊撰。

---

① 按《史通·雜説篇》但云"其言不經,梁武帝令殷芸編爲《小説》"。此處爲姚振宗語,見《隋書經籍志考證》卷三十二。

蕭賁　辨林二十卷　《隋志》:"《辨林》二十卷,蕭賁撰。"賁,①見《南史·竟陵文宣王子良傳》,亦見《金樓子》。

辨林二十卷　蕭賁撰。

劉炫　酒孝經一卷　炫,見《隋書》本傳。

酒孝經一卷　劉炫撰。

庾元威　座右方三卷　《隋志》:"《座右方》八卷,庾元威撰。"元威,見小學類。《法書要録》采其言。

座右方三卷　庾元威撰。

侯白　啓顔録十卷

啓顔録十卷　侯白撰。

雜語五卷　《隋志》:"《雜語》五卷。"不著撰人。按《北史·文苑傳》,魏郡侯白字君素,即侯白所撰,又别出《旌異記》,一人所作。

戴祚　甄異傳三卷　《隋志》傳記類:"《甄異傳》三卷,晋西戎主簿戴祚撰。"唐封演《聞見記》:"戴祚,江東人,從劉裕西征姚泓。"按地理類有戴延之《西征記》,蓋一人,名祚,字延之也。《舊志》入傳記類,"祚"誤作"異"。

甄異傳三卷　戴異撰。

袁王壽　古異傳三卷　《隋志》傳記類:"《古異傳》三卷,宋永嘉太守袁王壽撰。"王壽,始末未詳。《舊志》作"《石異傳》"。謹按五行家魏晋皆有石異之事,或近似。

石異傳三卷　袁王壽撰。

祖沖之　述異記十卷　《隋志》傳記類:"《述異記》十卷,祖沖之撰。"沖之字文遠,薊人,見《南齊書·文學傳》。

述異記十卷　祖沖之撰。

劉質　近異録二卷　《隋志》傳記類:"《近異録》二卷,劉質撰。"質,見《宋書·劉延孫傳》。

近異録二卷　劉質撰。

干寶　搜神記三十卷　《隋志》傳記類:"《搜神記》三十卷,干寶撰。"寶,見易類。今存。

---

① "賁"字原脱,據藕香移本補。

搜神記三十卷 干寶撰。

劉之遴　神録五卷 《隋志》傳記類:"《神録》十卷,劉之遴撰。"之遴,見《梁書》本傳。《舊志》入傳記類,"遴"作"道",誤。

神録五卷 劉之道撰。

梁元帝　妍神記十卷 《隋志》傳記類:"《妍神記》十卷,蕭繹撰。"元帝,見前。《南史·阮孝緒傳》:"湘東王著《研神記》,先簡孝緒而後施行。"

妍神記 梁元帝撰。

謝氏　鬼神列傳二卷 《隋志》傳記類:"《鬼神列傳》一卷,謝氏撰。"《御覽》引之。

祖台之　志怪二卷 《隋志》傳記類:"《志怪》二卷,祖台之撰。"台之,見《晋·王國寶傳》。《法苑珠林》引三事。

志怪四卷 祖台之撰。

孔氏　志怪四卷 《隋志》傳記類:"《志怪》四卷,孔氏撰。"謹按《文苑英華》,顧況《戴氏廣異記》序稱孔慎言《神怪志》,而《御覽》各書並引《孔氏志怪》,不著慎言名。

志怪又四卷 岑本注云:"孔氏撰。"

荀氏　靈鬼志三卷 《隋志》傳記類:"《靈鬼志》三卷,荀氏撰。"《世説》並引《靈鬼志》,《謡徵》是子目。

靈鬼志三卷 荀氏撰。

劉義慶　幽明録三十卷 《隋志》傳記類:"《幽明録》三十卷,劉義慶撰。"義慶,見前。各書采取甚多,或作"幽冥"。

幽明録三十卷 劉義慶撰。

東陽無疑　齊諧記七卷 《隋志》傳記類:"《齊諧記》七卷,宋散騎侍郎東陽無疑撰。"《廣韵》東字注:"宋有員外郎東陽無疑。"今有馬國翰輯本。

齊諧記七卷 東陽無疑撰。

吴筠　續齊諧記一卷 《隋志》傳記類:"《續齊諧記》一卷,吴筠撰。"筠,見春秋類。前有東陽無疑《齊諧記》,筠續其書。今存。

續齊諧記一卷 吴筠撰。

王延秀　感應傳八卷 《隋志》傳記類:"《感應傳》八卷,王延秀撰。"延秀,見雜史類。《宋文編》:"王延秀,太原人,泰始中爲祠部郎。"

感應傳八卷　王延秀撰。

陸果　繫應驗記一卷

繫應驗記一卷　陸果撰。①

王琰　冥祥記十卷　《隋志》傳記類:"《冥祥記》十卷,王琰撰。"琰,見古史類。《法苑珠林·敬佛篇》記此事,共收一百二十篇。

冥祥記十卷　王琰撰。

王曼穎　續冥祥記十一卷　《隋志》傳記類:"《補續冥祥記》一卷,王曼穎撰。"曼穎,見《梁書·南平王偉傳》。琰、曼穎,均太原人,同族。

續冥祥記十一卷　王曼穎撰。

劉泳　因果記十卷　《隋志》雜家類:"《因果記》十卷。"不著撰人。《舊志》入之雜傳鬼神類。

因果記十卷

顔之推　冤魂志三卷　《隋志》傳記類:"《冤魂志》三卷,顔之推撰。"之推,見小學類。今存。《四庫》有《還魂志》,即此書之異名。

冤魂志三卷　顔之推撰。

又　集靈記十卷　《隋志》傳記類:"《集靈記》二十卷,顔之推撰。"

集靈记十卷　顔之推撰。

徵應集二卷　《隋志》傳記類:"《真應记》十卷。""真"作"徵",即是一书。

徵應集二卷

侯君素　旌異記二卷　《隋志》傳記類:"《旌異記》十五卷,侯君素撰。"君素,見前。《北史·文苑傳》并記《旌異記》事。

旌異記十五卷　侯君素撰。

唐臨　冥報記二卷　《書録解題》:"《冥報記》二卷,唐吏部尚書京兆唐臨木德撰。"

冥報記二卷　唐臨撰。

---

①　"果"原作"囗",藕香簃本同,據武英殿本《舊唐書》補。是書《舊唐書·經籍志》入史部雜傳類。

李恕　誡子拾遺四卷 見《崇文總目》。

開元御集誡子書一卷 見《崇文總目》。

王方慶　王氏神通記十卷

狄仁傑　家範一卷 見《崇文總目》。

盧公家範一卷 盧僎。 見《崇文總目》。

蘇瓌[①]**中樞龜鏡一卷** 見《崇文總目》。

姚元崇　六誡一卷 見《崇文總目》。《宋志》作"姚崇"。

事始三卷 劉孝孫、房德懋。 謹按晁氏《讀書志》入雜家類。

劉睿　續事始三卷 謹按晁氏作"《僞蜀馮鑑》",廣孝孫所著,不云劉睿。

元結　猗犴子一卷 見《崇文總目》。

趙自勔　造化權輿六卷 見《崇文總目》。

通微子　十物志一卷 見《崇文總目》。

吴筠　兩同書一卷 謹按晁氏《讀書志》:"《兩同書》,羅隱撰。"陳氏又作"祝融子《兩同書》",不言吴筠,第卷數不同,或梁吴筠所撰,而隱廣之歟,今存。

李涪　刊誤二卷 見《書録解題》。今存。

李匡文　資暇三卷 謹按晁氏《讀書志》:"《資暇》三卷,右唐匡文撰。上篇《正誤》,中篇《譚元》,下篇《木物》,以資休暇云。"今存。

炙轂子雜録注解五卷 王叡。[②] 謹按晁氏《讀書志》雜家類:"《炙轂子雜録注解》五卷,右唐王叡撰。叡輯纂《二儀實録》、《古今注》、《樂府解注》正誤補遺,併爲一篇。"

蘇鶚　演義十卷 字德祥,光啓中進士第。今存。

又　杜陽雜編三卷 晁氏《讀書志》:"家武功杜陽川,雜録廣德以至咸通時事。"今存。

柳氏家學要録二卷 晁氏《讀書志》:"《家學要録》一卷,右唐柳理采其曾祖彦昭、祖芳、父冕家集所記累朝典章因革、時政得失。"[③]

---

① "瓌"原作"環",據藕香簃本改。

② "王"原作"五",據藕香簃本改。

③ "記",原誤作"要",據《郡齋讀書志》卷十三改。

盧光啓　初舉子一卷 字子忠,相昭宗。　見《崇文總目》。

劉訥言　俳諧集十五卷

陳翶　卓異記一卷 憲、穆時人。　晁氏《讀書志》:"《卓異記》一卷,右唐李翶撰。或云陳翶,開成中在襄陽,記唐室君臣功業殊異者二十七類。"

裴紫芝　續卓異記一卷 見《崇文總目》。

薛用弱　集異記三卷 字中勝,長慶光州刺史。　晁氏《讀書志》:"《集異記》二卷,右唐薛用弱撰。集隋唐間詭詭之事,一題《古異記》,首載徐佐卿化鶴事。"今存。

李玫　纂異記一卷 大中時人。　見《崇文總目》。

李亢　獨異志十卷 《崇文總目》作"李元"。

谷神子　博異志三卷 晁氏《讀書志》:"《博異志》一卷,有題谷神子纂,序稱其書頗箴規時事,故隱姓名。或名曰還古而竟不知其姓。志怪之書。"今存。

古異記一卷 見上。

沈如筠　異物志三卷 見《崇文總目》。

劉餗　傳記三卷 一作"《國史異纂》"。

牛肅　紀聞十卷 見《崇文總目》。今存。

陳鴻　開元升平源一卷 字大亮,貞元主客郎中。　謹按《書録解題》有此書,云唐史官吴兢撰,不云陳鴻。

張薦　靈怪集二卷

陸長源　辨疑志三卷 《書録解題》:"唐宣武行軍司馬吴郡陸長源撰,辨異俗流俗之妄。"

李繁　説纂四卷 《書録解題》:"《大唐説纂》四卷,不著名氏,分門類事。"

戴少平　還魂記一卷 貞元待詔。

牛僧孺　玄怪録十卷 晁氏《讀書志》:"《玄怪録》十卷,唐牛僧孺撰。僧孺爲宰相,有聞於世,而著此等書,周秦行記之謗有以致之也。"①今存。

李復言　續玄怪録五卷 晁氏《讀書志》:"《續玄怪録》十卷,唐李復言續牛僧

---

①　"類",原誤作"表",據《郡齋讀書志》卷十三改。

孺書也。分仙術、感應二門。"今存。

陳翰　異聞集十卷 唐末屯田員外郎。　晁氏《讀書志》:"右唐陳翰編,以傳記所載唐朝奇怪事,類爲一書。"《書録解題》:"唐屯田員外郎陳翰,唐末人。"

鄭遂　洽聞記一卷　晁氏《讀書志》:"三卷,右唐鄭常撰,記古今神異詭譎事,凡百五十六條,或題曰鄭遂。"

鍾簵　前定録一卷　見《崇文總目》。今存。

趙自勤　定命論十卷 天寶秘書監。　《崇文總目》作"吕道生撰",實則增訂趙自勤之書。

吕道生　定命録二卷 大和中道生增趙自勤之説。

温畬　續定命録一卷　見《崇文總目》。

胡璩　譚賓録十卷 字子温,文武時人。　晁氏《讀書志》:"《譚賓録》十卷,右唐胡璩子温撰,皆唐朝史之所遺,文、武間人。"

韋絢　劉公嘉話録一卷 絢字文明,執誼子也,咸通義武軍節度使。劉公,禹錫也。今存。

戎幕閑談一卷　晁氏《讀書志》:"《戎幕閑談》一卷,右唐韋絢撰,大和中爲李德裕從事,①記德裕所談。"

趙璘　因話録六卷 字澤章,大中衢州刺史。　晁氏《讀書志》:"《因話録》六卷,右唐趙璘撰,記唐史逸事。"今存。

袁郊　甘澤謡一卷　晁氏《讀書志》:"《甘澤謡》一卷,右唐袁郊撰,載論逸異事九章。咸通中久雨卧病,所著故曰《甘澤謡》。"今存。

温廷筠　乾䐶子三卷　晁氏《讀書志》:"右唐温廷筠撰,序謂語怪以悦賓,無異䐶味之適口,故以'乾䐶'命篇。"②

又　採茶録一卷　見《崇文總目》。

段成式　酉陽雜俎三十卷　晁氏《讀書志》:"《酉陽雜俎》二十卷,《續雜俎》十卷,右唐段成式撰,分三十門,自序。"今存。

廬陵官下記二卷　《崇文總目》云:"段成式撰。"《書録解題》:"成式爲吉州刺

---

① "大"原作"天",據藕香簃本改。

② "䐶"原作"巽",據藕香簃本改。

史時。"

康輧　劇談録三卷 字駕言,乾符進士第。今存。

高彦休　闕史三卷 《書録解題》:"唐高彦休撰,自號参寥子,乾符時人。"今存。

盧子史録 卷亡。

又　逸史三卷 大中時人。

李隱　大唐奇事記十卷 咸通中人。　見《崇文總目》。

陳邵　通幽記一卷 見《崇文總目》。

范攄　雲溪友議三卷 咸通時,自稱五雲溪人。　晁氏《讀書志》:"《雲溪友議》三卷,右唐范攄撰,記開元以後事。攄,五溪人,故以名其書。"

李躍　嵐齋集二十五卷[①]

尉遲樞　南楚新聞三卷　並唐末人。

張固　幽閑鼓吹一卷 晁氏《讀書志》:"記唐史遺事,二十五篇,懿、僖間人。"

常侍言旨一卷　柳珵。見《崇文總目》。

盧氏雜説一卷 《書録解題》:"唐盧言撰。"

桂苑叢譚一卷　馮翊字子休。見《崇文總目》。今存。

樹萱録一卷 晁氏《讀書志》:"《樹萱録》一卷,右序謂纂尚書滎陽公所談。"

會昌解頤四卷 見《崇文總目》。

松窗録一卷 晁氏《讀書志》:"《松窗録》一卷,右唐韋叡撰,記唐朝故事。"《崇文總目》作"李濬"。

芝田録一卷 晁氏《讀書志》:"《芝田録》一卷,右唐謂嘗憩緱氏,故取潘岳《西征賦》名其書,記隋、唐雜事。"

玉泉子見聞真録五卷 見《崇文總目》。

張讀　宣室志十卷 晁氏《讀書志》:"十卷,右唐張讀聖朋撰,纂輯仙鬼靈異事。名曰宣室者,取漢文召見賈生論鬼神之義。苗台符爲之傳。"今存荃孫輯逸文二卷。

柳祥　瀟湘録十卷 見《崇文總目》。

---

① "齋"原作"齊",據藕香簃本改。

皇甫松　醉鄉日月三卷 《書録解題》:"唐皇甫松子奇撰,唐人飲酒令此書詳載。"

何自然　笑林三卷 見《崇文總目》。

焦璐　窮神秘苑十卷 《書録解題》:"焦璐撰,年代記述在懿宗朝。"①

裴鉶　傳奇三卷 高駢從事。　晁氏《讀書志》:"《傳奇》三卷,右唐裴鉶撰。鉶,高駢客,所記皆神仙恢譎事。"

劉軻　牛羊日曆一卷 牛僧孺、楊虞卿事。檀欒子皇甫松序。今存。

補江總白猿傳一卷 《郡齋讀書後志》:"唐人惡歐陽詢爲之。"

郭良輔　武孝經一卷 見《崇文總目》。

陸羽　茶經三卷

張又新　煎茶水記一卷 見《崇文總目》。

封演　續錢譜一卷 見《崇文總目》。

右小説家類,三十九家,四十一部,三百八卷。失姓名二家。李恕以下不著録七十八家,三百二十七卷。

右小説家,十三部,凡九十部。

趙嬰　注周髀一卷 《隋志》:"《周髀》一卷,趙嬰注。"晋虞喜《安天論》:"蓋天之體轉四方,地卑不動,天周其上,故曰周髀。"《疇人傳》云:"以勾股量天,始見於《周髀》。"趙爽字君卿,一名嬰,漢人。今存。

周髀一卷 趙嬰注。

甄鸞　注周髀一卷 《隋志》:"《周髀》一卷,甄鸞重述。"鸞,見雜史類。《書録解題》:"《周髀算經》一卷,《音義》一卷,趙君卿、甄鸞重述,李淳風等注釋。"

又一卷 甄鸞注。

又二卷 李淳風撰。

張衡　靈憲圖一卷 《隋志》:"張衡《靈憲圖》一卷。"衡,見《後漢書》本傳。今有

---

① "年"原作"豐",據藕香簃本改。

洪頤煊輯本。

靈憲圖一卷 張衡撰。

又　渾天儀一卷

渾天儀一卷 張衡撰。

王蕃　渾天象注一卷 《隋志》:"《渾天象注》一卷,吴散騎常侍王番撰。"蕃,字永元,廬江人,見《吴志》本傳。按《開元占經》所載凡二篇,一論渾象,一論渾儀。

渾天象注一卷 王蕃撰。

姚信　昕天論一卷 《隋志》:"梁有《昕天論》一卷,姚信撰。"信,見易類。《禮記·月令》疏:"昕讀爲軒。"今有馬國翰輯本。

昕天論一卷 姚信撰。

石氏星經簿讚一卷 石申。 《隋志》:"《石氏星簿經讚》一卷。"《開元占經》:"石氏《簿贊》,始于角而終于軫。"謹按石氏名申,與甘公齊名,今有《甘石星經》。

石氏星經簿讚一卷 石申甫撰。

虞喜　安天論一卷 《隋志》:"梁有《安天論》,虞喜撰。"喜,見禮類。謹按喜,翻之族孫。《晋·儒林傳》:"著《安天論》以難渾、蓋。"

安天論一卷 虞喜撰。

甘氏四七法一卷 甘德。 《隋志》:"《甘氏四七法》一卷。"謹按四、七即《開元占經》所載東、南、西、北四方,七宿即二十八宿也,此與《石氏星經簿讚》似即在《七録》所載甘、石《天文占》各八卷中,後出別行者。

甘氏四七法一卷 甘德撰。

劉表　荆州星占二卷 《隋志》:"《荆州星占》二十卷,宋通直郎劉嚴撰,梁二十二卷。"謹按《隋志》有劉嚴書,無劉表、劉叡書。據《周禮》疏,表所作謂之經,叡所集謂之傳。《隋志》題劉嚴者,大抵嚴纂合二劉經傳爲一編,故劉無二劉書。[①]《唐志》分析著録,故亦無劉嚴書。表,見易類。叡,見《晋書·天文志》。

荆州星占二卷 劉表撰。

劉叡　荆州星占二卷

又二十卷 劉叡撰。

---

① 前"劉"字疑衍文。

陳卓　天文集占三卷　《隋志》:"《天文集占》十卷,晋太史陳卓撰。"卓字季冑,①吴太史令,入晋,至元帝時猶存。

天文集占七卷　陳卓撰。

祖暅之　天文録三十卷　《隋志》:"《天文録》三十卷,梁奉請祖暅之撰。"暅之,見《南史·祖沖之傳》。《御覽》、《乾象新書》亦引之。

天文録三十卷　祖暅之撰。

韓楊　天文要集四十卷　《隋志》:"《天文要集》四十卷,晋太史令韓楊撰。"楊,始末未詳。謹按《開元占經》引韓楊二十餘條,又《逆順略例》引韓公賓《注靈憲》條,公賓疑即其字。

高文洪　天文横圖一卷　《隋志》:"《天文横圖》一卷,高文洪撰。"洪,始末未詳。

天文横圖一卷　高文洪撰。

吴雲　天文雜占一卷　《隋志》:"《天文志雜占》一卷,吴雲撰。"雲,始末未詳。梁有《天文雜占》十五卷,至唐惟存一卷耳。

天文雜占一卷　吴雲撰。

陳卓　四方星占一卷　《隋志》:"陳卓《四方星占》一卷,梁四卷。"謹按前有陳卓《集占》,是占集前人書,此當時所占,猶《漢志》之《行事占驗》也。

四方一卷　陳卓撰。

又　五星占一卷　隋有《五星占》一卷,陳卓撰。

五星占一卷　陳卓撰。

天文集占一卷

天文集占一卷

孫僧化等　星占三十三卷　《隋志》:"《星占》二十八卷,孫僧化等撰。"僧化,見《北史·藝術傳》。

星占三十三卷　孫僧化撰。

史崇　十二次二十八宿星占十二卷　《隋志》:"《天文》十二卷,史崇注。"崇,始末未詳。

---

① "冑"原作"曾",據藕香簃本改。

　十二次二十八宿星占十二卷　史崇撰。

庾季才　靈臺秘苑一百二十卷　《隋志》:"《靈臺秘苑》一百一十五卷,太史令庾季才撰。"季才,見《北史·藝術傳》。今存十五卷,非本書。

　靈臺秘苑一百二十卷　庾季才撰。

逢行珪　玄機内事七卷

　玄機内事七卷　逢行珪撰。

論二十八宿度數一卷

　論二十八宿度數一卷

五星兵法一卷

黄道略星占一卷

孝經内記星圖一卷　《隋志》有《孝經内記》二卷。《開元占經》引《孝經内記》,又引《孝經内經圖》。

　周易分野星圖一卷

李淳風　釋周髀二卷　見前。

又　乙巳占十二卷　按皆雜占天文、雲氣、風雨,並及分野、星象之説。今存。

　乙巳占十卷　李淳風撰。

天文占一卷

大象元文一卷

乾坤祕奥七卷

法象志七卷

太白會運逆兆通代記圖一卷　淳風與袁天綱集。

武密　古今通占鏡三十卷

大唐開元占經一百一十卷　瞿曇悉達集。　按悉達曾官太史監事,譯《九達曆史》,成於開元十七年以前。今存。

董和　通乾論十五卷　和,本名純,避憲宗名改,善曆算。裴胄爲荆南節度,館之,著是書云。

長慶筭五星所在宿度圖一卷　司天少監徐昇。

黄冠子李播 天文大象賦一卷 李台集解。 謹按播爲李淳風之父,隋高祖時棄官爲道士。今存。

王希明 丹元子步天歌一卷 謹按《通志》:"隋有丹元子,隱者之流,作《步天歌》,王希明釋之,《唐書》誤以爲希明。"今存。

右天文類,二十家,三十部,三百六卷。 失姓名六家。李淳風天文占以下不著録六家,一百七十五卷。

右天文,二十六家,凡二百六十卷。

劉向 九章重差一卷 向,見《漢・元王交傳》。①

九章重差一卷 劉向撰。

徐岳 九章筭術九卷 《隋志》:"《九章筭術》二卷,徐岳、甄鸞重述。"岳字召和,東萊人。魏黄初中,岳與太史丞韓翊論難日月食,則不得謂之漢人。今存。

九章筭經一卷 徐岳撰。

又 筭經要用百法一卷

筭經要用百法一卷 徐岳撰。

數術記遺一卷 甄鸞注。

數術記遺一卷 徐岳撰,甄鸞注。

張丘建 筭經一卷 甄鸞注。 《隋志》:"张丘建《筭經》二卷。"丘建,清河人,始末未詳。今存。《舊志》衍一"徽"字。

张徽丘建筭經一卷 甄鸞注。

董泉 三等數一卷 甄鸞注。

三等數一卷 董泉撰,甄氏注。

夏侯陽 筭經二卷 甄鸞注。 《隋志》:"夏侯陽《筭經》二卷。"夏侯陽,始末未詳。《書録解題》云:"大抵乘除法。"今存。

夏侯陽筭經三卷 甄鸞注。

甄鸞 九章筭經九卷

---

① "漢"字原脱,據藕香簃本補。

九章筭經九卷

又　五曹筭經五卷 今存。

五曹筭經五卷 甄鸞撰。

七曜本起曆五卷 《隋志》:"《七曜本起曆》三卷,後魏甄叔遵撰。"叔遵即甄鸞。

七曜本起曆二卷

七曜曆筭二卷

七曜曆筭二卷 甄鸞撰。

曆術一卷 《隋志》:"《周天和年曆》一卷,甄鸞撰。"《隋・曆志・序》曰:"逮于周武帝,乃有甄鸞造《甲寅元曆》。"

曆術一卷 甄鸞撰。

韓延　夏侯陽筭經一卷 謹按與甄鸞同注。

又　五曹筭經五卷

宋泉之　九經術疏九卷

九經術疏九卷 宋泉之撰。

劉徽　海島算經一卷 劉徽,見《晋書・律曆志》。今存。

海島算經一卷 劉徽撰。

又　九章重差圖一卷 《隋志》:"《九章重差圖》一卷,劉徽撰。"謹按鮑澣之《後序》稱:"唐以來所傳舊圖,至宋已亡。"

九章重差圖一卷 劉徽撰。

劉祐　九章雜算文二卷 劉祐,滎陽人,見《隋書・藝術傳》。

九章雜算文二卷 劉祐撰。

陰景愉　七經算術通義七卷

七經算術通義七卷 陰景愉撰。

信都芳　器準三卷 芳,見樂類。《隋志》小説類:[1]"《器準圖》,後魏丞相士曹行參軍信都芳撰。"[2]

---

① "小説"原誤作"農家",據武英殿本《隋書》改。

② "器準圖"原誤作"準類",據武英殿本《隋書》改。

黄鐘筭法四十卷

劉歆　三統曆三卷 《隋》:“又有《三統曆法》三卷①,劉歆撰,亡。”歆,見論語類。謹按章懷太子曰:“三統,謂夏、殷、周曆也。”杜征南《長曆説》云:“自古論《春秋》者,或造家術,或用黄帝諸曆,歆本作此以説《春秋》。”《漢書·律曆志》有明文。

三統曆一卷 劉歆撰。

四分曆一卷 《隋志》:“梁有《四分曆》三卷,漢修律人李梵撰,亡。”梵,清河人。《後漢書》帝紀:“元和二年二月甲寅,始用四分曆。”

四分曆三卷

推漢書律曆志術一卷 《隋志》:“《推漢書律曆志術》一卷。”不著撰人。謹按《律志》所據爲劉歆《鍾律書》,《曆志》所據爲劉歆《三統曆》也,推而衍之爲是書。

劉洪　乾象曆術三卷 闞澤注。 《隋志》:“《乾象曆》三卷,吴太子太傅闞澤撰。”澤,見《吴志》本傳。甄鸞《數術記遺注》曰:“漢會稽太守劉洪付《乾象曆》于東萊徐岳,岳授吴中書闞澤,澤爲注解。”劉洪字元卓,泰山蒙陰人。《舊志》作“闞洋注”,誤。

乾象曆三卷 闞澤注,闞洋撰。

乾象曆三卷

乾象曆三卷

楊偉　魏景初曆二卷 《隋志》:“《景初曆》二卷,晋楊偉撰。”偉,見雜傳類。《魏志·明帝紀》:“景初元年夏四月,改《太和曆》爲《景初曆》。”

魏景初曆三卷 楊偉撰。

何承天　宋元嘉曆二卷 《隋志》:“《宋元嘉曆》二卷,何承天撰。”承天,見禮類。《宋文帝紀》:“元嘉二十二年春二月辛卯朔,改用御史何承天《元嘉新曆》。”

宋元嘉曆二卷 何承天撰。

又　刻漏經一卷 《隋志》:“《刻漏經》一卷,何承天撰。”《南史》本傳改漏刻爲二十五箭。

刻漏經一卷 何承天撰。

虞劇　梁大同曆一卷 《疇人傳》:“虞劇,梁太史令,大同四年創造新術,遭亂,未及施行。”

---

① “又”前當有“梁”字。

梁大同曆一卷　虞劆撰。

吳伯善　陳七曜曆五卷

陳七曜曆五卷　吳伯善撰。

孫僧化　後魏永安曆一卷　僧化,見《天文志》。

後魏永安曆一卷　孫僧化撰。

李業興　後魏甲子曆一卷　《隋志》:"《甲子元曆》一卷,後魏校書郎李業興撰。"業興,長山人,見《後魏書·儒林傳》。謹按此即業興興和元年所上元曆。

後魏武定曆一卷　《隋志》:"《魏武定曆》一卷。"謹按齊武定八年禪位北齊,此曆當在興和曆之後,未經行用。

後魏武定曆一卷

宋景業　北齊天保曆一卷　《隋志》:"《宋景業曆》一卷,後齊散騎常侍撰。"①

北齊天保曆一卷　宋景業撰。

北齊甲子元曆一卷　《隋志》:"《甲子元曆》一卷,宋氏撰。"

齊甲子曆一卷

王琛　周大象曆二卷　《隋志》:"《周大象年曆》一卷,王琛撰。"《隋·滕嗣王傳》有術者王琛,疑即其人。謹按汪氏《推步諸術考》:"王琛《大象曆》無考,未知即馬顯術否。"志作"甲寅","丙寅"之誤。《舊志》"大"作"天",亦誤。

周天象曆二卷　王琛撰。

馬顯　周甲寅元曆一卷　《疇人傳》:"馬顯,周太史上士。"

周甲子元曆一卷

周甲子元曆一卷

劉孝孫　隋開皇曆一卷　孝孫,廣平人,見《隋書·律曆志》。

隋開皇曆一卷　劉孝孫撰。

又　七曜雜術二卷

七曜雜術二卷　劉孝孫撰。

李德林　隋開皇曆一卷　德林,《隋書》有傳。

---

①　"撰"字原脱,據藕香簃本補。

又一卷 李德林撰。

張胄玄 隋大業曆一卷 張胄玄，渤海蓚人，見《隋書·藝術傳》。

隋大業曆一卷 張胄玄撰。

又 玄曆術一卷

玄曆術一卷 張胄玄撰。

七曜曆疏三卷 《隋志》："《七曜曆疏》五卷，太史令張胄玄撰。"胄玄，見《隋書·藝術傳》。此胄玄曆外，別行日月五星之術數。《隋志》："李業興亦有《七曜曆疏》。"

七曜曆疏三卷 張胄玄撰。

劉焯 皇極曆一卷 焯，見尚書類。① 謹按劉焯《皇極曆》成于開皇二十年，駁正張胄玄之説。

皇極曆一卷 劉焯撰。

趙䮍 河西壬辰元曆一卷 《隋志》："《河西壬辰元曆》一卷。"

河西壬辰元曆一卷 趙䮍撰。

河西甲寅元曆一卷 《隋志》："《河西甲寅元曆》一卷，涼太史趙䮍撰。"《宋書·大且渠蒙遜傳》："河西人趙䮍善曆。"《舊志》作"李淳風"，誤。

河西甲寅元曆一卷 李淳風撰。

劉智 正曆四卷 薛夏訓。 《隋志》："《正曆》四卷，晋太常劉智撰。"智，見禮類。《晋·律曆志》："武帝侍中平原劉智以斗曆改憲。"

姜氏曆術三卷 《隋志》："梁又有《宋氏要集曆術》四卷，姜岌撰，亡。"嚴氏《全晋文編》："姜岌，天水人，仕姚興。"謹按此殆姜氏取京房書而推衍之者。

崔浩 律曆術一卷 《隋志》："《曆術》一卷，崔浩撰。"浩，見易類。

曆疏一卷 崔浩撰。

曆日義統一卷

曆日吉凶注一卷

朱史 刻漏經一卷 《隋志》："《漏刻經》一卷，梁中書舍人朱史撰。"《開元占經》

---

① 原脱"尚書"二字，藕香簃本同，本志尚書類有劉焯《尚書義疏》二十卷。

亦稱梁人朱史。《隋·天文志》以爲陳文帝時人,殆自梁至陳歟?

又一卷 朱史撰。

宋景　刻漏經一卷 《隋志》:"《漏刻經》一卷,陳太史令宋景撰。"

又一卷 宋景撰。

李淳風　注周髀筭經二卷

又　注九章筭經九卷

注九章筭經要略一卷

注五經算術二卷 今存。

注張丘建算經三卷

注海島算經一卷

注五曹孫子等算經二十卷

注甄鸞孫子算經三卷 《隋志》:"《孫子算經》二卷。"今存。

釋祖沖之綴術五卷 《隋志》:"《綴術》六卷。"沖之,字文遠,見《南史·文學傳》。

皇極曆一卷

傅仁均　大唐戊寅麻一卷 傅仁均,渭州人,東都道士,見本書《曆志》。

大唐戊寅曆一卷

唐麟德曆一卷 《唐書》:"高宗時,《戊寅曆》益疏,淳風作《甲子元曆》以獻,謂之《麟德曆》。"

大唐麟德曆一卷

麟德曆出生記十卷

王孝通　輯古算術四卷 太史丞李淳風注。 《疇人傳》:"孝通,武德九年爲算學博士,後爲通直郎太史丞,著《輯古算經》一卷,並自注。"今存。

輯古算術四卷 王孝通撰,李淳風注。

算經表序一卷

算經表序一卷

南宫説　光宅曆草十卷 南宫説,見《唐書·曆志》。

大唐光宅曆草十卷

瞿曇謙　大唐甲子元辰曆一卷

大唐甲子元辰曆一卷 瞿曇撰。

大唐刻漏經一卷

大唐刻漏經一卷

王勃　千歲曆 卷亡。

谢察微　算經三卷 見《崇文總目》。

江本　一位算法二卷 見《崇文總目》。

陳從運　得一算經七卷 《崇文總目》作"陳運"。

魯靖　新集五曹時要術三卷 見《崇文總目》。

邢和璞　潁陽書三卷 隱潁陽石堂山。 見《崇文總目》。

僧一行　開元大衍曆一卷 一行,俗姓張,①名遂。本書《曆志》:"開元九年,詔一行作新術,與曆官陳元景等次爲《曆詔》七篇,《略例》一篇,《曆議》十篇。"

又　曆議十卷 見上。

曆立成十二卷

曆草二十四卷

七政長曆三卷

心機算術括一卷 黄栖巖注。

寶應五紀曆四十卷 本書《曆志》:"寶應元年,詔司天官屬郭獻之用《麟德曆》增損之,②帝爲製序,題曰《五紀曆》。"

建中正元曆二十八卷 本書《曆志》:"德宗時,詔司天徐承嗣、夏官正楊景風雜《麟德》、《大衍》之旨治新曆,曰《建中正元曆》。"

曹士蔿　七曜符天曆一卷 建中時人。 《五代史》:"司天考曹士蔿建中時變古法,號符天術。"然世謂之小曆。

七曜符天人元曆三卷

龍受算法二卷 貞元人。《崇文總目》作"龍受益"。

---

① "張"原作"氏"據藕香簃本改。

② "元"字下原脱"年"字,藕香簃本同,據武英殿本《新唐書》補。

長慶宣明曆三十四卷　本書《曆志》:"憲宗即位,司天徐昻上新曆,名曰《觀象》,驗不合。穆宗立,改曆,名曰《宣明》。"

長慶宣明曆要略一卷

宣明曆超捷例要略一卷

邊岡　景福崇玄曆四十卷 岡稱處士。　本書《曆志》:"昭宗時,詔太子少詹事與司天少監胡秀林改治新曆,景福元年成,改曰《崇玄》。"①

大衍通元鑑新曆二卷　貞元至大中。

大唐長曆一卷

都利聿斯經二卷　貞元中,都利術士李彌乾傳自西天竺,有璩公者譯其文。《四庫闕書目》有《都利聿斯大術書》一卷。

陳輔　聿斯四門經一卷

右曆算類,三十六家,七十五部,二百三十七卷。失姓名五家。王勃以下不著録十九家,二百二十六卷。

右曆算,五十八部,凡一百六十七卷。

黄帝問玄女法三卷　《隋志》:"《黄帝問玄女兵法》四卷,梁三卷。"嚴氏《文編》:"或云天帝女,或云即西王母,有《玄女戰經》一卷,《黄帝問玄女兵法》四卷,皆五行家依託。"今有洪頤煊輯本。

黄帝問玄女法三卷　玄女撰。

黄帝用兵法訣一卷

黄帝兵法孤虚推記一卷　《隋志》:"《黄帝兵法孤虚雜記》一卷。""推"與"雜",義亦通。

黄帝太一兵曆一卷　《隋志》:"《黄帝太一兵曆》一卷。"謹按《漢志》兵陰陽家有《黄帝》十六篇,《太壹兵法》一篇,是否合兩家之遺説爲一書?

黄帝太公三宫法要訣一卷　《隋志》:"《太公三宫兵法》一卷,梁有《太一三宫兵法立成圖》二卷。"三宫,謂天宫、地宫、人宫也。

---

① "少"字下原脱"監"字,藕香簃本同,據武英殿本《新唐書》補。

黄帝太公三宫法要訣一卷

太公陰謀三卷 《漢志》:"《太公陰謀》三卷。"在道家。《隋志》:"《太公陰謀》一卷,梁六卷。"

太公陰謀三卷

又 陰謀三十六用一卷

太公陰謀三十六用一卷

金匱二卷 《隋志》:"《金匱》二卷。"今有嚴可均輯本。

太公金匱一卷

六韜六卷 《隋志》:"《太公六韜》五卷,梁六卷,周文王師姜望撰。"太公,見《史記》列傳。分文、武、龍、虎、豹、犬六用。今存。

太公六韜六卷

當敵一卷

周書陰符九卷

周呂書一卷 《隋志》:"《周呂書》一卷。"

田穰苴 司馬三卷 《漢志》禮類:"《軍禮司馬法》百三十篇。"《隋志》:"《司馬兵法》三卷,齊將司馬穰苴撰。"穰苴,見《史記》列傳。《四庫》存一卷。孫星衍本五卷,逸文一卷。

司馬法三卷 田穰苴撰。

魏武帝 注孫子三卷 《漢志》兵權謀家:"《吴孫子兵法》八十二篇,圖九卷。"《隋志》:"《孫子兵法》二卷,吴將孫武撰,魏武帝注,梁三卷。"孫子,見《史記》列傳。《讀書志》止十二篇,又十家注本,魏武注在内。今存。

孫子兵法十三卷 孫武撰,魏武帝注。

又 續孫子兵法二卷 《隋志》:"《續孫子兵法》二卷,魏武帝撰。"

兵書接要七卷 孫武。

孟氏解孫子二卷 《隋志》:"梁有《孫子兵法》二卷,孟氏解詁。"謹按十家注内有梁孟氏,則梁人也。

又二卷 孟氏解。

沈友 注孫子二卷 《隋志》:"梁有《孫子兵法》二卷,吴處士沈友撰。"友,字子正,吴郡人,見《吴志·孫權傳》注。

又二卷 沈友注。

賈詡　注吴子兵法一卷 吴起。 《漢·藝文志》兵權謀家:"《吴起》四十八篇。"《隋志》:"《吴起兵法》一卷,賈詡注。"起,見《史記》列傳。詡,見《魏志》本傳。今存。

吴孫子三十二壘經一卷

吴孫子三十二壘經一卷

伍子胥兵法一卷

伍子胥兵法一卷

黄石公三略三卷 《隋志》:"《黄石公三略》三卷,下邳神人撰,成氏注。"事見《史記·張良傳》。分《上略》、《中略》、《下略》。今存。

黄石公三略三卷

又　陰謀乘斗魁剛行軍秘一卷 《隋志》:"《黄石公陰謀行軍秘》一卷,《黄石公秘經》二卷。"

陰謀乘斗魁剛行軍秘一卷

成氏　三略訓三卷 見前。

三略訓三卷

張良經一卷 《隋志》:"《張良經》與《三略》往往同,亡。"

張良經一卷 張良撰。

張氏七篇七卷 張良。 謹按《御覽》有《兵法七書》,在元豐《武經七書》之前,疑即此《志》之《張氏七篇》。殷芸《小説》有《張子房與四皓書》、《四皓答書》,注曰:"出《張良書》。"

張氏七篇七卷 張良撰。

魏文帝　兵書要略十卷

兵法接要七卷 魏武帝撰。《隋志》:"《兵書接要》十卷,魏武帝撰,梁有《兵書接要》别本五卷。① 又有《兵書要論》七卷,亡。"《志》作"文帝",與他書異。

---

① "别本"原誤作"則",藕香簃本同,據武英殿本《隋書》改。

兵書要略十卷 魏文帝撰。

宋高祖 兵法要略一卷 《隋志》:“《皇帝兵法》一卷,宋武帝所撰,神人書。”《開元占經》引《宋武兵法》。

司馬彪 兵記十二卷 《隋志》:“《兵記》八卷,司馬彪撰,一本二十卷。”彪,見正史類。

兵記十二卷 司馬彪撰。

孔衍 兵林六卷 《隋志》:“《兵林》六卷,東晉江都相孔衍撰。”衍,見禮類。孔子二十二代孫。

葛洪 兵法孤虛月時秘要法一卷

梁武帝兵法一卷 《隋志》:“《梁主兵法》一卷,《梁武帝兵書鈔》一卷,《梁武兵書要鈔》一卷。”

梁元帝 玉韜十卷 《隋志》:“《玉韜》十卷,梁元帝撰。”元帝,見正史類。《金樓子·著書篇》:“《玉韜》一帙十卷,金樓出牧渚宮時撰。”

玉韜十卷 梁元帝撰。

劉祐 金韜十卷 祐,見《隋·藝術傳》。奉詔撰《兵書》十卷,名曰《金韜》,上善之。

金韜十卷 劉祐撰。

蕭吉 金海四十七卷 《隋志》:“《金海》四十七卷,蕭吉撰。”吉,見經部樂類。此書見《北史·藝術傳》。

金海四十七卷 蕭吉撰。

陶弘景真人水鏡十卷 《隋志》:“《真人水鏡》十卷。”不著撰人。

真人水鏡十卷 陶弘景撰。

握鏡三卷 謹按《宋志》入五行家類。

握鏡三卷 陶弘景撰。

王略 武林一卷 《隋志》:“《武林》一卷,王略撰。”略,始末未詳。謹按宋有王略,明帝泰始初爲博士,有明太后附議。

許子新書軍勝十卷 《隋志》:“《軍勝見》十卷,許昉撰。《戎決》十二卷,許昉撰。”昉,始末未詳。

許子新書軍勝十卷

樂産　王佐秘書五卷

王佐秘珠五卷 樂産撰。

後周齊王憲　兵書要略十卷 《隋志》:"《兵書要略》五卷,後周齊王宇文憲撰。"憲,見《周書》本傳。

兵書要略五卷 宇文憲撰。

隋高祖　新撰兵書三十卷 《隋志》:"《兵書》七卷。"謹按齊王憲《兵書要略》之外,後有隋高祖《新撰兵書》三十卷。《舊志》作"新授",疑此七卷其殘帙與?

新授兵書三十卷 隋高祖撰。

解忠鯁　龍武玄兵圖二卷

龍武玄兵圖二卷 解忠鯁撰。

新兵法二十四卷 《隋志》:"梁有《雜兵法》三十四卷,《兵法序》二卷,亡。"《舊志》"新"作"雜",①與《隋志》同。

雜兵法二十四卷

用兵要術一卷 《隋志》:"《用兵要術》一卷。"

太一兵法一卷

太一兵法一卷

兵法要訣一卷

承神兵書八卷 《隋志》:"《承神兵書》二十卷。"不著撰人。謹按《承神兵書》,大抵如宋武所傳《神人書》,下邳神人《黄石公書》、《玄女戰經》之類。

承神兵書二十卷

兵機十五卷

兵機十五卷

兵書要略十卷

兵書要略一卷

用兵撮要二卷 《隋志》:"《用兵撮要》二卷。"

---

① "新"原誤作"雜","雜"原誤作"新",藕香簃本同,據《舊唐書·經籍志》與《隋書·經籍志》改。

用兵撮要二卷

兵春秋一卷

兵春秋一卷

獸鬬亭亭一卷　謹按《隋志》五行類有《遯甲九宫亭亭白姦書》,《御覽》引《遁甲書》:"亭亭大乙貴神戰鬥博戲漁獵,可背不可向。"①"獸鬥"疑"戰鬥"之誤。

玉帳經一卷

玉帳經一卷

三陰圖一卷

三陰圖一卷

兵法靈氣推占一卷

武德圖五兵八陣法要一卷

武德圖五兵八陣法要一卷

李靖　六軍鏡三卷

六軍鏡三卷

員半千　臨戎孝經二卷

臨戎孝經二卷　員半千撰。

李淳風　懸鏡十卷

懸鏡十卷　李淳風撰。

李荃　注孫子二卷　《讀書志》:"唐李筌注,筌以魏武所解多誤,約歷代史,依《遁甲》注成。"

又　太白陰經十卷　見《崇文總目》。今存。

青囊括一卷

杜牧　注孫子三卷　《讀書志》:"唐杜牧注,牧以武書大略用仁義,使機權,借其所得,自爲新書爾。"今存十家注本。

陳皞　注孫子一卷　《讀書志》:"唐陳皞注,皞以曹公注隱微,杜牧注闊疏,重爲

---

① 按此處引文有誤。中華書局景印本《太平御覽》卷七百五十四工藝部引《遁甲經》曰:"天一亭游,六行亭亭,天一之貴神也。戰鬬博戲漁獵,可背不可向。"

之注。”

賈林　注孫子一卷　見《崇文總目》。謹按《讀書志》,“紀燮集唐孟氏、賈林、杜佑三家所解。”①十家注本引之。

孫鎬　注吴子一卷

裴行儉　安置軍營行陣等四十六訣一卷　行儉字守約,聞喜人,本書有傳。

李嶠　軍謀前鑒十卷　見《崇文總目》。嶠字巨山,趙州贊皇人,本書有傳。

郭元振　定遠安邊策三卷　見《崇文總目》。《讀書志》:“郭元振《安邊策》三卷,以進攻退守不可無權謀,乃著此書。”

吴兢　兵家正史九卷　見《崇文總目》。兢,見史類。

李處祐　兵法 開元中左衛中郎將,奉詔撰。卷亡。

鄭虔　天寶軍防録 卷亡。

劉秩　止戈記七卷　秩,字祚卿,本書附子元傳。

至德新議十二卷　謹按至德,肅宗年號。

董承祖　至德元寶玉函經十卷　見《崇文總目》。

李光弼　統軍靈轄祕策一卷 一作“武記”。　見《崇文總目》。晁氏《讀書志》:“其書凡一百二章,或云光弼從事所纂。”

裴守一　軍誡三卷

裴子新令二卷　裴緒。見《崇文總目》。

韓滉　天事序議一卷　滉,本書有傳。

韋皋　開復西南夷事狀十七卷　皋,本書有傳。

范傳正　西陲要略三卷　傳正字百老,鄧州順陽人,本書有傳。

王公亮　兵書十八卷　長慶元年上,商州刺史。

行師類要七卷②

燕僧利正　長慶人事軍律三卷　《崇文總目》:“長慶作長度誤。”晁氏《讀書

---

① “解”原誤作“輯”,藕香簃本同,據《郡齋讀書志》改。

② “行師”原作“師行”,據藕香簃本改。

志》云:"言兵名雜以陰陽,此但述人事。"

李渤　禦戎新録二十卷 渤,唐隱者。

李德裕　西南備邊録十三卷 德裕,見雜史類。

杜希全　新集兵書要訣三卷 見《崇文總目》。希全,京兆醴泉人,本書有傳。

張道古　兵論一卷 字子美,景福進士第。

右兵家類

史蘇　沈思經一卷 《隋志》有史蘇《沈思經》一卷。史蘇,晋掌卜大夫。

焦氏周易林十六卷 焦贛。 《隋志》:"《易林》十六卷,焦贛撰,梁又有三十二卷。"今存。

焦氏周易十六卷 焦贛撰。

京氏周易四时候二卷 京房。 《隋志》:"《周易四時侯》四卷,京房撰。"此似即《飛候》九卷六卷析出者,或言春、夏、秋、冬四時,或言震、離、兑、坎四卦。

京氏周易四時候二卷

又　周易飛候六卷 《隋志》:"《周易飛候》六卷,京房撰。"前有《周易飛候》九卷,《周易飛候六日七分》八卷,此蓋即前九卷之别本。

京氏周易飛候六卷

周易混沌四卷 《隋志》:"《周易混沌》四卷,京房撰。"按《靈棋經》以純陰鏝卦爲混沌,未明此,或亦猶是也。

京氏周易混沌四卷

周易錯卦八卷 《隋志》:"《周易錯卦》七卷,京房撰。"謹按《隋志》易類又有《周易錯》八卷,疑重出。

京氏周易錯卦八卷 京房撰。

逆刺三卷 《隋志》:"《逆刺》一卷,京房撰。"京,見易類。逆刺即逢占,説見《漢書·東方朔傳》贊顔氏注。

逆刺三卷 京房撰。

費氏周易逆刺占災異十二卷 費直。 直,見易類。謹按《周易逆刺占災異》十二卷,《隋志》京房撰,《唐志》以爲費直,鄭漁仲以爲即是一書。

周易逆刺占災異十二卷 費直撰。

又　周易林二卷 《隋志》:"《易林》二卷,費直撰,梁五卷。"

費氏周易林二卷 費直撰。

崔氏周易林十六卷　崔篆。

崔氏周易林十六卷

鄭玄　注九宫行碁經三卷 《隋志》:"《九宫行碁經》三卷,鄭玄注。《九棋飛變》一卷,鄭玄撰,李淳風注。"謹按鄭氏本不言有此書,後世術家從《乾鑿度》注中鈔出。《九旗飛變》似即《九宫經》之别名。

九宫行碁經三卷 鄭玄注。

管輅　周易林四卷 輅,《魏書》有傳。

周易林四卷 管輅撰。

又　鳥情逆占一卷 《隋志》:"《鳥情逆占》一卷。"《管輅傳》載其人論鳥鳴事。

鳥情逆占一卷 管輅撰。

張滿　周易林七卷 謹按《隋志》無此書,止有《周易占》一卷,張浩撰,疑是一人,浩是張暢之子。

周易林七卷 張滿撰。

許氏周易雜占七卷　許峻。《隋志》:"梁有《周易雜占》七卷,許峻撰。"峻,見《後漢書·方峻傳》。

許氏周易雜占七卷 許峻撰。

尚廣　周易雜占八卷① 《隋志》:"《周易雜占》九卷,尚廣撰。"廣,見《吴志·孫皓傳》注。

周易雜占八卷 尚廣撰。

武氏周易雜占八卷 《隋志》:"梁有《周易雜占》八卷,武靖撰。"《舊志》下"武氏"或"靖"字之誤。

武氏周易雜占八卷 武氏撰。

魏伯陽　周易參同契二卷 今存。

周易參同契二卷 魏伯陽撰。

---

① "占"原作"卦",據藕香簃本改。

又　周易互相類一卷

周易互相類一卷 魏伯陽撰。

徐氏周易筮占二十四卷 徐苗。 《隋志》:"梁有《周易筮占》二十四卷,晋徵士徐苗撰,亡。"苗,見《晋書·儒林傳》。

徐氏周易筮占二十四卷 徐苗撰。

伏曼容　周易集林十二卷

周易集林十二卷 伏曼容撰。

伏氏　周易集林一卷

又一卷 伏氏撰。

杜氏　新易林占三卷 《隋志》:"《易占》三卷。"不著撰人。　謹按杜氏或即郭璞外孫之杜不愆,《晋·藝術》有傳。

新易林占三卷 杜氏撰。

梁運　周易雜占筮訣文二卷

周易雜占筮訣文二卷 梁運撰。

虞翻　周易集林律曆一卷 《隋志》:"《周易集林律曆》一卷,虞翻撰。"翻,見易類。

郭璞　周易洞林解三卷 《隋志》:"《易洞林》三卷,郭璞撰。"璞,見詩類。　洞林,見本傳。　今有王謨、馬國翰輯本。

周易洞林解三卷 郭璞撰。

梁元帝　連山三十卷 《隋志》:"《連山》三十卷,梁元帝撰。"元帝,見正史類。連山,見本紀。

連山三十卷 梁元帝撰。

又　洞林三卷 《隋志》:"《洞林》三卷,梁元帝撰。"

洞林三卷 梁元帝撰。

郭氏　易腦一卷 《隋志》:"《易腦經》一卷,鄭氏撰。""鄭"當爲"郭"。

易腦一卷 郭氏撰。

周易立成占六卷 《隋志》有《周易立成》三卷,颜氏撰,或即此書。

周易立成占六卷

易林十四卷

　易林十四卷

周易新林一卷　《隋志》有《周易新林》一卷。

　周易新林一卷

易律曆一卷　《隋志》:"《易律曆》一卷,虞翻撰。"

　易律曆一卷

周易服藥法一卷

　周易服藥法一卷

易三備三卷　《隋志》:"《易三備》三卷,又一卷。"不著撰人。《宋志》注題孔子師徒所述,蓋依托也。

　易三備三卷

又三卷

　又一卷

易髓一卷　謹按《隋志》有《周易腦髓》二卷,實即郭氏之書,《唐》分載,《隋》合載也。

　易髓一卷

周易問十卷

周易雜圖序一卷　《隋志》:"《易新圖序》一卷。"不著撰人。此作"雜圖",未知孰是。

周易八卦斗内圖一卷　《隋志》:"《周易八卦斗内圖》二卷,《八卦斗外圖》二卷。"此一卷,又三卷,與兩二卷合。

　周易八卦斗内圖一卷

又三卷

　又三卷

周易内卦神筮法二卷

周易雜筮占四卷　《隋志》:"《雜筮占》四卷。"不著撰人。謹按《隋志》云:"梁有《周易筮占林》五卷,費直撰。"此即費氏之書,佚其一卷,并佚其姓名。

老子神符易一卷

孝經元辰二卷　《隋志》:"《孝經元辰》二卷。"不著撰人。

孝經元辰二卷

推元辰厄命一卷 《隋志》:"《推元辰厄會》一卷。""命"當作"會"。謹按元辰厄會,即《李尋傳》所謂漢家有中衰阸會之象。

推元辰厄命一卷

元辰章三卷

元辰章三卷

元辰一卷 《隋志》:"《元辰曆》一卷。"《志》脱"曆"字。

雜元辰禄命二卷 《隋志》:"《雜元辰禄命》二卷。"不著撰人。

涖河禄命二卷 《隋志》:"《涖河禄命》三卷。"不著撰人。謹按字書,"涖"亦作"埿",古文"埿",深泥也。術書有涖河者,蓋謂陷運如今之空亡也。

孫僧化 六甲開天曆一卷《隋志》:"《六甲開天曆》一卷,孫僧化撰。"僧化,見天文類。

六甲開天曆一卷 孫僧化撰。

翼奉 風角要候一卷

風角要候一卷 翼奉撰。

王琛 風角六情訣一卷 《隋志》:"《情法》一卷,王琛撰。"謹按唐李淳風《乙巳占論六情法》曰:"六情者,好、惡、喜、怒、哀、樂也。"

風角六情訣一卷 王琛撰。

又 推産婦何時産法一卷 《隋志》:"《推産婦何時産法》一卷,王琛撰。"

推産婦何時産法一卷 王琛撰。

九宫行碁立成一卷 《隋志》:"《九州行碁立成法》一卷,王琛撰。""九州"當爲"九宫","深"當作"琛"。琛,見曆譜類。

九宫行碁立成一卷

禄命書二卷

又二卷 王琛撰。

遁甲開山圖一卷 《隋志》:"《遁甲開山圖》一卷。"謹按唐張彦遠《歷代名畫記》曰:"古来祕畫珍圖有《遁甲開山圖》一卷,王粲撰。""粲當作"琛"。

遁甲開山圖一卷 王琛撰。①

① "撰"字原脱,據藕香簃本補。

劉孝恭　風角鳥情二卷　《隋志》:"《風角鳥情》二卷,儀同臨孝恭撰。"孝恭,見《北史·藝術傳》。"劉"當作"臨"。

　風角鳥情二卷　劉孝恭撰。

又　禄命書二一卷　《北史》本傳:"《禄命書》二十卷。"

　禄命書二十卷

鳥情占一卷　《隋志》:"鳥情占一卷,王喬撰。"

　鳥情占一卷

風角十卷

　風角十卷

九宫經解三卷　《隋志》:"《九宫經解》二卷,李氏注。"

　九宫經解三卷

婚嫁書二卷　《隋志》:"《婚嫁書》二卷。"不著撰人。

　婚嫁書二卷

登壇經一卷　《隋志》:"《壇經》一卷,四等撰。①《登壇經》三卷,《五姓登壇經》一卷,《登壇文》一卷。"不著撰人。

　登壇經一卷

太一大游曆二卷

　太一大游曆二卷

大游太一曆一卷

　大游太一曆一卷

曜靈經一卷

　曜靈經一卷

七政曆一卷

　七政曆一卷

六壬曆一卷

---

①　"撰"字原脱,藕香簃本同,據武英殿本《隋書》補。

六壬曆一卷

六壬擇非經六卷 謹按《隋志》《六壬釋兆》六卷，疑即此書。“擇”爲“釋”之誤，“非”爲“兆”之誤，字相似而卷數又同也。

靈寶登圖一卷

靈寶登圖

梁主榮　光明符十二卷 《隋志》：“《光明符》十二卷，《録》一卷，梁簡文帝撰。”簡文，見詩類。本紀載所著《光明符》十二卷。一本梁王榮。“榮”疑“綱”字之误。

推二十四氣曆一卷

推二十四氣曆一卷

太一曆一卷

太一曆一卷

曹氏　黄帝式經三十六用一卷 《隋志》：“《黄帝式經三十六用》一卷，曹氏撰。” 曹氏，不詳何人。

玄女式經要訣一卷 《隋志》：“《玄女式經要法》一卷。”今存。

董氏　大龍首式經一卷

桓公　式經一卷 《隋志》：“《桓安吴式經》一卷。”疑即此書。

宋琨　式經一卷 《隋志》：“《太一經》二卷，宋琨撰。”琨，始末未詳。

式經一卷 宋琨撰。

六壬式經雜占九卷 《隋志》：“《六壬式經雜占》九卷。”不著撰人。

雷公　式經一卷

太一式經二卷 謹按《隋志》：“梁有《式經》三卷。”疑即此二種。

太一式經雜占十卷 《隋志》：“《太一式雜占》十卷，梁二十卷。”

黄帝式用常陽經一卷 《隋志》：“《黄帝式用當陽經》二卷。”“當”應作“常”。晁氏《讀書志》：“《常陽經》一卷。”《崇文總目》題曰黄帝式用，蓋六壬占卜術也。

黄帝龍首經二卷 《隋志》：“《黄帝龍首經》二卷。”今存。

黄帝集靈三卷 《隋志》：“《黄帝集靈》三卷。”謹按此集黄帝靈異之事，讖緯家有《孝經集靈》，是其書也。

黄帝降國一卷 《隋志》:"《黄帝絳圖》一卷。"謹按絳圖,殆讖緯家緑圖之類,"降國"當據《隋志》改"絳圖"。

黄帝斗曆一卷

太史公萬歲曆一卷 司马談。 《隋志》:"《太史萬歲曆》一卷。"談,見《史記》自序。

萬歲曆祠二卷 《隋志》:"《萬歲曆祠》二卷。"

萬歲曆祠二卷

任氏 千歲曆祠二卷 《隋志》:"《千歲曆祠》二卷,任氏撰。"任氏,始末未詳。

千歲曆祠二卷 任氏撰。

舉百事要略一卷 《隋志》:"《舉百事略》一卷,《舉百事要》一卷。"不著撰人。謹按此舉百事所宜也。

張衡 黄帝飛鳥曆一卷 《隋志》:"《黄帝飛鳥曆》一卷,張衡撰。"

黄帝飛鳥曆一卷 張衡撰。

太一飛鳥曆一卷 《隋志》:"《太一飛鳥曆》一卷。"不著撰人。謹按唐王希明《太一金鏡式經》載有三基、五福、十精之類,是十精爲太一家名目所有者。

太一飛鳥曆一卷

太一九宫雜占十卷 《隋志》:"《太一九宫雜占》十卷。"

九宫經三卷

堪輿曆注二卷 《隋志》:"《大小堪餘曆術》一卷,梁有《大小堪輿》三卷。"

堪輿曆注二卷

殷紹 黄帝四序堪輿一卷 《隋志》:"《四序堪餘》二卷,殷紹撰。"紹,見《魏·藝術傳》。謹按王應麟《漢書藝文志考證》:"唐吕才曰:按《堪輿經》黄帝對天老始言五姓,後魏殷紹以黄帝四序經文,撮要爲《四序堪輿》。"

黄帝四序堪輿二卷 殷紹撰。

地節堪輿二卷 謹按《崇文總目》,《太史堪輿》一卷,《太史堪輿麻》一卷,亦殷紹撰,似此書分爲二種。

伍子胥 遁甲文一卷 《隋志》:"《遁甲文》一卷,伍子胥撰。"子胥,見《史記》列傳。

遁甲文一卷

信都芳　遁甲經二卷　《隋志》:"《遁甲》三十三卷,後魏信都芳撰。"信都芳,見樂類。此經見本傳。

遁甲經二卷

葛洪　三元遁甲圖三卷　《隋志》:"《三元遁甲圖》三卷。"不著撰人。

三元遁甲圖三卷　葛洪撰。

許昉　三元遁甲六卷　《隋志》:"《三元遁甲》六卷,許昉撰。"

杜仲　三元遁甲一卷　《隋志》:"《三元遁甲》一卷,杜仲撰。"

榮氏　遁甲開山圖二卷　《隋志》:"《遁甲開山圖》三卷,榮氏撰。"今有洪頤煊輯本。

又二卷　榮氏撰

遁甲經十卷　《隋志》:"《遁甲經》十卷。"晁氏《讀書志》:"九天玄女之術,推九星、八門、三奇、六儀之法。"

遁甲囊中經一卷　《隋志》:"《遁甲囊中經》一卷。"不著撰人。謹按《隋志》尚有《遁甲囊中經疏》一卷。

遁甲囊中經一卷

遁甲推要一卷　《隋志》:"《遁甲推時要》一卷。"

遁甲祕要一卷

遁甲九星曆一卷

遁甲萬一訣三卷　《隋志》:"《遁甲萬一訣》二卷。"晁氏《讀書志》題唐李靖所纂,誤。

遁甲萬一訣三卷

三元遁甲立成圖二卷　《隋志》:"《三元遁甲上圖》一卷。"似即此書。《隋志》一卷,稱《上圖》,此二卷是上下俱全也。

遁甲立成法三卷　《隋志》有《遁甲立成法》,臨孝恭撰,兩《志》不著撰人,似即臨孝恭書。

遁甲立成法一卷

遁甲九宫八門圖一卷　《隋志》:"《遁甲九宫八門圖》一卷。"八門即休、生、傷、杜、景、死、驚、開也。

遁甲九宮八門圖一卷

遁甲三奇三卷　《隋志》:"《遁甲三奇》三卷。"

陽遁甲九卷　《隋志》:"《陽遁甲》九卷。"

陰遁甲九卷　《隋志》:"《陰遁甲》九卷。"

遁甲三元九甲立成一卷

白澤圖一卷　《隋志》:"《白澤圖》一卷。"今有洪頤煊、馬國翰輯本。

白澤圖一卷

武王須臾二卷　《隋志》:"《武王须臾》二卷。"謹按《方術傳·序》曰:"其流又有風角、遁甲、七政、元氣、六日七分、逢占、日者、挺轉、須臾、孤虚之術。"①注:"須臾,陰陽吉凶立成之法也。"②

武王須臾一卷

師曠占書一卷

師曠占書一卷

東方朔占書一卷　《隋志》有《東方朔歲占》一卷,又有《東方朔占候水旱下人善惡》一卷。朔,見《漢書》本傳。

東方朔占書一卷

淮南王萬畢術一卷　《隋志》:"梁又有《淮南王萬畢經》一卷,亡。"淮南王安,見《漢書》本傳。今有孫馮翼、茆泮林輯本。

淮南萬畢術一卷　劉安撰。

欒產　神樞靈轄十卷　見《崇文總目》。宋本添"經"字,誤。

神樞靈轄十卷

柳彥詢　龜經三卷

龜經三卷　柳彥詢撰。

柳世隆　龜經三卷

---

① 按《隋書》無《方術傳》,此處引文爲《後漢書·方術傳序》。

② 原脱"陰陽"二字,藕香簃本同,據中華書局點校本《後漢書》補。

劉寶真　龜經一卷

又一卷 劉寶真撰。

王弘禮　龜經一卷

又一卷 王弘禮撰。

莊道名　龜經一卷。

又一卷 莊道名撰。

蕭吉　五行記五卷 謹按吉著《五行大義》五卷，今存，恐即此書。又《宅經》八卷。吉，見樂類。

又　五姓宅經二十卷

五姓宅經二十卷

葬經二卷

又二卷 蕭吉撰。

王璨　新撰陰陽書三十卷

新撰陰陽書三十卷 王璨撰。

青烏子三卷

青烏子三卷

葬經八卷

葬經八卷

又十卷

又十卷

葬書地脈經一卷

葬書地脈經一卷

墓書五陰一卷

墓書五陰一卷

雜墓圖一卷 《隋志》有《五姓墓圖》一卷，梁有《冢書》、《黄帝葬山圖》各四卷，《五音相墓書》五卷、《五音圖墓書》九十一卷。

雜墓圖一卷

墓圖立成一卷

　墓圖立成一卷

六甲冢名雜忌要訣二卷

　六甲冢名雜忌要訣二卷

郭氏　五姓墓圖要訣五卷

　五姓墓圖要訣五卷 郭氏撰。

壇中伏尸一卷

　壇中伏尸一卷

胡君　玄女彈五音法相冢經一卷

　玄女彈五音法相冢經一卷

百怪書一卷

　百怪書一卷

祠竈經一卷 《隋志》:"《祀竈書》一卷,亡。"祀竈,見《史·封禪書》。

　祠竈經一卷

解文一卷

　解文一卷

周宣　占夢書三卷 《隋志》:"《占夢書》一卷,周宣等撰。"宣,字孔和,見《魏書》本傳。

　占夢書二卷 周宣等撰。

又二卷

　又三卷

孫思邈　龜經一卷 思邈,見本書《隱逸傳》、《舊志·方伎傳》。

又　五兆算經一卷

龜上五兆動搖經訣一卷 《隋志》:"《龜卜五兆動搖訣》一卷。"疑"上"之誤。

福禄論三卷

李淳風　四民福禄論三卷 見《崇文總目》。

又　玄悟經三卷

玄悟經三卷 李淳風撰。

太一元鑑五卷 見《崇文總目》。

占燈經一卷 晁氏《讀書志》:"《占燈法》一卷,李淳風撰。"《崇文總目》亦有之。

注鄭玄九旗飛變一卷 見上。

九旗飛變一卷 鄭玄撰,李淳風注。

三元經一卷 見《崇文總目》。

太一樞會賦一卷 玄宗注。

崔知悌　產圖一卷

吕才　陰陽書五十三卷

陰陽書五十三卷 吕才撰。

廣濟陰陽百忌曆一卷 謹案《書録解題》,《廣濟陰陽百忌曆》二卷,唐吕才撰,擬其假託,又經後人附益,尤不經。

大唐地理經十卷　貞觀中上。

袁天綱　相書七卷 見《崇文總目》。天綱,見本書列傳。①

要訣三卷 見《崇文總目》。

陳恭釗　天寶曆二卷 天寶中詔定。 見《崇文總目》。

趙同珍　壇經一卷 見《崇文總目》。

黎幹　蓬瀛書三卷 見《崇文總目》。

賈眈　唐七聖曆一卷 見《崇文總目》。

李遠龍　紀聖異曆一卷

竇維鋈　廣古今五行記三十卷 晁氏《讀書志》:"《廣古今五行志》三十卷,竇維鋈撰,纂五行變異,叙其徵應,蓋爲《洪範》之學者。"

濮陽夏譙子　五行志五卷

禄命人元經三卷

楊龍光　推計禄命厄運詩一卷

---

① "綱"原作"剛",據藕香簃本改。

王希明　太一金鏡式經十卷 開元中詔撰。　今存。

僧一行　天一太一經一卷　一行,見《天文志》。

又　遁甲十八局一卷　見《崇文總目》。

太一局遁甲經一卷　見《崇文總目》。

五音地理經十五卷　晁氏《讀書志》:"《五音地里新書》三十卷,以人姓五音驗八山三十八將吉凶等方。"似即此書。

六壬明鏡連珠歌一卷　見《崇文總目》。

六壬髓經三卷　《崇文總目》有《六壬鑑經》。"鑑"疑"髓"字。

馬先　天寶太一靈應式記五卷

李鼎祚　連珠明鏡式經十卷 開耀中上之。　鼎祚,見易類。

蕭君靖　遁甲圖 開元太僕寺主簿奉詔撰,卷亡。

司馬驤　遁甲符寶萬歲經國曆一卷 驤與弟裕同撰。　見《崇文總目》。

曹士蔿　金匱經三卷　見《崇文總目》。　謹按《書録解題》稱"太中大夫曹士蔿",曆算類亦有之。

馬雄　絳囊經一卷 雄稱居士。

李靖　玉帳經一卷　靖,見本書列傳。

李筌　六壬大玉帳歌十卷　見《崇文總目》。筌,見兵家類。

王叔政　推太歲行年吉凶厄一卷

由吾公裕　葬經三卷　由吾,姓。

孫季邕　葬範三卷

盧重元　夢書四卷 開元人。①　見《崇文總目》。

柳璨　夢雋一卷　見《崇文總目》。璨,見本書列傳。

右五行類,六十家,一百六十部,六百四十七卷。　失姓名六十五家。袁天綱以下不著録二十五家,一百三十二卷。

---

① "重元"原誤作"重光",據藕香簃本改。

右五行，一百一十三部，凡四百八十五卷。

郝沖 虞譚法 投壺經一卷[1] 《隋志》兵家類："《投壺經》一卷。"不著撰人。投壺，見《禮記》。郝、虞，始末無考。

投壺經一卷 郝沖、虞譚法撰。[2]

魏文帝 皇博經一卷 《隋志》兵家類："《皇博法》一卷。"不著撰人。文帝，見魏本紀。

皇博經一卷 魏文帝撰。

大小博法二卷 《隋志》兵家類："《大小博法》一卷。"《顔氏家訓》云："大博則六箸，小博則二焭，今無曉者。"

大小博法二卷

大博經行棊戲法二卷

大博經行棊戲法二卷

鮑宏 小博經一卷

小博經一卷 鮑宏撰。

博塞經一卷 《隋志》兵家類："《博塞經》一卷，邵綃撰。"謹按本《志》作"鮑宏"，宏，東海剡人，《隋書》有傳。此云邵綃，疑宏書而綃校録也。

博塞經一卷 鮑宏撰。

雜博戲五卷 《隋志》兵家類："《雜博戲》五卷。"不著撰人。

雜博戲五卷

隋煬帝 二儀簿經一卷 《隋志》兵家類："《二儀十博經》一卷。"不著撰人。《舊志》"二儀"下空一字，即"十博"等字寫脱。

二儀 簿經一卷 隋煬帝撰。

范汪等 注碁品五卷 《隋志》兵家類："《圍碁品序録》五卷，范汪等撰，亡。"汪，見禮類。謹按梁有《天監碁品》、《大同碁品》，想均在内。

---

① "法"原誤作"注"，藕香簃本同，據中華書局點校本《新唐書》改。

② "法"原誤作"注"，藕香簃本同，據中華書局點校本《舊唐書》改。

碁品五卷　范汪等注。

梁武帝碁評一卷　《隋志》兵家類:"《碁法》一卷,《碁品》一卷,梁武帝撰。"梁本紀:"帝六藝備閑,碁登逸品。"

碁評一卷　梁武帝撰。

碁勢六卷　謹按《隋志》兵家類《碁勢》五家,卷數均不合。

碁勢六卷

圍碁後九品序録一卷　《隋志》兵家類:"《碁後九品序》一卷,袁遵撰。"此《志》不著撰人。

圍碁後九品序録一卷

竹苑仙碁圖一卷

竹苑仙碁圖一卷

周武帝　象經一卷　《隋志》兵家類:"《象經》一卷,周武帝撰。"

象經一卷　周武帝撰。

何妥　象經一卷　《隋志》兵家類:"《象經》一卷,何妥撰。"妥,見易類。

又一卷　何妥撰。

王褒　象經一卷　《隋志》兵家類:"《象經》一卷,王褒注。"褒,見雜傳類。注《象經》,見《北史·文苑傳》。

王裕　注象經一卷　《隋志》兵家類:"《象經》三卷,王裕注。"謹按《舊書·良吏·王方翼傳》,祖裕,未知是否。

又一卷　王裕注。

今古術藝十五卷　《隋志》小説類:"《古今藝術》二十卷。"不著撰人。

今古術藝十五卷

名手畫録一卷

李嗣真　畫後品一卷　謹按李嗣真書,今存,名《緒畫品録》。

禮圖等雜畫五十六卷

漢王元昌畫　漢賢王圖　張彦遠《歷代名畫記》:"漢王元昌,高祖神堯皇帝第七子,能書畫。"

閻立德畫　文成公主降蕃圖　玉華宫圖　鬭雞圖　《名畫記》:"閻立

德,名讓,父毗,在隋以丹青著名,與弟立本俱傳父業,官至工部尚書。《文成公主降蕃圖》、《玉華宫圖》、《鬭雞圖》,皆立德所畫。"

閻立本畫 秦府十八學士圖 凌煙閣功臣二十四人圖 《名畫記》:"立本,立德弟,武德九年命寫《秦府十八學士》,褚亮爲贊。又繪《凌煙閣功臣二十四人圖》,上自爲贊。"

范長壽畫 風俗圖 醉道士圖 《名畫記》:"范長壽師法於張僧繇,官至司徒校尉,《風俗圖》、《醉道士圖》傳於世。"

王定畫 本草訓戒圖 貞觀尚方令。 《名畫記》:"王定,官至中散大夫,貞觀初得名,《本草訓戒圖》傳於世。"

檀智敏畫 游春戲藝圖 振武校尉。 《名畫記》:"檀智敏,振武校尉,《游春戲藝圖》傳於世。"

殷皦 韋无忝畫 皇朝九聖圖 高祖及諸王圖 太宗自定輦上圖 開元十八學士圖 開元人。 《名畫記》:"殷皦,開元中善寫貌,《唐朝七聖圖》、《高祖及諸王圖》、《太宗自定輦上圖》、《開元十八學士圖》,並殷皦、韋无忝爲之,无忝官至左武衛將軍。"

董萼畫 盤車圖 開元人,字重照。 《名畫記》:"董萼,開元中多在上方,善雜畫。《盤車圖》,余亦曾模之。"[①]

曹元廓畫 後周北齊梁隋隋武德貞觀永徽等朝臣圖 高祖太宗諸子圖 秦府學士圖 凌煙圖 武后左尚方令。 《名畫記》:"曹元廓,天后朝爲朝散大夫,後周、北齊、梁、隋、武德、貞觀、永徽等朝臣圖,《高祖太宗諸子圖》、《秦府學士圖》、《凌煙圖》傳於世。"

楊昇畫 望賢宫圖 安禄山真 《名畫記》:"楊昇善畫人物,有《望賢宫圖》、《安禄山真》。"

張萱畫 仕女圖 乳母將嬰兒圖 按羯鼓圖 鞦韆圖 並開元館畫直。 未景,先唐相。《名畫記》:"張萱,京兆人,畫士女,乃周昉之倫。"

談皎畫 武惠妃舞圖 佳麗寒食圖 佳麗伎樂圖 《名畫記》:"談皎,善畫人物。《武惠妃舞圖》、《佳麗寒食圖》、《佳麗伎樂圖》傳於世。"

---

① "多在"原作"供奉","模"字上脱"曾"字,藕香簃本同,據《四库全书》本《歷代名畫記》補正。又"善雜書"下有"車牛最推其妙"一句,上爲節引。

韓幹畫　龍朔功臣圖　姚宋及安禄山圖　相馬圖　玄宗試馬圖　寧王調馬打毬圖 大梁人,太府寺丞。《名畫記》:"韓幹,大梁人,官至太府寺丞。有《龍朔功臣圖》、《姚崇及安禄山圖》、《玄宗試馬圖》、《寧王調馬打毬圖》。"

陳宏畫　安禄山圖　玄宗馬射圖　上黨十九瑞圖 永王府長史。《名畫記》:"幹弟子陳宏寫《安禄山圖》、《玄宗馬射圖》、《上黨十九瑞圖》。"

王象畫　鹵簿圖 《名畫記》:"王象,王熊弟,有《畫鹵簿圖》。"

田琦畫　洪崖子橘木圖 德平子,汝南太守。《名畫記》:"田琦,雁門人,寫《洪崖子橘木圖》。"

竇師綸畫　内庫瑞錦對雉鬭羊翔鳳游麟圖 字希言,太宗秦王府諮議,相國録事參軍,封陵陽公。

韋鶠畫　天竺胡僧渡水放牧圖 鑾子。《名畫記》:"韋鑒工龍馬,鑒弟鑾,鑾子鶠,有《天竺胡僧圖》、《渡小僧圖》、《小馬放牧圖》。"

周昉畫　撲蝶　按箏　楊真人降真　五星等圖各一卷 字景玄。《名畫記》:"昉官宣州太史,有《蜂蝶圖》、《按箏圖》、《楊真人降真圖》、《五星圖》傳於世。"

張彦遠　歷代名畫記十卷 《書録解題》:"《歷代名畫記》十卷,唐張彦遠撰。家世藏法書、名畫,收藏鑒識,自謂有一日之長。"今存。

姚最　續畫品一卷 最,吴興人。今存。

裴孝源　畫品録一卷 中書舍人,貞觀、顯慶年事。一名《貞觀公私畫史》,貞觀十三年八月望日序。

顧況　畫評一卷

朱景玄　唐畫斷三卷 會昌人。謹按朱景玄,今有《唐相名畫録》一卷。

竇蒙　畫拾遺 卷亡。

吴恬畫　山水録 卷亡。恬,一名玢,字建康,青州人。《名畫録》玢入能品。

王琚　射經一卷

張守忠　射記一卷

任權　弓箭論一卷

上官儀　投壺經一卷　晁氏《讀書志》:"《投壺經》,右唐上官儀奉敕,史元道續注。"

王積薪　金谷園九局圖一卷 開元待詔。

韋珽　碁圖一卷

吕才　大博經二卷

大博經二卷　吕才撰。

董叔經　博經一卷　貞元中上。

李郃　體子選格三卷 字仲玄,賀州刺史。

右雜藝術類,十一家,二十部,一百四十二卷。失姓名八家。張彦遠以下不著録一十六家,一百一十七卷。

右雜藝術類,一十八部,凡四十四卷。

何承天并合　皇覽一百二十二卷　《隋志》雜家類:"《皇覽》一百二十卷,繆卜等撰,梁六百八十卷。梁又有《皇覽》一百二十二卷,何承天并合,亡。"承天,見禮類。謹按《皇覽》,繆襲撰,"卜"字誤。"

皇覽一百二十二卷　何承天撰。

徐爰并合　皇覽八十四卷　《隋志》雜家類:"徐爰《并合皇覽》八十四卷。"爰,見易類。今有孫馮翼輯本。

又八十四卷　徐爰并合。

劉孝標　類苑一百二十卷　《隋志》雜家類:"《類苑》一百二十卷,梁征虜刑獄參軍劉孝標撰。梁《七録》八十二卷。"孝標,見正史類。

類苑一百二十卷　劉孝標撰。

劉杳　壽光書苑二百卷　《隋志》雜家類:"《壽光書苑》二百卷,梁尚書左丞劉杳撰。"杳,見《梁・文學傳》。謹按《梁・張率傳》,七年,敕直壽光省治丙丁部書鈔。又《劉洽傳》,敕使鈔甲部書。似分甲、乙、丙、丁四部。

壽光書苑二百卷　劉杳撰。

徐勉　華林徧略六百卷　《隋志》雜家類:"《華林徧略》六百二十卷,梁綏安令徐僧權等撰。"梁天監十五年敕太子詹事徐勉舉學士入華林,撰《徧略》。

華林徧略六百卷　徐勉撰。

祖孝徵等　修文殿御覽三百六十卷　《隋志》雜家類:"《聖壽堂御覽》三百

六十卷。"《北齊書·後主本紀》:"武平三年,以侍中祖珽爲左僕射,敕撰《玄洲苑御覽》,改名《聖壽堂御覽》,後改爲《脩文殿御覽》。"

虞綽等　長洲玉鏡二百三十八卷　《隋志》雜家類:"《長洲玉鏡》二百三十八卷。"不著撰人。大業二年上。綽,見《北史·文苑列傳》。

諸葛潁　玄門寶海一百二十卷　《隋志》雜家類:"《玄門寶海》一百二十卷,大業中撰。"潁,見地理類。[①]

玄門寶海一百二十卷　諸葛潁撰。

張氏　書圖泉海七十卷　《隋志》:"《書圖泉海》七十卷,陳張式撰。"謹按此"氏"字蓋"式"之誤。式,陳右衛將軍。

書圖泉海七十卷　張氏撰。

要録六十卷　《隋志》雜家類:"《要録》六十卷。"不著撰人。謹按《隋志》列《華林徧略》之後,似《徧略》之節録本。

要録六十卷

檢事書一百六十卷

檢事書一百六十卷

帝王要覽二十卷　《隋志》雜家類:"《帝王集要》三十卷,崔安撰。""安"當爲"宏",《北史》有傳。《集要》與《要覽》,自是一书。

帝王要覽二十卷

文思博要一千二百卷　目十二卷　右僕射高士廉、左僕射房玄齡、特進魏徵、中書令楊師道、兼中書侍朗岑文本、禮部侍郎顔相時、國子司業朱子奢、博士劉伯莊、太學博士馬嘉運、[②]給事中許敬宗、司文郎中崔行功、太常博士吕才、秘書丞李淳風、起居郎褚遂良、晋王友姚思廉,太子舍人司馬宅相等奉詔撰,貞觀十五年上。

許敬宗　摇山玉彩五百卷　孝敬皇帝令太子少師許敬宗、司議郎孟利貞、崇賢館學士郭瑜、顧胤,右史董思恭等撰。

---

①　兩"潁"字,藕香簃本皆作"穎"。

②　"運"原作"還",據藕得簃本改。

累壁四百卷　又　目録四卷　許敬宗等撰，龍朔元年上。

累璧四百卷　許敬宗撰。

東殿新書二百卷　許敬宗、李義府奉詔於武德殿内修撰。其書自《史記》至《晋書》，删其繁辭。龍朔元年上，高宗製序。

歐陽詢　藝文類聚一百卷 令狐德棻、袁朗、趙弘智等同修。

今存。

藝文類聚一百卷　歐陽詢等撰。

虞世南　北堂書鈔一百七十三卷　《隋志》雜家類："《書鈔》一百七十四卷。"不著撰人。世南，見《舊書》列傳。今存。

書鈔一百七十三卷　虞世南撰。

張太素　策府五百八十二卷

策府五百八十二卷　張太素撰。

武后　玄覽一百卷

三教珠英一千三百卷　目十三卷　張昌宗、李嶠、崔湜、閻朝隱、徐彦伯、張説、沈佺期、宋之問、富嘉謩、喬侃、[①]員半千、薛曜等撰。開成初改爲《海内珠英》，武后所改字並復舊。

三教珠英一千三百卷　目十三卷　張昌宗等撰。

孟利貞　碧玉芳林四百五十卷

碧玉芳林四百五十卷　孟利貞撰。

玉藻瓊林一百卷

玉藻瓊林一百卷　孟利貞撰。

王義方　筆海十卷

玄宗事類一百三十卷

又　初學記三十卷 張説類集要事以教諸王，徐堅、韋述、余欽、施敬本、張烜、李鋭、孫季良等分撰。　今存。

---

① "侃"原誤作"品"，藕香簃本同，據中華書局點校本《新唐書》改。

是光乂　十九部書語類十卷 開元末,自祕書省正字上,授集賢院修撰,後賜姓齊。見《崇文總目》。

劉秩　政典三十五卷

杜佑　通典二百卷 今存。

蘇冕　會要四十卷 見《崇文總目》。

續會要四十卷 楊紹復、裴德融、崔瑑、薛逢、鄭言、周膚敏、薛延望、于珪、于球等撰,崔鉉監修。

陸贄　備舉文言二十卷 晁氏《讀書志》:"二十卷,右唐陸贄撰,總四百五十餘門,議者謂大類《六帖》而文辭過焉。"

劉綺莊　集類一百卷 晁氏《讀書志》:"《集類》一百卷,綺莊,毘陵人,爲崑山縣令。家多異書,采摭事類,分二十餘門,開元二十九年辛巳上。"

高丘　詞集類略三十卷 見《崇文總目》。

陸羽　警年十卷 見《崇文總目》。

張仲素　詞圃十卷 字繪之,元和翰林學士,中書舍人。見《崇文總目》。

元氏類集三百卷 元稹。《四庫闕書目》:"元慎《類事》一十卷。""慎"疑"稹"之誤。《玉海》注云:"集古今刑政之書。"疑即此書。

白氏經史事類三十卷 白居易,一名《六帖》。今存。

王氏千門四十卷 王洛賓。見《崇文總目》。

于立政　類林十卷

郭道規　類事鑑五十卷

馬幼昌　穿楊集四卷 判目。

盛均　十三家帖 均字之材,泉州南安人,終昭州刺史。以《白氏六帖》未備而廣之。卷亡。

竇蒙　青囊書十卷 國子司業。

韋稔　瀛類十卷

應用類對十卷 《崇文總目》:"一名《筆語類對》。"

高測　韻對十卷 見《崇文總目》。

温庭筠　學海三十卷　見《崇文總目》。

王博古　脩文海十七卷　見《崇文總目》。

李途　記室新書三十卷　見《崇文總目》。

孫翰　錦繡谷五卷　見《崇文總目》。

張楚金　翰苑七卷

皮氏鹿門家鈔九十卷　皮日休,字襲美,咸通太常博士。

劉揚名　戚苑纂要十卷　《書録解題》:“《戚苑纂要》十卷,唐劉揚名撰,皆采内外宗族姻親故事。”

戚苑英華十卷 袁説重脩。　《崇文總目》:“劉揚名撰,袁説重脩,摭采他書以增綴之。”

右類書類,十七家,二十四部,七千二百八十八卷。失姓名三家。王義方以下不著録三十二家,一千三百三十八卷。

右類事,二十二部,凡七千八十四卷。

皇甫謐　黄帝三部鍼經十二卷　謹按《内經》、《素問》及九卷,周季醫士所集,名曰《黄帝神其術》也,黄帝授。皇甫謐作《甲乙經》,謂之《黄帝三部》。皇甫謐,晋人。

黄帝三部鍼經十三卷　皇甫謐撰。

張子存　赤烏神鍼經一卷　《隋志》:“《赤烏神鍼經》一卷。”不著撰人。《御覽》引《敦煌實録》:“張子存善鍼。”似即此人。子存,河西人。

赤烏神鍼經一卷　張子存撰。

黄帝鍼灸經十二卷　《隋志》:“梁有《黄帝鍼灸經》十二卷,亡。”謹按此似即皇甫氏《甲乙經》之别本。

黄帝鍼灸經十二卷

黄帝雜注鍼經一卷

黄帝雜注鍼經一卷

黄帝鍼經十卷　《隋志》:“《黄帝鍼經》九卷。”不著撰人。

黄帝鍼經十卷

玉匱鍼經十二卷　《隋志》:"《玉匱鍼經》一卷。"謹按《御覽》方術部《玉匱鍼經·序》云:"吕博,吴赤烏二年爲太醫令,撰《玉匱鍼經》。"

玉匱鍼經十二卷

龍銜素鍼經并孔穴蝦蟇圖三卷　《隋志》:"梁有徐悦《龍銜素鍼經并孔穴蝦蟇圖》三卷,亡。"謹按《御覽》:"《黄帝鍼經》有《蝦蟇圖》,言月生始二日蝦蟇始生,①人亦不可鍼灸其處。"徐悦,見後。

龍銜素鍼經并孔穴蝦蟇圖三卷

徐叔嚮　鍼灸要鈔一卷　《隋志》:"徐叔嚮《鍼灸要鈔》一卷。叔嚮,見《南史·張融傳》。"

黄帝明堂經三卷　謹按《四庫簡明目録》《明堂炙經》條曰:"其曰明堂者,《素問》稱雷公問黄帝以人身經絡,黄帝坐明堂以授之。"

黄帝明堂三卷

黄帝明堂三卷

楊玄　注黄帝明堂經三卷

黄帝明堂經三卷　楊玄撰注。

黄帝内經明堂十三卷

黄帝内經明堂十三卷

黄帝十二經脈明堂五藏圖一卷　《隋志》:"《黄帝十二經脈明堂五藏圖》一卷。"今存《五藏圖》。

黄帝十二經脈明堂五藏圖一卷

曹氏黄帝十二經明堂偃側人圖十二卷　《隋志》:"《黄帝明堂偃人圖》十二卷。"曹氏,不知何人。

黄帝十二經明堂偃側人圖十二卷

秦承祖　明堂圖三卷　《隋志》:"梁有秦承祖《偃側雜鍼灸經》三卷,亡。"謹按《唐六典》:"宋元嘉二十年,太醫令秦承祖奏置醫學博士。"

明堂圖三卷　秦承祖撰。

---

①　"月"原誤作"目",藕香簃本同,據中華書局影印本《太平御覽》改。又"黄帝鍼經",《御覽》作"黄帝醫經"。

明堂孔穴五卷 《隋志》:"《明堂孔穴》五卷,梁《明堂孔穴》二卷,《新撰鍼灸》一卷,亡。"

秦越人 黄帝八十一難經二卷 《隋志》:"《黄帝八十一難經》二卷。"不著撰人。秦越人即扁鵲,見《史記》列傳。越人采《黄帝内經》精要之説,凡八十一章,編次爲十三類,理趣深遠,非易了,故曰《難經》。今存。

黄帝八十一難經二卷

全元起 注黄帝素問九卷 《隋志》:"《黄帝素問》九卷,梁八卷。"又"《黄帝素問》八卷,全元起注"。元起,見《南史・王僧孺傳》。唐王冰謂:"《素問》即《内經》之九卷。""全",别本"仝"。

黄帝素問八卷

靈寶 注黄帝九靈經十二卷

黄帝九靈經十二卷 靈寶注。

黄帝甲乙經十二卷 《隋志》:"《黄帝甲乙經》十卷,《音》一卷,梁十二卷。"不著撰人。《四庫提要》:"《甲乙經》,晋皇甫謐撰,皆論鍼灸之道。"今存。

黄帝流注脈經一卷 《隋志》:"《黄帝流注脈經》一卷,梁有《明堂流注》六卷。"此《流注脈經》一卷,即梁時《明堂流注》六卷之僅存者。

三部四時五藏辨候診色脈經一卷 《隋志》:"《三部四時五藏辨候診色決事脈》一卷。"

三部四時五藏辨候診色脈經一卷

脈經十卷 《隋志》:"《脈經》十卷。"不著撰人。謹按晁氏《讀書志》:"王叔和撰。叔和,晋高平人。"今存。

脈經十卷

又二卷 《隋志》:"《脈經》二卷。"不著撰人。

徐氏 脈經訣三卷 《隋志》:《脈決》二卷,徐氏新撰。"徐氏,不詳何人。

脈經訣三卷 徐氏撰。

王子顒 脈經三卷

岐伯 灸經一卷 《隋志》:"《岐伯經》十卷。"無"灸"字,不知是此書否。謹按《帝王世紀》曰:"岐伯,黄帝臣也。"《路史》以岐爲國,伯其爵也。

灸經一卷

雷氏　灸經一卷

五藏訣一卷　《隋志》:"《五藏訣》一卷。"並不著撰人。

　五藏訣一卷

五藏論一卷

　五藏論一卷

賈和光　鈐和子十卷

　鈐和子十卷　賈和光撰。

王冰　注黄帝素問二十四卷　釋文一卷　冰號啓元子。　謹按《漢志》《黄帝内經》十八篇,無《素問》之名,後漢張機《傷寒論》引之,始稱《素問》。晋皇甫謐《甲乙經・序》稱《鍼經》九卷,《素問》九卷,皆爲《内經》,與《漢志》十八篇之數合,則《素問》之名起於漢、晋間矣。冰,見本書《宰相世系表》,稱爲京兆府矣,晁氏《讀書志》作"王砯"。

楊上善　注黄帝内經明堂類成十三卷　隋通直郎守太子文學楊上善注。今存一卷。

　黄帝内經明堂類成十三卷

又　黄帝内經太素三十卷　隋楊上善奉敕撰。今存二十三卷。

　黄帝内經太素三十卷　楊上善撰。

甄權　脈經一卷　權,許州扶溝人,見本書《方技傳》。

鍼經鈔三卷　見《崇文總目》。

鍼方一卷

明堂人形圖一卷

米遂　明堂論一卷　《崇文總目》:"《明堂論》一卷,米遂撰。"

　右明堂經脈類,一十六家,三十五部,二百三十一卷。失姓名十六家。甄權以下不著録二家,七卷。

　右明堂經脈,二十六家,凡一百七十三卷。

神農本草三卷　《隋志》:"《神農本草》八卷,梁有《神農本草》五卷,《神農本草屬物》二卷,《神農明堂圖》一卷。"謹按《帝王世紀》云:"黄帝使岐伯嘗味草,定《本草經》。"《郊祀志》:"成帝初,有本草待詔。"今存。

神農本草三卷

雷公　集撰神農本草四卷 《隋志》:"《神農本草》四卷,雷公集注。"

吴氏本草因六卷 吴普。 《隋志》:"梁有《華陀弟子吴普本草》六卷,亡。"普,見《魏志·華陀傳》。今有孫星衍輯本。

吴氏本草因六卷 吴普撰。

李氏本草三卷 《隋志》:"梁有李譡之《本草經談道術本草》三卷。"①譡之,華陀弟子。

李氏本草三卷

原平仲　靈秀本草圖六卷 隋志:"《靈秀本草圖》六卷,原平仲撰。"平仲,始末未詳。張彦遠《歷代名畫記》:"《靈秀本草圖》六卷,起赤箭,終蜻蜓,源平仲撰。"

靈秀本草圖六卷 原平仲撰。

殷子嚴　本草音義二卷

本草用藥要妙九卷

本草病源合藥節度五卷

本草要術三卷

療癰疽耳眼本草要妙五卷 "梁有甘濬之《癰疽耳眼本草要鈔》九卷,亡。"②疑此即甘氏之書。

療癰疽耳眼本草要妙五卷

桐君藥録三卷 《隋志》:"《桐君藥録》三卷。"

桐君藥録三卷 桐君撰。

徐之才　雷公藥對二卷 《隋志》:"梁有《藥經藥對》二卷,亡。"蓋黄帝時雷公所著,之才增録之。之才,《北齊書》有傳。

雷公藥對二卷

僧行智　諸藥異名十卷 《隋志》:"《諸藥異名》八卷,沙門行矩撰。本十卷。"行矩,一作"行智",始末未詳。

---

① 《隋志》子部醫方部《神農本草》八卷下注云:"梁有李譡之《本草經》、《談道術本草經鈔》各一卷。"是處以《本草經談道術本草》作一書,疑誤。

② 見《隋志》子部醫方部《神農本草》八卷條下小注。

諸藥異名十卷　僧行智撰。

藥類二卷

藥目要用二卷　《隋志》:"《藥目要用》二卷,梁有《藥目》三卷,亡。"

藥目要用二卷

四時采取諸藥及合和四卷　《隋志》:"《太常采藥時目》一卷,《四時采藥及合目録》四卷。"不著撰人。謹按《隋志》屬太常,《唐六典》大抵是其簿籍,爲醫正、醫師、醫工之職業,而尚藥局亦有其事焉。

四時采取諸藥及合和四卷

名醫別録三卷　《隋志》:"《名醫别録》三卷,陶氏撰。"

名醫别録三卷

吴景　諸病源候論五十卷　《隋志》:"《諸病源候論》五卷,《目》一卷,吴景賢撰。"景賢,亦作"吴景。"

諸病源候論五十卷　吴景撰。

巢氏諸病源候論五十卷　巢元方。　《書録解題》:"《巢氏病源論》五十卷,隋太醫令博士巢元方等撰,大業元年也。"今存。

徐嗣伯　雜病論一卷　謹按《隋志》:"《徐氏雜方》一卷,《少小方》一卷,《療小兒丹法》一卷。"疑即是書。

雜病論一卷　徐嗣伯撰。

又　徐氏落年方三卷　《隋志》:"徐嗣伯《落年方》三卷。"嗣伯字叔紹,見《南史・張融傳》。謹按"落年"二字,未解。《隋志》又有《墮年方》二卷,《日本書目》作"《隋手方》",知"墮年"爲"隋手"之誤,疑因"墮年"而作"落年",爲誤中之誤,即嗣伯之《隋手方》也。

徐氏落年方三卷　徐嗣伯撰。

彭祖養性經一卷　《隋志》:"《彭祖養性經》一卷。"《列仙傳》:"彭祖,殷大夫。"今《道藏》有《彭祖攝生養性論》。《四庫缺書目》作"《養性備急方》"。

張湛　養生要集十卷　《隋志》:"《養生要集》十卷,張湛撰。"張湛,晋孝武帝時光禄勳,有《列子注》,見道家。謹按《舊志》又見道家,此《志》又見神仙家。

養生要集十卷　張湛撰。

延年祕録十二卷

延年祕録十二卷

秦承祖　藥方四十卷　《隋志》:"秦承祖《藥方》四十卷,見三卷。"《御覽》方術部:《宋書》:"秦承祖性耿介,專好藝術,撰《方》二十行於世。"

藥方十七卷　秦承祖撰。

吴普　集華氏藥方十卷　華佗。　《隋志》:"《華佗方》十卷,吴普撰,後漢人。"佗,見《後漢書》。

華氏藥方十卷　華佗方,吴普集。

葛洪　肘後救卒方六卷　《隋志》:"《肘後方》六卷,葛洪撰,梁二卷。"洪,見禮類。

肘後救卒方四卷　葛洪撰。

梁武帝　坐右方十卷

如意方十卷　《隋志》:"《如意方》十卷。"謹按《南史》本紀載所注有《如意方》十卷,則實爲簡文帝所撰,似脱"簡文帝"三字。

陶弘景　集注神農本草七卷　《隋志》:"梁有陶弘景《本草經集注》七卷,亡。"弘景,見《南史・隱逸傳》。

本草集注七卷　陶弘景撰。

又　效驗方十卷　《隋志》:"《陶氏效驗方》六卷,梁五卷。"隱居《集肘後百一方・序》曰:"余又别撰《效驗方》五卷。"

效驗方十卷　陶弘景撰。

補肘後救卒備急方六卷　《隋志》:"陶弘景《補闕肘後百一方》九卷,亡。"《弘景集》有《肘後百一方》一卷。今存。

補肘後救卒備急方六卷　陶弘景撰。

太清玉石丹藥要集三卷　見下條。

太清玉石丹藥要集三卷　陶弘景撰。

太清諸草木方集要三卷　《隋志》:"《太清諸草木方集要》三卷。"謹按太清者,丹經之號也。此與《神農采藥經》皆神聖家服食所致。

太清諸草木方集要三卷

隋煬帝敕撰　四海類聚單方十六卷　《隋志》:"《四海類聚單方要方》三百

卷。”謹按此《志》十六卷,即三百卷之胶膭餘。

四海類聚單方十六卷 隋煬帝撰。

王叔和　張仲景藥方十五卷 《隋志》:“《張仲景藥方》十五卷。”仲景,名機,後漢人。徐大榕《傷寒類方》曰:“後漢張機《傷寒論》,乃晋王叔和蒐采成書,本非機所編次。”今存。

張仲景藥方十五卷 王叔和撰。

又　傷寒卒病論十卷

阮河南方十六卷 阮炳。 《隋志》:“梁又有《阮河南藥方》十六卷,阮文叔撰,亡。”《魏書·杜恕傳》注引《杜氏新書》:“武字文業,弟炳字文叔。”

河南方十六卷 阮文房撰,亡。

尹穆纂　范東陽雜藥方一百七十卷 范汪。 《隋志》:“《范陽東方》一百五卷,《録》一卷,范汪撰。梁一百七十六卷。汪,見禮類。”①

雜藥方一百七十卷 范汪方,尹穆撰。

胡居士　治百病要方三卷 胡洽。 《隋志》:“《胡洽百病方》二卷。”洽,始末未詳。

百病方二卷 胡洽撰。

徐叔嚮　雜療方二十卷

雜療方二十一卷 徐叔和撰。

又　體療雜病方六卷 《隋志》:“徐悦《體療雜病疾源》三卷。”謹按東海徐氏有徐文伯、徐成伯、徐嗣伯、徐方伯,並善醫,悦豈其族與?

體療雜病方六卷 徐叔和撰。

脚弱方八卷 《隋志》:“梁又有徐叔嚮《療脚弱雜方》八卷,亡。”

脚弱方八卷 徐叔嚮撰。

解寒食方十五卷 《隋志》:“梁有徐叔嚮《解寒食散方》六卷,亡。”

解寒食散方十五卷 徐叔和撰。

阮河南藥方十七卷 見上。

---

① “汪見禮類”四字原脱,據藕香簃本補。

褚澄　雜藥方十二卷 《隋志》:"梁又有《褚澄雜藥方》十二卷,齊吴郡太守褚澄撰,亡。"澄,見《南齊書·褚淵傳》,淵弟。

雜藥方十二卷 褚澄撰。

陳山提　雜藥方十卷

雜藥方十卷 陳山提撰。

謝泰　黄素方二十五卷 《隋志》:"梁有《黄素藥方》二十五卷,亡。"不著撰人。謹按黄素,或是黄帝素女。《抱朴子》:"余見崔中書《黄素方》。"則此經崔中書所撰。此《志》云:"謝泰因崔中書而重訂之。"

黄素方十五卷

孝思　雜湯丸散方五十七卷 《隋志》:"《藥方》五十七卷,後齊李思祖撰。"思祖,見《北史·藝術傳》。李脩字思祖,撰《諸藥方》百卷,此《志》"李"誤"孝",又脱"祖"字。

藥方五十七卷 孝思撰。

謝士太　删繁方十二卷 《隋志》:"《删繁方》十二卷,謝士秦撰。""秦"當作"泰"。

删繁方十二卷 謝士泰撰。

徐之才　徐王八代效驗方十卷 《隋志》:"《徐王八世家傳效驗方》十卷。"之才,見《北齊書》列傳。謹按徐氏,東海人,自徐熙、徐文伯善傳醫術,之才尤有名,封西陽王,故名徐王。八代者,或自熙至之才父雄,凡八。

徐王八代效驗方十卷 徐之才撰。

又　家秘方三卷 《隋志》:"《徐氏家傳祕方》二卷。"

徐氏家祕方三卷

范世英　千金方三卷 《隋志》:"范世英《千金方》三卷。"世英,始末未詳。

姚僧垣　集驗方十卷 《隋志》:"《姚大夫集驗方》十二卷。① 僧垣,見《北史·藝術傳》。"

集驗方十卷 姚僧垣撰。

陳延之　小品方十二卷 《隋志》:"《小品方》十二卷,陳延之撰。"謹按《選注》

① "大"原誤作"夫",據藕香簃本改。

引《經方小品》。

小品方十二卷 陳延之撰。

蘇游　玄感傳屍方一卷 《崇文總目》:"《玄感傳屍論》一卷,蘇游撰。"

玄感傳屍方一卷 蘇游撰。

又　太一鐵胤神丹方三卷

又　太一鐵胤神丹方三卷 蘇游撰。

俞氏治小兒方四卷 《隋志》:"《俞氏療小兒方》四卷。"俞氏,不知何人,下條作"寶",或其名也。

俞寶　小女節療方一卷 謹按"小女"系"少小"之誤。《唐六典》:"博士以醫術教授諸生,一曰體療,二曰瘡腫,三曰少小。"《舊志》作"少小",當依。

少小節療方一卷 俞寶撰。

僧深集方三十卷 《隋志》:"梁又有《釋僧深藥方》三十卷,亡。"《御覽》方術部:"僧深,齊、宋間道人。"

僧深集方三十卷 釋僧深撰。

僧鸞　調氣方一卷 《隋志》:"《論氣治療方》一卷,釋曇鸞撰。"曇鸞,乃北魏僧來游江南者。

調氣方一卷 釋曇鸞撰。

龔慶宣　劉涓子男方十卷 《隋志》:"《劉涓子鬼遺方》十卷,龔慶宣撰。"《崇文總目》云:"劉涓子,晋末人,得《鬼遺方》一卷,皆治癰疽之法,慶宣得而次第之。"今存。《舊志》"男"作"南"。

劉涓子南方十卷 龔慶宣撰。

甘濬之　療癰疽金瘡要方十四卷 《隋志》:"甘濬之《癰疽部黨雜病疾源》三卷。"

甘伯齊　療癰疽金瘡要方十二卷 《隋志》:"梁有甘伯齊《療癰疽金瘡要方》十五卷,亡。"謹按後有甘伯宗撰《名醫傳》,或其兄弟行。

療癰疽金瘡要方十二卷

雜藥方六卷 《隋志》:"《雜藥方》十卷。"

雜藥方六卷

雜丸方一卷

雜丸方一卷

名醫集驗方三卷　《隋志》:"《名醫集驗方》六卷。"不著撰人。

名醫集驗方六卷

百病膏方十卷

百病膏方十卷

雜湯方八卷

雜湯方八卷

療目方五卷

療目方五卷

寒食散方并消息節度二卷　《隋志》:"梁有徐叔嚮《解散消息節度》八卷,亡。"

寒食散方并消息節度二卷　徐叔和撰。

婦人方十卷　《隋志》:"梁有《范氏療婦人藥方》十一卷,亡。"丁國鈞以爲范汪,當爲《東陽方》百七十餘卷中傳録别行之本。

婦人方十卷

又二十卷

又二十卷

少女方十卷　《隋志》:"梁有《療少小雜方》二十卷,《療少小雜方》二十九卷,亡。"少小,見上。

少小方十卷

少女雜方二十卷

少小雜方二十卷

類聚方二千六百卷　《隋志》:"《四海類聚方》二千六百卷。"

四海類聚方二千六百卷

種芝經九卷　《隋志》有《種神芝》一卷,不著撰人。

芝草圖一卷

芝草圖一卷

諸葛潁　淮南王食經一百三十卷　《隋志》:"《淮南王食經》并目百六十五

卷,大業中撰。""王"當從"玉"。潁,見地理類。

淮南王食經一百三十卷 諸葛潁撰。

音十三卷

淮南王食經音十三卷

食目十卷

淮南王食目十卷

盧仁宗　食經三卷

食經三卷 盧仁宗撰。

崔浩　食經九卷 《隋志》:"《崔氏食經》四卷。"浩,見易類。《叙》在《魏書》本傳。

食經九卷 崔浩撰。

竺暄　食經四卷

又四卷 竺暄撰。

又十卷

又十卷

趙武　四時食法一卷

四時食法 趙氏注。

太官食法一卷 《隋志》:"梁有《太官食經》五卷,又《太官食法》二十卷,亡。"

太官食法一卷

太官食方十九卷

太官食方十九卷

四時御食經一卷 《隋志》:"《四時御食經》一卷。"不著撰人。謹按此似即魏武四時食制。

抱朴子　太清神仙服食經五卷 《隋志》:"《神仙服食藥方》十卷,抱朴子撰。"

太清神仙服食經五卷　又　一卷 抱朴子。

沖和子　太清璿璣文七卷 《隋志》:"《太清璇璣文》七卷,沖和子。"此亦張鼎所撰。

太清璿璣文七卷 沖和子撰。

太清神丹中經三卷 《隋志》:"《太清神丹中經》一卷。"不著撰人。謹按《抱朴子·金丹篇》云:"其法出于元君。"

太清神丹中經一卷

太清神仙服食經五卷 《隋志》:"《神仙服食經》十卷。"不著撰人。

太清神仙服食經五卷

太清諸丹藥要録四卷 《隋志》:"《太清諸丹藥要録》四卷,陶隱居撰。"

太清諸丹藥要録四卷 陶隱居撰。

京里先生 金匱仙藥録三卷 《隋志》:"二十三卷,《目》一卷,京里先生撰。"合《服食》共十五卷,即《隋志》二十三卷之佚文。

金匱仙藥録三卷 京里先生撰。

神仙服食經十二卷 《隋志》:"《神仙服食經》十卷。"

神仙服食經十二卷 京里先生撰。

神仙藥食經一卷

神仙服食方十卷

神仙服食方十卷

神仙服食藥方十卷 《隋志》:"《雜仙餌方》、《服食諸雜方》二卷。"似唐時并爲一。

神仙服食藥方十卷

服玉法并禁忌一卷 《隋志》:"《服玉方法》一卷。"

寒食散論二卷 梁有《解寒食散論》二卷。① 未知是否。

葛仙公録 狐子方金訣二卷 《隋志》:"《狐剛子萬金訣》二卷,葛仙公撰。"葛仙公,名玄,見道家。

狐子方金訣二卷 葛仙公撰。

狐子雜訣三卷 《隋志》:"《狐子雜訣》三卷。"狐子,即狐剛子。

狐子雜訣三卷

明月公 陵陽子秘訣一卷 《隋志》:"《陵陽子説黄金秘法》一卷。"謹按《抱

---

① "解"字原脱,據藕香簃本補。

朴子·黄白篇》云:"河上姹女,非婦人也;陵陽子明,非男子也。"皆是丹竈家之寓言。

陵陽子秘訣一卷　明月公撰。

黄公　神臨藥秘經一卷　《隋志》:"《神方》二卷。"不著撰人。謹按《神臨藥秘經》,大抵謂神降臨時所示之丹藥,得之乩壇中也。

神臨藥秘經一卷

黄白秘法一卷　又　二十卷　《隋志》:"《雜黄白秘法》十二卷。"

黄白秘法二十卷

葛氏　房中秘術一卷　《隋志》:"《序房内秘術》一卷,葛氏撰。"

玉房秘術一卷　葛氏撰。

沖和子　玉房秘訣十卷　張鼎。　《隋志》:"《玉房秘訣》八卷。"不著撰人。謹按張鼎自號沖和子,鼎有《補孟説食療本草》,初唐時人,似神仙家流。

玉房秘録訣八卷　沖和子撰。

本草二十卷　目録一卷

藥圖二十卷

圖經七卷　顯慶四年,英國公李勣、太尉長孫無忌、兼侍中辛茂將、太子賓客弘文館學士許敬宗、禮部郎中兼太子洗馬弘文館大學士孔志約、尚藥奉御許孝崇、胡子彖、[1]蔣季璋、尚藥局直長藺復珪、許弘直、侍御醫巢孝儉、太子藥藏監蔣季瑜、吴嗣宗、丞蔣義方、太醫令蔣季琬、許弘、丞蔣茂昌,太常丞吕才、賈文通、太史令李淳風、潞王府參軍吴師哲、禮部主事顧仁楚、右監門府長史蘇敬等撰。

孔志約　本草音義二十卷

蘇敬　新修本草二十一卷

新修本草二十一卷　蘇敬撰。

又　新修本草圖二十六卷

---

① "彖"原誤作"家",藕香簃本同,據中華書局點校本《新唐書》改。

新修本草圖二十六卷 蘇敬撰。

本草音三卷

本草音三卷 蘇敬撰。

本草圖經七卷

本草圖經七卷 蘇敬撰。

甄立言 一作權。本草音義七卷 《隋志》:"《甄氏本草》三卷。"《舊書·方伎傳》:①"甄權,許州扶溝人,與弟立言專習醫方,撰《脈經》、《鍼方》、《明堂人形》圖。"②此《志》誤爲一人,實則《音義》是立言,《藥性》是權,是二人。

本草音義三卷 甄立言撰。

又 本草藥性三卷 見上。

本草藥性三卷 甄立言撰。

古今録驗方五十卷

孟詵 食療本草三卷

又 補養方三卷 《崇文總目》:"《孟氏補養方》三卷。"不著名。

補養方三卷 孟詵撰。

必效方十卷

孟氏必效方十卷 孟詵撰。

宋俠 經心方十卷 《隋志》:"《經心方》八卷,宋候撰。""候"當作"俠"。俠,見《舊書·方伎傳》。

經心方八卷 宋俠撰。

崔氏纂要方十卷 崔行功。

崔氏纂要方十卷 崔知悌撰。

崔知悌 骨蒸灸方一卷

骨蒸灸方一卷 崔知悌撰。

---

① "書",原誤作"志",藕香簃本同,據中華書局點校本《舊唐書》改。

② "脈"原誤作"服","經"下脱"鍼"字,"形"下脱"圖"字,藕香簃本同,據中華書局點校本《舊唐書》補正。

王方慶　新本草四十一卷

又　藥性要訣五卷

袖中備急要方三卷

嶺南急要方二卷

鍼灸服藥禁忌五卷

李含光　本草音義二卷　見《崇文總目》。李含光,見本書。

陳藏器　本草拾遺十卷　開元中人。　見《崇文總目》。

鄭虔　胡本草七卷

孫思邈　千金方三十卷　見《崇文總目》。思邈,見本書《藝術傳》。今存。

又　千金髓方二十卷　見《崇文總目》。

千金翼方三十卷　見《崇文總目》。今存。[①]

神枕方一卷　《崇文總目》:"《枕中方》一卷。"

醫家要妙五卷　《崇文總目》:"《醫家要妙》五卷。"

楊太僕醫方一卷　失名,天授二年上。　見《崇文總目》。

衛嵩　醫門金寶鑑三卷　晁氏《讀書志》:"《金寶鑑》三卷,衛嵩撰,仕至翰林博士。"

許詠　六十四問一卷

段元亮　病源手鏡一卷　見《崇文總目》。

伏氏醫苑一卷　伏適。

甘伯宗　名醫傳七卷　見《崇文總目》。

王超　仙人水鏡圖訣一卷　貞觀人。　見《崇文總目》。

吴兢　五藏論應象一卷　見《崇文總目》。

裴璡　五藏論一卷　《崇文總目》作"進",無玉旁。

劉清海　五藏類合賦五卷　見《崇文總目》。

裴王廷　五色傍通五藏圖一卷　見《崇文總目》。

---

① "今存"二字原脱,據藕香簃本補。

張文懿 藏府通元賦一卷 見《崇文總目》。

段元亮 五藏鏡源四卷 見《崇文總目》。

喻義纂 療癰疽要訣一卷 見《崇文總目》。

瘡腫論一卷 《崇文總目》:"《瘡腫論》一卷,喻義撰。"

沈泰之 癰疽論二卷

青溪子 萬病拾遺三卷 《内閣闕書目》:"《青溪子萬病拾遺》十三卷。"《宋志》云:"李温撰。"

又 消渴論一卷 見《崇文總目》。

腳氣論三卷

李暄 嶺南腳氣論一卷 《崇文總目》:"《嶺南腳氣論》一卷,李暄撰。又《新撰腳氣論》三卷,李暄撰。"

又 方一卷 《崇文總目》:"腳氣方一卷。"

腳氣論一卷 蘇鑒、徐玉等編集。 見《崇文總目》。

鄭景岫 南中四時攝生論一卷 《崇文總目》:"《南中四時攝養論》一卷。"

蘇游 鐵粉論一卷 見《崇文總目》。

陳元 北京要術一卷 元爲太原少尹。

司空輿 發焰録一卷 圖父,大中時商州刺史。 見《崇文總目》。

青羅子 道光通元秘要術三卷 失姓,咸通人。

乾甯晏先生製伏草石論六卷 晏封。 見《崇文總目》。《四庫缺書目》:"《郭晏封草石論》。"此脱"郭"字。

江承宗 删繁藥詠三卷 鳳翔節度要籍。 《崇文總目》:"《删繁藥脈》三卷,江承宋撰。"

玄宗 開元廣濟方五卷

劉涗 真人肘後方三卷

王燾 外臺秘要方四十卷 晁氏《讀書志》:"《外臺秘要方》四十卷,唐王燾撰。燾久知宏文館,得古方數千百卷,因述諸病候,附以方藥,凡一千一百四門。天寶中出守房陵,故曰外臺。"今存。

又 外臺要略十卷 見《崇文總目》。

德宗　正元集要廣利方五卷　見《崇文總目》。

陸氏集驗方十五卷　陸贄。

賈躭　備急單方一卷

薛弘慶　兵部手集方三卷　兵部尚書李絳所傳方。弘慶,大和河中少尹。見《崇文總目》。

薛景晦　古今集驗方十卷　元和刑部郎中,貶道州刺史。

劉禹錫　傳信方二卷　見《崇文總目》。《祕閣缺目》作"《傳證方》"。

崔玄亮　海上集驗方十卷　見《崇文總目》。

楊氏産乳集驗方三卷　楊歸厚,元和中自左拾遺貶鳳州司馬,終虢州刺史。方九百一十一。　見《崇文總目》。

鄭注藥方一卷

韋氏集驗獨行方十二卷　韋宙。　見《崇文總目》。

張文仲　隨身備急方三卷

蘇越　群方秘要三卷

李繼皋　南行方三卷　見《崇文總目》。

白仁叙　唐興集驗方五卷　見《崇文總目》。

包會　應驗方一卷　見《内閣闕書目》。

許聿宗　篋中方三卷　《崇文總目》作"許孝宗"。

梅崇　獻方五卷　見《崇文總目》。

姚和衆　童子祕訣二卷　《内閣闕書目》:"《童子玄應祕訣》三卷。"

又　衆童延齡至寶方十卷　《崇文總目》無"衆童"二字。

孫會　嬰孺方十卷　見《崇文總目》。

邵英俊　口齒論一卷　《崇文總目》:"《口齒論》,邵英俊撰。"

又　排玉集二卷　口齒方。　見《崇文總目》。

李昭明　嵩臺集三卷　見《崇文總目》。

陽曄　膳夫經手録四卷　《崇文總目》:"《膳夫經手論》,楊氏撰。"今存一卷。

嚴龜　食法十卷　震之後,鎮西軍節度使譔子也,昭宗時宣慰汴寨。　見《崇文總目》。

右醫術類，六十四家，一百二十部，四千四十六卷。失姓名三十八家。王方慶以下不著録五十五家，四百八卷。

右醫術，本草二十五家，養生十六家，病源單方二家，食經十家，雜經方五十八家，類聚方一家，共一百一十家，凡三千七百八十九卷。

卷　四

丁部集録，其類三。一曰楚辭類，二曰别集類，三曰總集類。凡著録，八百一十八家，八百五十六部，一萬一千九百二十三卷。不著録，四百八家，五千八百二十五卷。

丁部集録，三類，共八百九十部書，一萬二千二十八卷。楚詞類一，别集類二，總集類三。

王逸　注楚辭十六卷　《隋志》："《楚辭》十二卷并目録，後漢校書郎王逸注。"逸，見儒家。謹按經進本十六卷，其十七卷者，蓋私家别行本。今存。

楚辭十六卷　王逸注。

郭璞　注楚辭十卷　《隋志》："《楚辭》三卷，郭璞注。"璞，見詩類。

楚辭三卷　郭璞注。

楊穆　楚辭九悼一卷　《隋志》："《楚辭九悼》一卷，楊穆撰。"范書《梁統傳》："統子松，松弟竦有《悼騷賦》。"疑即此賦，而楊穆注之也。《後周・楊寬傳》："兄穆，字紹叔，華陰人，仕至車騎將軍。"不知是此楊穆否。

楚辭九悼一卷　楊穆撰。

劉杳　離騷草木蟲魚疏二卷　《隋志》："《離騷草木疏》二卷，劉杳撰。"杳，見雜家。杳疏《離騷》，見本傳。

離騷草木蟲魚疏二卷　劉杳撰。

孟奥　楚辭音一卷　《隋志》："《楚辭音》一卷，孟奥撰。"奥，始末未詳。

楚辭音一卷　孟奥撰。

徐邈　楚辭音一卷　《隋志》："《楚辭音》一卷，徐邈撰。"

楚辭音一卷　徐邈撰。

僧道騫　楚辭音一卷　《隋志》："《楚辭音》一卷，僧道騫撰。"《隋志・序》云："隋時有釋道騫，善讀《楚辭》，能爲楚聲，音韻清切。"

右楚辭類，七家，七部，三十二卷。①

趙荀況集二卷 《漢・藝文志》："《荀卿賦》十篇。"《隋志》："《楚蘭陵荀況集》一卷，殘缺，梁二卷。"況，見儒家。今存六篇。

趙荀況集二卷

楚宋玉集二卷 《漢志》："《宋玉賦》十六篇。"《隋志》："《楚大夫宋玉集》三卷。"玉，見小説家。今存十一篇。

楚宋玉集二卷

漢武帝集二卷 《漢志》："上所自造賦二篇。"《隋志》："《漢武帝集》一卷，梁二卷。"武帝，見《漢書》本紀。今有嚴可均輯本，一百篇，分二卷。

漢武帝集二卷

淮南王安集二卷 《漢志》："《淮南賦》八十二篇。"《隋志》："《漢淮南王集》一卷，梁二卷。"淮南王安，見雜家。今存二篇。

漢淮南王集二卷

賈誼集二卷 《漢志》："《賈誼賦》七篇。"《隋志》："梁又有《賈誼集》四卷，《録》一卷，亡。"誼，見儒家類。今有嚴可均輯本。

前漢賈誼集二卷

枚乘集二卷 《漢志》："《枚乘賦》九篇。"《隋志》："梁又有漢弘農都尉《枚乘集》二卷，②《録》一卷，亡。"乘，見《漢書》本傳。今存五篇。

枚乘集二卷

司馬遷集二卷 《漢志》："《司馬遷賦》八篇。"《隋志》："漢中書令《司馬遷集》一卷。"遷，見正史類。今存三篇。

司馬遷集二卷

東方朔集二卷 《隋志》："漢太中大夫《東方朔集》二卷。"朔，見《漢書》本傳。今存十七篇。

---

① 原脱"右楚辭類七家七部三十二卷"十二字，藕香簃本同，據中華書局點校本《新唐書》補。

② "枚"下原缺"乘"字，藕香簃本同，據中華書局點校本《隋書》改。

東方朔集二卷

董仲舒集二卷　《漢志》儒家:"《董仲舒賦》百二十篇。"《隋志》:"漢膠西相《董仲舒集》二卷,①梁二卷。"仲舒,見公羊家。今存。

董仲舒集二卷

李陵集二卷　《隋志》:"漢騎都尉《李陵集》二卷。"陵,見《漢書·李廣傳》。

李陵集二卷

司馬相如集二卷　《漢志》:"《司馬相如賦》二十九篇。"《隋志》:"漢孝文園令《司馬相如集》一卷。"相如,見小學家。今存二篇。

司馬相如集二卷

孔臧集二卷　《漢志》:"《太常蓼侯孔臧賦》二十篇。"儒家《太常蓼侯孔臧》十篇。《隋志》:"梁又有漢太常《孔臧集》二卷,亡。"臧,孔鮒從曾孫。今存六篇。

孔臧集二卷

魏相集二卷　《隋志》:"梁有漢丞相《魏相集》二卷,《録》一卷。"相字弱翁,濟陰定陶人。《漢書》有傳。今存七篇。

魏相集二卷

張敞集二卷　《隋志》:"梁有左馮翊《張敞集》一卷,《録》一卷,亡。"敞字子高,河東平陽人。《漢書》有傳。今存十五篇。

張敞集二卷

韋玄成集二卷　《隋志》:"梁有漢丞相《韋玄成集》二卷,亡。"賢字咸成孺,②魯國鄒人。《漢書》有傳。今存六篇。

韋玄成集二卷

劉向集五卷　《漢志》:"《劉向賦》三十三篇。"《隋志》:"漢諫議大夫《劉向集》六卷。"向,見尚書類。今有嚴可均輯本五卷。

劉向集五卷

王褒集五卷　《漢志》:"《王褒賦》十六篇。"《隋志》:"漢諫議大夫《王褒集》五卷。"褒字子淵,蜀人。《漢書》有傳。今存八篇。

---

① "膠"字原脱,據《隋書·經籍志》補。

② 此處疑誤。韋賢字長孺,其子玄成字少翁。

王褒集五卷

谷永集五卷 《隋志》:"漢諫議大夫《谷永集》二卷。"永字子雲,長安人。今存二十五篇。

谷永集五卷

杜鄴集五卷 《隋志》:"梁有漢涼州刺史《杜鄴集》二卷,亡。"鄴字子夏,魏郡繁陽人,《漢書》有傳。今存五篇。

杜鄴集五卷

師丹集五卷 《隋志》:"漢司空《師丹集》一卷。梁三卷,《録》一卷。"丹字仲公,瑯琊東武人。《漢書》有傳。今存四篇。

師丹集五卷

息夫躬集五卷 《隋志》:"漢光禄大夫《息夫躬集》一卷。"躬字子微,河内河陽人。《漢書》有傳。今存四篇。

息夫躬集五卷

劉歆集五卷 《隋志》:"漢太中大夫《劉歆集》五卷。"歆,見論語類。今有明張溥、國朝嚴可均輯本。

劉歆集五卷

揚雄集五卷 《隋志》:"漢太中大夫《揚雄集》五卷。"雄,見小學類。今存。

揚雄集五卷

崔篆集一卷 《隋志》:"梁有王莽建新大尹《崔篆集》一卷,亡。"篆,見五行家。

崔篆集一卷

東平王蒼集二卷 《隋志》:"梁有後漢《東平王蒼集》五卷,亡。"蒼,見《後漢書·光武十王傳》。今存九篇。

桓譚集二卷 《隋志》:"梁有後漢《桓譚集》五卷,亡。"譚,見儒家。

後漢桓譚集二卷

史岑集二卷 《隋志》:"梁有中謁者《史岑集》二卷,亡。"岑,見《後漢書》王隆附傳。

史岑集二卷

王文山集二卷 《隋志》:"梁又有《王隆集》二卷,亡。"隆字文山,馮翊雲陽人,見《後漢書·文苑傳》。

王文山集二卷

朱勃集二卷　《隋志》:"梁又有雲陽令《朱勃集》二卷,亡。"勃,見《後漢·馬援傳》。

朱勃集二卷

梁鴻集二卷　《隋志》:"梁又有後漢處士《梁鴻集》二卷,亡。"鴻字伯鸞,扶風平陵人,《後漢書》有傳。

梁鴻集二卷

黄香集二卷　《隋志》:"梁有魏郡太守《黄香集》二卷,亡。"香字文彊,江夏安陸人,《後漢·文苑》有傳。今存六篇。

黄香集二卷

馮衍集五卷　《隋志》:"後漢司隸從事《馮衍集》五卷。"衍字敬通,京兆杜陵人,《後漢書》有傳。今有張溥、嚴可均輯本。

馮衍集五卷

班彪集三卷　《隋志》:"徐令《班彪集》二卷,梁五卷。"彪字叔皮,扶風安陵人也,《後漢書》有傳。今存二十四篇。

班彪集三卷

杜篤集五卷　《隋志》:"後漢車騎從事《杜篤集》一卷。"篤字季雅,京兆杜陵人,《後漢書·文苑》有傳。今存十四篇。

杜篤集五卷

傅毅集五卷　《隋志》:"後漢車騎司馬《傅毅集》二卷,梁五卷。"毅字武仲,扶風茂陵人,《後漢書·文苑》有傳。今存十三篇。

傅毅集五卷

班固集十卷　《隋志》:"後漢大將軍護軍司馬《班固集》十七卷。"固,見小學家。今有張溥、嚴可均輯本。

班固集十卷

崔駰集十卷　《隋志》:"後漢長岑長《崔駰集》十卷。"駰字亭伯,涿郡安平人,《後漢書》有傳。今有張溥、嚴可均輯本。

崔駰集十卷

賈逵集二卷　《隋志》:"後漢侍中《賈逵集》一卷,梁二卷。"逵,見詩家。今存四篇。

賈逵集二卷

劉騊駼集二卷 《隋志》:"後漢校書郎《劉騊駼集》一卷,梁二卷,《録》一卷。"騊駼,見《後漢書·宗室·北海靖王興傳》。今存六篇。

劉騊駼集二卷

崔瑗集五卷 《隋志》:"後漢濟北相《崔瑗集》六卷,梁五卷。"瑗字子玉,駰仲子,見《後漢書》駰傳。今存二十九篇。

崔瑗集五卷

蘇順集二卷 《隋志》:"梁又有郎中《藉順集》二卷,《録》二卷。""藉"當爲"蘇"。順字孝山,京兆霸陵人,《後漢書·文苑》有傳。今存四篇。

蘇順集二卷

竇章集二卷 《隋志》:"梁又有大鴻臚《竇章集》二卷,亡。"章,竇融玄孫,字伯向,見《後漢書》融傳。

竇章集二卷

胡廣集二卷 《隋志》:"梁又有後漢太傅《胡廣集》二卷,《録》一卷,亡。"廣,見職官篇。今存十二篇。

胡廣集二卷

高彪集二卷 《隋志》:"梁有外黄令《高彪集》二卷,《録》一卷,亡。"彪字義方,吴郡無錫人,《後漢書·文苑》有傳。今存三篇。

高彪集二卷

王逸集二卷 《隋志》:"梁有《王逸集》二卷,《録》一卷。"逸,見儒家。今有嚴可均輯本。

王逸集二卷

桓麟集二卷 《隋志》:"梁有司徒掾《桓鱗集》二卷,《録》一卷。"麟字元鳳,榮曾孫行,見《後漢書》榮傳。今存七説八條。范書作"麟",與此同。

桓麟集二卷

邊韶集二卷 《隋志》:"梁又有陳相《邊韶集》一卷,《録》一卷,亡。"韶字孝先,陳留浚儀人,《後漢書·文苑》有傳。今存五篇。

邊韶集二卷

皇甫規集五卷 《隋志》:"梁又有司農卿《皇甫規集》五卷,亡。"規字威明,安定朝那人,《後漢書》有傳。今有張澍輯本。

皇甫規集五卷

張奂集二卷　《隋志》:"梁又有太常卿《張奂集》二卷,《録》一卷,亡。"奂字然明,敦煌酒泉人,《後漢書》有傳。今有張澍輯本。

張奂集二卷

朱穆集二卷　《隋志》:"梁又有益州刺史《朱穆集》二卷,《録》一卷,亡。"穆字公叔,朱暉孫,見《後漢書》暉傳。今存十一篇。

朱穆集二卷

趙壹集二卷　《隋志》:"梁又有上計《趙壹集》二卷,《録》一卷,亡。"今存七篇。

趙壹集二卷

張升集二卷　《隋志》:"梁又有外黄令《張升集》二卷,《録》一卷,亡。"升字彦真,陳留尉氏人,《後漢書》有傳。今存三篇。

張升集二卷

侯瑾集二卷　《隋志》:"梁又有《侯瑾集》二卷,亡。"瑾,見雜史类。今存二篇。

侯瑾集二卷

酈炎集二卷　《隋志》:"梁又有《麗炎集》二卷,《録》二卷。"炎字文勝,范陽人,《後漢書·文苑》有傳。今存二篇。

酈炎集二卷

盧植集二卷　《隋志》:"梁又有《盧植集》二卷,亡。"植,見禮家。今存五篇。

盧植集二卷

劉珍集二卷　《隋志》:"後漢《劉珍集》二卷,《録》一卷。"珍,見正史類。今存四篇。

劉珍集二卷

楊厚集二卷　《隋志》:"吴人《楊厚集》二卷,梁又有《録》一卷。"謹按本《志》以爲西蜀楊仲桓,次於劉珍、張衡之間,不知《隋》及《舊志》皆云吴人。《通志略》以爲楊文厚,然後漢禁二名,斷非各本均脱"文"字,仍是吴人,與仲桓同名耳。

楊厚集二卷

張衡集十卷　《隋志》:"後漢河間《張衡集》十一卷,梁十二卷,又一本十四卷。"衡,見天文家。今有張溥、嚴可均輯本。

張衡集十卷

葛龔集五卷 《隋志》:"後漢黄門郎《葛龔集》六卷,梁五卷,一本七卷。"龔字元甫,梁國甯陵人,《後漢·文苑》有傳。今存九篇。

葛龔集五卷

李固集十卷 《隋志》:"後漢司空《李固集》十二卷,梁十卷。"固字子堅,漢中南鄭人,《後漢》有傳。今存十二篇。

李固集十卷

馬融集五卷 《隋志》:"後漢南郡太守《馬融集》九卷。"融,見易家。今有張溥、嚴可均輯本。

馬融集五卷

崔琦集二卷 《隋志》:"後漢徵士《崔琦集》一卷,梁二卷。"琦字子瑋,涿郡安平人,《後漢·文苑》有傳。今存三篇。

崔琦集二卷

延篤集二卷 《隋志》:"後漢京兆尹《延篤集》一卷,梁二卷,《録》一卷。"篤,見雜史類。今存七篇。

延篤集二卷

劉陶集二卷 《隋志》:"後漢諫議大夫《劉陶集》三卷,梁二卷,《録》一卷。"陶字子奇,潁川潁陰人,《後漢》有傳。

劉陶集二卷

荀爽集二卷 《隋志》:"後漢司空《荀爽集》一卷,梁三卷,《録》一卷。"爽,見易家。

荀爽集二卷

劉梁集二卷 《隋志》:"後漢野王令《劉梁集》三卷,梁二卷,《録》一卷。"梁字曼山,東平寧陽人,《後漢》有傳。

劉梁集二卷

鄭玄集二卷 《隋志》:"梁又有《鄭玄集》二卷,《録》一卷。"玄,見易類。今有嚴可均輯本。

鄭玄集二卷

蔡邕集二十卷 《隋志》:"後漢左中郎將《蔡邕集》十二卷,梁有二十卷,《録》一卷。"邕,見禮類。今存十卷本,猶宋人舊本,嚴可均輯十四卷,則最足之本。

蔡邕集二十卷

應劭集四卷　《隋志》:"後漢太山太守《應劭集》二卷,梁四卷。"劭,見正史類。今存八篇。

應劭集四卷

士孫瑞集二卷　《隋志》:"梁又有《士孫瑞集》二卷,亡。"士孫瑞字君策,扶風人,見《後漢書·王允傳》。

士孫瑞集二卷

張邵集五卷　《隋志》:"梁又有别部司馬《張超集》五卷,亡。"超字子並,河間鄚人,《後漢·文苑》有傳。《玉海》藝文謂:"此即張超,而誤爲邵。"

張邵集五卷

禰衡集二卷　《隋志》:"梁有後漢處士《禰衡集》二卷,《録》一卷,亡。"衡字正平,平原般人,《後漢·文苑》有傳。今存四篇。

禰衡集二卷

孔融集十卷　《隋志》:"後漢少府《孔融集》九卷,梁十卷,《録》一卷。"融,見春秋類。今存一卷。

孔融集十卷

潘勖集二卷　《隋志》:"後漢尚書右丞《潘勖集》,梁有《録》一卷,亡。"勖,見《魏志·衛凱傳》。今存四篇。

潘勖集二卷

阮瑀集五卷　《隋志》:"後漢丞相倉曹屬《阮瑀集》五卷,梁又有《録》一卷,亡。"瑀字元瑜,陳留人,見《魏志·王粲傳》。今存十九篇。

阮瑀集五卷

陳琳集十卷　《隋志》:"後漢丞相軍謀掾《陳琳集》三卷,梁十卷,《録》一卷。"琳字元璋,廣陵人,見《魏志·王粲傳》。今存十九篇。

陳琳集十卷

張紘集一卷　《隋志》:"後漢討虜長史《張紘集》一卷,梁二卷,《録》一卷。"紘字子綱,廣陵人,《吴志》有傳。今存五篇。

張紘集一卷

繁欽集十卷　《隋志》:"後漢丞相主簿《繁欽集》十卷,梁《録》一卷,亡。"欽字休明,見《魏志·王粲傳》。今存二十二篇。

繁欽集十卷

楊修集二卷　《隋志》:"後漢主簿《楊修集》一卷,梁二卷,《録》一卷。"修字德祖,華陰人,見《後漢書·楊震傳》。今存七篇。

楊修集十卷

王粲集十卷　《隋志》:"後漢侍中《王粲集》十一卷。"粲,見書類。今有嚴可均輯本。

王粲集十卷

魏武帝集三十卷　《隋志》:"《魏武帝集》二十六卷,《魏武帝集新撰》十卷,梁三十卷,《録》一卷。梁又有《武皇帝逸集》十卷,亡。"《魏志》本紀。今有張溥、嚴可均輯本。

魏武帝集三十卷

文帝集十卷　《隋志》:"《魏文帝集》十卷,梁二十三卷。"魏文帝,見儒家類。今有嚴可均、張溥輯本。

魏文帝集十卷

明帝集十卷　《隋志》:"《明帝集》十卷,梁五卷,或九卷,《録》一卷。"《魏志》本紀。今有張溥、嚴可均輯本。今存九十篇。

魏明帝集十卷

高貴鄉公集二卷　《隋志》:"梁又有《高貴鄉公集》四卷,亡。"公,見春秋家。今存十四篇。

高貴鄉公集二卷

陳思王集二十卷　又　三十卷　《隋志》:"《魏陳思王集》三十卷。"思王,見雜傳類。今存宋本十卷,嚴可均輯本七卷。

魏陳思王集二十卷　魏思王集三十卷

華歆集三十卷　《隋志》:"梁又有司徒《華歆集》二卷,亡。"歆字子魚,平原高唐人,《魏志》有傳。今存四篇。

魏華歆集二十卷

王朗集三十卷　《隋志》:"魏司徒《王朗集》三十四卷,梁三十卷。"朗,見春秋家。今存三十二篇。

王朗集三十卷

邯鄲淳集二卷　《隋志》:"魏給事中《邯鄲淳集》二卷,梁有《録》一卷。"淳,見小説家。今存五篇。

邯鄲淳集二卷

袁渙集五卷　《隋志》:"梁有行御史大夫《袁渙集》五卷,《録》一卷,亡。"渙字耀卿,陳郡扶樂人,《魏志》有傳。今存三篇。

袁渙集五卷

應瑒集二卷　《隋志》:"魏太子文學《應瑒集》一卷,梁有五卷,《録》一卷,亡。"瑒字德璉,見《魏志·王粲傳》。今存十八篇。

應瑒集二卷

徐幹集五卷　《隋志》:"魏太子文學《徐幹集》五卷,梁有《録》一卷,亡。"幹,見儒家。今存十篇。

徐幹集五卷

劉楨集二卷　《隋志》:"魏太子文學《劉楨集》四卷,《録》一卷。"楨,見詩類。今存十篇。

劉楨集二卷

路粹集二卷　《隋志》:"梁有魏國郎中令《路粹集》二卷,《録》一卷,亡。"粹字文蔚,見《魏志·王粲傳》。

路粹集二卷

丁儀集二卷

丁儀集二卷

丁廙集二卷　《隋志》:"後漢尚書《丁儀集》二卷,梁二卷,《録》一卷。後漢黄門郎《丁廙集》一卷,梁二卷,《録》一卷。"儀字正禮,廙字敬禮,沛郡人,均見《魏志·王粲傳》。

丁廙集二卷

劉廙集二卷　《隋志》:"梁又有《劉廙集》二卷,亡。"廙,見法家。今存二十篇。

劉廙集二卷

吴質集五卷　《隋志》:"梁又有侍中《吴質集》五卷,亡。"質字季重,濟陽人,見《魏志》王粲附傳。

吴質集五卷

孟達集三卷 《隋志》:"梁又有新城太守《孟達集》二卷,亡。"達字子度,扶風人,見《蜀志·劉封傳》。今存五篇。

孟達集三卷

陳群集三卷 《隋志》:"梁又有司徒《陳群集》五卷,亡。"群字長文,潁川許昌人,《魏志》本傳。今存十三篇。

陳群集三卷

王修集三卷 《隋志》:"梁有魏國奉常《王修集》二卷。"修字叔治,北海營陵人,《魏志》列傳。

王修集三卷

管寧集二卷 《隋志》:"梁又有魏徵士《管寧集》三卷,《録》一卷,亡。"寧字幼安,①北海朱虚人,《魏志》有傳。

管寧集二卷

劉邵集二卷 《隋志》:"梁又有光禄勳《劉邵集》二卷,《録》一卷,亡。"邵,見孝經類。今存十三篇。

劉邵集二卷

麋元集五卷 《隋志》:"梁又有散騎常侍《麋元集》五卷,亡。"元,始末未詳。

麋元集五卷

李康集二卷 《隋志》:"梁又有隰陽侯《李康集》二卷,《録》一卷,亡。"康字蕭遠,中山人,起家爲隰陽長。今存三篇。

李康集二卷

孫該集二卷 《隋志》:"梁又有陳郡太守《孫該集》二卷,《録》一卷,亡。"該字公達,任城人,見《魏志·劉邵傳》。今存二篇。

孫該集二卷

卞蘭集二卷 《隋志》:"梁又有游擊將軍《卞蘭集》二卷,《録》一卷,亡。"蘭,見《魏志·武宣卞后傳》。今存四篇。

---

① "幼"原作"又",據藕香簃本改。

卞蘭集二卷

傅巽集二卷　《隋志》:"梁又有尚書《傅巽集》二卷,《録》一卷,亡。"巽字公悌,北地泥陽人,黄初中爲侍中,遷尚書。今存五篇。

傅巽集二卷

高堂隆集十卷　《隋志》:"魏光禄勳《高堂隆集》六卷,梁十卷,《録》一卷。"隆,見刑法類。今有嚴可均輯本。

高堂隆集十卷

繆襲集五卷　《隋志》:"魏散騎常侍《繆襲集》五卷,梁有《録》一卷。"襲,見雜傳類。凡存十四篇。

繆襲集五卷

殷褒集二卷　《隋志》:"魏章武太守《殷褒集》一卷,梁二卷。"褒字元祚,爲滎陽令,有異政,遷章武太守。

殷褒集二卷

韋誕集三卷　《隋志》:"梁又有光禄大夫《韋誕集》三卷,《録》一卷,亡。"誕,見五行類。今存八篇。

韋誕集三卷

曹羲集五卷　《隋志》:"梁又有中領軍《曹羲集》五卷,《録》一卷,亡。"羲,見《魏志·曹真傳》。今存五篇。

曹羲集五卷

傅嘏集二卷　《隋志》:"梁又有太常卿《傅嘏集》二卷,《録》一卷。"嘏字蘭石,北地泥陽人,巽弟,《魏志》有傳。

傅嘏集二卷

桓範集二卷　《隋志》:"梁又有《桓範集》二卷,亡。"範,見法家類。今有嚴可均輯本。

桓範集二卷

夏侯霸集二卷　《隋志》:"梁又有蜀征北將軍《夏侯霸集》二卷,亡。"霸字仲權,見《魏志·夏侯淵傳》。

夏侯霸集二卷

鍾毓集五卷　《隋志》:"梁有車騎將軍《鍾毓集》五卷,《録》一卷,亡。"毓字稚叔,繇子，見《魏志·鍾繇傳》。今存四篇。

鍾毓集五卷

江奉集二卷　《隋志》："梁有征東司馬《江奉集》二卷，亡。"謹按魏有江衛，嚴氏《文編》，爵里未詳。《文選·齊安陸碑文》注有衛《與荀仲茂牋》①，或本江衛而譌江奉歟？

江奉集二卷

夏侯惠集二卷　《隋志》："梁又有樂安太守《夏侯惠集》二卷，《録》一卷，亡。"惠字稚權，沛國譙人，見《魏志·夏侯淵傳》。今存二篇。

夏侯惠集二卷

毋丘儉集二卷　《隋志》："《毋丘儉集》二卷，《録》一卷，亡。"儉，見雜傳類。今存八篇。

毋丘儉集二卷

王弼集五卷　《隋志》："梁又有《王弼集》五卷，《録》一卷。"弼，見易家。

王弼集五卷

吕安集二卷　《隋志》："梁又有魏徵士《吕安集》二卷，《録》一卷，亡。"安字仲悌，東平人，見《魏志》王粲附傳。

吕安集二卷

王昶集五卷　《隋志》："魏司空《王昶集》五卷，梁有《録》一卷。"昶字文舒，太原晋陽人，《魏志》有傳。今存八篇。

王昶集五卷

王肅集五卷　《隋志》："魏衛將軍《王肅集》五卷，梁有《録》一卷。"肅，見易類。今有嚴可均輯本。

王肅集五卷

何晏集十卷　《隋志》："魏尚書《何晏集》十一卷，梁十卷，《録》一卷。"晏，見孝經類。今存十四篇。

何晏集十卷

應瑗集十卷　《隋志》："魏衛尉卿《應璩集》十卷，梁有《録》一卷。"謹按《隋志》無瑗

---

① "衛"原訛作"魏"，據《文選》卷五九沈休文《齊故安陸昭王碑文》注改。

集,《唐志》無璩集,嚴可均斷以瑗集即璩集,未知是否。

應瑗集十卷

杜摯集二卷 《隋志》:"魏校書郎《杜摯集》二卷。"摯字德魯,河東人,見《魏志·劉邵傳》。

杜摯集二卷

夏侯玄集二卷 《隋志》:"魏太常《夏侯玄集》三卷。"玄字太初,見《魏志·夏侯尚傳》。

夏侯玄集二卷

程曉集二卷 《隋志》:"魏汝南太守《程曉集》二卷,梁有《録》一卷。"曉字季明,東郡東阿人,見《魏志·程昱傳》。今存三篇。

程曉集二卷

阮籍集五卷 《隋志》:"魏步兵校尉《阮籍集》十卷,梁十三卷,《録》一卷。"籍字嗣宗,陳留尉氏人,《晋書》有傳。今存。

阮籍集五卷

嵇康集十五卷 《隋志》:"魏中散大夫《嵇康集》十三卷,梁十五卷,《録》一卷。"康,見春秋類。今存。

嵇康集十五卷

鍾會集十卷 《隋志》:"魏司徒《鍾會集》九卷,梁十卷,《録》一卷。"會,見易類。

鍾會集十卷

蜀許靖集二卷 《隋志》:"梁又有蜀司徒《許靖集》二卷,《録》一卷,亡。"靖字文林,汝南平輿人,見《蜀志》本傳。今存三篇。

蜀許靖集二卷

諸葛亮集二十四卷 《隋志》:"蜀丞相《諸葛亮集》二十五卷,梁二十四卷。"亮,見正史類。今存。

諸葛亮集二十四卷

吴張温集五卷 《隋志》:"吴輔義中郎將《張温集》六卷。"温字惠如,吴郡人,《吴志》有傳。

吴張温集五卷

士燮集五卷 《隋志》:"梁有《士燮集》五卷,亡。"燮,見春秋類。

士燮集五卷

虞翻集三卷 《隋志》:"後漢侍御史《虞翻集》二卷,梁三卷,《録》一卷。"翻,見易家。今存十二篇。

虞翻集三卷

駱統集十卷 《隋志》:"吴偏將軍《駱統集》十卷,梁有《録》一卷。"統字公序,會稽烏傷人,《吴志》有傳。

駱統集十卷

暨豔集二卷 《隋志》:"吴選曹尚書《暨豔集》二卷,梁三卷,《録》一卷。"豔字子休,吴郡人,《吴志》有傳。

暨豔集二卷

謝承集四卷 《隋志》:"梁又有《謝承集》四卷,亡。"承,見正史類。

謝承集四卷

姚信集十卷 《隋志》:"梁又有《姚信集》二卷,《録》一卷,亡。"信,見易家。

姚信集十卷

陸凱集五卷 《隋志》:"吴丞相《陸凱集》五卷,梁有《録》一卷。"凱,見雜傳類。《舊志》無。今存八篇。

華覈集五卷 《隋志》:"梁又有東觀令《華覈集》五卷,《録》一卷,亡。"覈字承先,吴郡武進人,《吴志》有傳。今存十一篇。

華覈集五卷

胡綜集二卷 《隋志》:"吴侍中《胡綜集》二卷,梁有《録》一卷。"綜字偉則,汝南固始人,《吴志》有傳。今存六篇。

胡綜集二卷

薛瑩集二卷 《隋志》:"晋散騎常侍《薛瑩集》三卷。"瑩,見正史類。謹按此《志》列瑩於薛綜之前,誤甚,綜即瑩之父。

薛瑩集二卷

薛綜集三卷 《隋志》:"梁又有太子少傅《薛綜集》三卷,《録》一卷,亡。"綜字敬文,沛郡竹邑人,《吴志》有傳。今存十一篇。

薛綜集三卷

張儼集二卷　《隋志》:"吴侍中《張儼集》一卷,梁二卷,《録》一卷。"儼,見雜家。

張儼集二卷

韋昭集二卷　《隋志》:"梁又有《韋昭集》二卷,《録》一卷,亡。"昭,見詩類。今存五篇。

韋昭集二卷

紀隲集二卷　《隋志》:"吴中書令《紀隲集》三卷,梁有《録》一卷。"隲字子上,丹陽人,隲即涉,見《吴志·孫皓傳。》

紀隲集二卷

晉宣帝集五卷　《隋志》:"《晉宣帝集》五卷,梁有《録》一卷。"宣帝,見《晉書》本紀。凡一十五篇。

晉宣帝集五卷

文帝集二卷　《隋志》:"《晉文帝集》三卷。"文帝,見《晉書》本紀。

晉文帝集二卷

明帝集五卷　《隋志》:"梁又有《晉明帝集》五卷,《録》一卷,亡。"明帝,見《晉書》本紀。今有嚴可均輯本。

晉明帝集五卷

簡文帝集五卷　《隋志》:"梁又有《簡文帝集》五卷,《録》一卷。"簡文帝,見道家。今存十二篇。

晉簡文帝集五卷

齊王攸集二卷　《隋志》:"《齊王攸集》二卷,梁三卷。"攸字大猷,見《晉·六王傳》。今存十四篇。

晉齊王攸集二卷

會稽王道子集八卷　《隋志》:"晉《會稽王司馬道子集》八卷,梁八卷。"道子字道子,見《晉書·簡文三子傳》。今存七篇。

晉會稽王集八卷

彭城王集八卷　《隋志》:"梁又有《彭城王紘集》二卷,亡。"彭城後王紘字緯德,《晉·宗室》有傳。

晉彭城王集八卷

譙王集三卷 《隋志》:"梁又有《譙烈王集》九卷,《録》一卷。"譙嗣王無忌字公壽,《晉·宗室》有傳。今存三篇。

晉譙王集三卷

王沈集五卷 《隋志》:"晉《王沈集》五卷。"沈,見正史類。今存十四篇。

王沈集五卷

鄭袤集二卷 《隋志》:"梁有《鄭袤集》二卷,亡。"袤字林叔,滎陽開封人,《晉書》有傳。

鄭袤集二卷

應貞集五卷 《隋志》:"晉散騎常侍《應貞集》一卷,梁五卷。"貞字吉甫,汝南南頓人,璩子,《晉書·文苑》有傳。今存九篇。

應貞集五卷

嵇喜集二卷 《隋志》:"晉宗正《嵇喜集》一卷,殘缺。梁二卷,《録》一卷。"喜字公穆,康兄,見《魏志·王粲傳》附注。

嵇喜集二卷

傅玄集五十卷 《隋志》:"晉司隸校尉《傅玄集》十五卷,梁五十卷,《録》一卷,亡。"玄,見雜家類。今有嚴可均輯本。

傅玄集五十卷

成公綏集十卷 《隋志》:"晉著作郎《成公綏集》九卷,殘缺,梁十卷。"公綏字子安,東郡白馬人,《晉書》有傳。今存三十六篇。

成公綏集十卷

裴秀集三卷 《隋志》:"梁又有《裴秀集》三卷,《録》一卷,亡。"秀字文行,河東聞喜人,見《魏志·裴潛傳》。今存四篇。

裴秀集三卷

何禎集五卷 《隋志》:"晉金紫光禄大夫《何禎集》一卷,梁五卷。"禎字元幹,盧江灊人,晉光禄大夫。今存五篇。

何禎集五卷

袁準集二卷 《隋志》:"梁又有《袁準集》二卷,《録》一卷,亡。"準,見禮類。今存三篇。

袁準集二卷

山濤集五卷 《隋志》:"晋少傅《山濤集》九卷,梁五卷,《録》一卷,又一本十卷,齊奉朝請裴津注。"濤字巨源,河内懷人,《晋書》有傳。今存五十一條。爲詩文集注者始此。

山濤集五卷

向秀集二卷 《隋志》:"梁又有《向秀集》二卷,《録》一卷,亡。"秀,見道家。今存三篇。

向秀集二卷

阮沖集二卷 《隋志》:"梁又有平原太守《阮沖集》二卷,《録》一卷,亡。"沖字德猷,陳留尉氏人,《晋書》有傳。

阮沖集二卷

阮偘集二卷 《隋志》:"梁又有《阮偘集》五卷,《録》一卷,亡。"①

阮偘集二卷

羊祜集二卷 《隋志》:"晋太傅《羊祜集》一卷,殘缺。梁二卷,《録》一卷。"祜,見道家類。今存七篇。

羊祜集二卷

贾充集二卷 《隋志》:"梁又有太宰《賈充集》五卷,《録》一卷,亡。"充字公閭,平陽襄城人,《晋書》有傳。今存四篇。

贾充集二卷

荀勖集二十卷 《隋志》:"梁又有《荀勖集》三卷,《録》一卷。亡。"勖,見簿録類。今存十六篇。

荀勖集二十卷

杜預集二十卷 《隋志》:"晋征南將軍《杜預集》十八卷。"預,見禮類。今存二十八篇。

杜预集二十卷

王濬集二卷 《隋志》:"晋輔國將軍《王濬集》一卷,殘缺。梁二卷,《録》一卷。"濬字士治,弘農湖人,《晋書》有傳。今存三篇。

---

① 藕香簃本"亡"後有"偘,字德如,沖兄弟,行衛尉阮共之少子,亦與嵇集爲友"二十一字。

王濬集二卷

皇甫謐集二卷 《隋志》:"晋徵士《皇甫謐集》三卷,《録》一卷。"謐,見雜史類。今存十三篇。

皇甫謐集二卷

程咸集二卷 《隋志》:"晋侍中《程咸集》三卷。"咸字延休,累遷至侍中。今存三篇。

程咸集二卷

劉毅集二卷 《隋志》:"梁有光禄大夫《劉毅集》二卷,《録》一卷。"毅字仲謀,東萊掖人。今存五篇。

劉毅集二卷

庾峻集三卷 《隋志》:"梁有晋侍中《庾峻集》二卷,《録》一卷,亡。"峻字山甫,潁川鄢陵人,《晋書》有傳。今存三篇。

庾峻集三卷

郄正集一卷 《隋志》:"晋巴西太守《郄正集》一卷。"正字令先,河南偃師人,《蜀志》有傳。今存三篇。

郄正集一卷

楊泉集二卷 《隋志》:"晋處士《楊泉集》二卷,《録》一卷。"泉,見儒家類。今存七篇。

楊泉集二卷

陶濬集二卷 《隋志》:"梁有散騎常侍《陶濬集》二卷,《録》一卷,亡。"濬,璜弟,見《晋書·陶璜傳》。

陶濬集二卷

宣騁集三卷 《隋志》:"梁有《宣舒集》五卷,亡。"舒,見道家類。舒字幼驥,陳郡人,爲宣城令。今存一篇。謹按本《志》"騁",《舊志》"聘"皆"舒"之訛也。

宣騁集三卷

曹志集二卷 《隋志》:"梁有散騎常侍《曹志集》二卷,《録》一卷,亡。"志字允恭,植子,見《魏志·陳思王傳》。今存二篇。

曹志集二卷

鄒湛集四卷 《隋志》:"梁有《鄒湛集》三卷,《録》一卷,亡。"湛,見易類。

鄒湛集四卷

孫毓集五卷　《隋志》:"晋汝南太守《孫毓集》六卷。"毓,見詩類。今存一十五篇。

孫毓集五卷

王渾集五卷　《隋志》:"梁有司徒《王渾集》五卷。"渾字玄沖,太原晋陽人,《晋書》有傳。今存九篇。

王渾集五卷

王深集四卷　《隋志》:"梁有冀州刺史《王深集》五卷,亡。"深,渾弟。

王深集四卷

江偉集五卷　《隋志》:"晋通事郎《江偉集》六卷。"偉,陳留襄邑人。謹按偉之《詩序》云:"正元二年。"是魏時作。《文選注》引江偉《與荀仲茂箋》,似即此江偉也。

江偉集五卷

閔鴻集二卷　《隋志》:"晋徵士《閔鴻集》三卷。"鴻,廣陵人,見《晋書·陸雲傳》。今存五篇。

閔鴻集二卷

裴楷集二卷　《隋志》:"梁有光禄大夫《裴楷集》二卷,《録》一卷,亡。"楷字叔則,河東聞喜人,見《晋書·裴秀傳》。

裴楷集二卷

何邵集二卷　《隋志》:"梁有太子中庶子《何邵集》二卷,《録》一卷。"邵字敬祖,曾子,見《晋書·何曾傳》。

何邵集二卷

劉頌集三卷　《隋志》:"梁有大夫《劉頌集》三卷,《録》一卷,亡。"頌字子雅,廣陵人,《晋書》有傳。今存四篇。

劉頌集三卷

劉寔集二卷　《隋志》:"梁有《劉寔集》二卷,《録》一卷,亡。"寔,見春秋類。

劉寔集二卷

裴頠集十卷　《隋志》:"晋尚書僕射《裴頠集》九卷。"頠字逸民,河東聞喜人,秀子,見《晋書·裴秀傳》。

裴頠集十卷

許孟集二卷 《隋志》:"梁有太子中庶子《許孟集》三卷,《録》一卷,亡。"謹按孟不見他書,似是許猛。猛字子豹,允次子。

許孟集二卷

王祐集三卷 《隋志》:"晋散騎常侍《王佑集》三卷,《録》一卷。"此《志》"祐"當作"佑"。佑,濟弟。

王祐集三卷

王濟集二卷 《隋志》:"梁有晋驃騎將軍《王濟集》二卷,亡。"濟字武子,見《晋書·王渾傳》。

王濟集二卷

華嶠集二卷 《隋志》:"《華嶠集》八卷,梁二卷。"嶠,見正史類。今存九篇。

華嶠集二卷

庾儵集三卷 《隋志》:"梁又有尚書《庾儵集》二卷,《録》一卷。"儵字女默,潁川鄢陵人,侍中峻從弟。

庾儵集三卷

謝衡集二卷 《隋志》:"梁又有國子祭酒《謝衡集》二卷,亡。"衡,謝鯤之父,陳國陽夏人,仕至國子祭酒。今存三篇。

謝衡集二卷

傅咸集三十卷 《隋志》:"晋司隸校尉《傅咸集》十七卷,梁三十卷,《録》一卷。"咸字長虞,玄子,官至司隸校尉。今有張溥輯本。

傅咸集三十卷

棗據集二卷 《隋志》:"梁又有太子中庶子《棗據集》二卷,《録》一卷,亡。"據字道彦,潁川長社人,本姓棘,《晋書·文苑》有傳。今存五篇。

棗據集二卷

劉寶集三卷 《隋志》:"梁又有《劉寶集》三卷,亡。"寶,見正史類。

劉寶集三卷

孫楚集十卷 《隋志》:"晋馮翊太守《孫楚集》六卷,梁十二卷,《録》一卷。"楚字子京,太原人,《晋書》有傳。

孫楚集十卷

王讚集二卷 《隋志》:"梁又有散騎常侍郎《王讚集》五卷,①亡。"讚字正長,義陽人,永嘉中爲陳留内史,加散騎常侍。

王讚集二卷

夏侯湛集十卷 《隋志》:"晋散騎常侍《夏侯湛集》十卷,梁有《録》一卷。"湛,見儒家類。今存十九篇。

夏侯湛集十卷

夏侯淳集十卷 《隋志》:"梁又有弋陽太守《夏侯淳集》二卷。"②淳字孝沖,官至弋陽太守。今存四篇。

夏侯淳集十卷

張敏集二卷 《隋志》:"晋尚書《張敏集》二卷,梁五卷。"敏,太原中部人,仕歷平南參軍、太子舍人、濟北長史。今存四篇。

張敏集二卷

劉訏集二卷 《隋志》:"梁有宗正《劉訏集》二卷,《録》一卷,亡。"訏字文生,涿鹿郡人,放子,見《魏志·劉放傳》。

劉訏集二卷

李重集二卷 《隋志》:"梁有散騎常侍《李重集》二卷,亡。"重字茂曾,江夏鐘武人,《晋書》有傳。今存八篇。

李重集二卷

樂廣集二卷 《隋志》:"梁有光禄大夫《樂廣》二卷,《録》一卷,亡。"樂字彦輔,南陽淯陽人,《晋書》有傳。

樂廣集二卷

阮渾集二卷 《隋志》:"梁有《阮渾集》三卷,《録》一卷,亡。"渾,見易類。

阮渾集二卷

楊乂集三卷 《隋志》:"梁有左長史《楊乂集》三卷,《録》一卷,亡。"乂,見易類。

楊乂集三卷

張華集十卷 《隋志》:"梁有晋司空《張華集》十卷,《録》一卷。"華,見雜家類。今有

① "郎"字原脱,據藕香簃本補。

② "卷"上原脱"二"字,藕香簃本同,據武英殿本《隋書》補。

張溥、嚴可均輯本。

張華集十卷

李虔集十卷 《隋志》:"晋漢中太守《李虔集》一卷。梁二卷,《録》一卷。"《晋書》:"李密字令伯,一名虔,犍爲武陽人,太子洗馬。"今存三篇。

李虔集十卷

石崇集五卷 《隋志》:"晋衛尉《石崇集》六卷。梁有《録》一卷。"崇字季倫,渤海南皮人,苞子,《晋書》有傳。今存九篇。

石崇集五卷

潘岳集十卷 《隋志》:"晋黄門郎《潘岳集》十卷。"岳字安仁,滎陽中牟人,《晋書》有傳。今存六篇。

潘岳集十卷

潘尼集十卷 《隋志》:"晋太常卿《潘尼集》十卷。"尼字正叔,河南人,見《魏志·衛凱傳》。今存二十六篇。

潘尼集十卷

歐陽建集二卷 《隋志》:"晋頓丘太守《歐陽建集》二卷。"建字堅石,冀方右族,歷山陽令,尚書郎,馮翊太守。

歐陽建集二卷

嵇紹集二卷 《隋志》:"晋侍中《嵇紹集》二卷,《録》一卷。"紹字延祖,康子,見《魏志·王粲傳》注。今存五篇。

嵇紹集二卷

衛展集十四卷 《隋志》:"晋光禄大夫《衛展集》十二卷,梁十五卷。"展字道舒,河東安邑人,見《晋書·衛瓘傳》。今存三篇。

衛展集十四卷

盧播集二卷 《隋志》:"晋尚書《盧播集》二卷,梁二卷,《録》一卷。"播字景宣,陳留人,爲本州别駕,後爲尚書。

盧播集二卷

欒肇集五卷 《隋志》:"梁又有《欒肇集》五卷,《録》一卷,亡。"肇,見易類。

欒肇集五卷

應亨集二卷 《隋志》:"梁又有南中郎將軍《應亨集》二卷,亡。"亨,應奉之六世孫,爲著作郎,累遷南中郎長史。今存五篇。

應亨集二卷

司馬彪集三卷　《隋志》:"晋祕書丞《司馬彪集》四卷,梁三卷,《録》一卷。"彪,見正史類。今存五篇。

司馬彪集三卷

杜育集二卷　《隋志》:"晋國子祭酒《杜育集》二卷。"《世説·品藻篇》注:"育字方城,襄城鄧陵人,有才藻,時人謂之杜聖。"

杜育集二卷

摯虞集十卷　《隋志》:"晋太常卿《摯虞集》九卷,梁十卷,《録》一卷。"虞,見儀注篇。今有張溥、嚴可均輯本。

摯虞集十卷

繆徵集二卷　《隋志》:"梁又有祕書監《繆徵集》二卷,《録》一卷。"徵,見《魏志·劉卲傳》注。謹按嚴氏《文編》云:"繆世應一作應世,當在惠帝時。"按"世應"頗似徵之字,疑即其人也。

繆徵集二卷

左思集五卷　《隋志》:"晋齊王府記室《左思集》二卷,梁五卷,《録》一卷。"思字太沖,齊國臨菑人,《晋書·文苑》有傳。今存七篇。

左思集五卷

夏侯靖集二卷　《隋志》:"梁又有晋豫章太守《夏靖集》二卷,《録》一卷,亡。"謹按《晋書·熊遠傳》:"遠,豫章南昌人,太守會稽夏靖辟爲功曹,静去職,遠送至會稽。"蓋即此夏靖。"靖"、"静"通,此《志》作"夏侯靖",似衍"侯"字。

夏侯靖集二卷

鄭豐集二卷　《隋志》:"梁又有吴王文學《鄭豐集》二卷,《録》一卷,亡。"豐字曼季,沛國人,見《吴志》注。

鄭豐集二卷

陳略集二卷　《隋志》:"梁又有清河王文學《陳略集》二卷,《録》一卷,亡"。略,始末未詳。

陳略集二卷

張翰集二卷　《隋志》:"梁又有大司馬東曹掾《張翰集》二卷,《録》一卷,亡。"翰字季鷹,吴人,《晋書・文苑》有傳。

張翰集二卷

陸機集十五卷 《隋志》:"晋平原内史《陸機集》十四卷,梁四十七卷,《録》一卷,亡。"機,見小學類。今存《二俊集》。

陸機集十五卷

陸雲集十卷 《隋志》:"晋清河太守《陸雲集》十二卷,梁十卷,《録》一卷。"雲,見道家類。今存。

陸雲集十卷

陸沖集二卷 《隋志》:"梁又有揚州從事《陸沖集》二卷,《録》一卷,亡。"沖,始末未詳。

陸沖集二卷

孫極集二卷 《隋志》:"梁又有少府丞《孫極集》二卷。"謹按《吴志》"孫桓"作"孫丞",字顯世。《晋書・陸機傳》作"孫拯",此"孫極"大抵是"孫拯"之誤,故次于二陸之後。

孫極集二卷

張載集二卷 《隋志》:"晋中書《張載集》七卷,梁一本二卷,《録》一卷。"載字孟陽,安平人,《晋書》有傳。今存十三篇。

張載集二卷

張協集二卷 《隋志》:"晋黄門郎《張協集》三卷,梁四卷,《録》一卷。"協字景陽,見《晋書・張載傳》。今有張溥、嚴可均輯本。

張協集二卷

束皙集五卷 《隋志》:"晋著作郎《束皙集》七卷。梁五卷,《録》一卷。"皙,見小學類。今有張溥、嚴可均輯本。

束皙集五卷

華譚集二卷 《隋志》:"梁又有《華譚集》二卷,亡。"譚,見儒家類。今存七篇。

華譚集二卷

曹攄集二卷 《隋志》:"梁又有征南司馬《曹攄集》三卷,《録》一卷。"攄字顔遠,肇孫,見《魏志・曹休傳》。今存三篇。

曹攄集二卷

江統集十卷　《隋志》:“梁又有散騎常侍《江統集》十卷,《録》一卷,亡。”統字應元,陳留圉人,《晋書》有傳。今存十四篇。

江統集十卷

胡濟集五卷　《隋志》:“梁又有著作郎《胡濟集》五卷,《録》一卷,亡。”濟,元康中爲尚書郎,領著作郎。今存四篇。

胡濟集五卷

卞粹集二卷　《隋志》:“晋中書令《卞粹集》一卷,梁五卷。”粹字玄化,壼父,見《晋書·卞壼傳》。

卞粹集二卷

閭丘沖集二卷　《隋志》:“梁又有光禄勳《閭丘沖集》二卷,《録》一卷,亡。”沖字賓卿,高平人,見《世説》引《兖州記》。

閭丘沖集二卷

庾敳集二卷　《隋志》:“晋太傅從事中郎《庾敳集》一卷,梁五卷,《録》一卷。”敳字子嵩,潁川鄢陵人,見《晋書·庾峻傳》。今存二篇。

庾敳集二卷

阮瞻集二卷　《隋志》:“梁又有太子舍人《阮瞻集》二卷,《録》一卷,亡。”瞻字千里,籍從孫,見《晋書·阮籍傳》。

阮瞻集二卷

阮修集二卷　《隋志》:“梁又有太子洗馬《阮修集》二卷,《録》一卷,亡。”籍從子修,字宣子,見《晋書·阮籍傳》。今存二篇。《舊志》作“循”。

阮循集二卷

裴邈集二卷　《隋志》:“梁又有廣威將軍《裴邈集》二卷,《録》一卷,亡。”邈字景聲,河東聞喜人,見《魏志·裴潛傳》。

裴邈集二卷

郭象集五卷　《隋志》:“晋太傅《郭象集》二卷,梁五卷,《録》一卷。”象,見論語類。

郭象集五卷

嵇含集十卷　《隋志》:“梁又有廣州刺史《嵇含集》十卷,《録》一卷,亡。”含字君道,紹從子,見《晋書·嵇紹傳》。今存二十五篇。

嵇含集十卷

孫惠集十卷 《隋志》:"晋安豐太守《孫惠集》八卷,梁十一卷,《録》一卷。"惠字德施,吴國富陽人,《晋書》有傳。今存十篇。

孫惠集十卷

蔡洪集二卷 《隋志》:"梁又有松滋令《蔡洪集》二卷,《録》一卷,亡。"洪,見儒家類。今存四篇。

蔡洪集二卷

牽秀集五卷 《隋志》:"晋平北將軍《牽秀集》四卷,梁三卷,《録》一卷。"秀字成叔,武邑觀津人,《晋書》有傳。今存五篇。

牽秀集五卷

蔡克集二卷 《隋志》:"梁又有車騎從事中郎《蔡克集》二卷,《録》一卷。"克字子尼,陳留考城人,見《晋書》謨傳。

蔡克集二卷

索靖集二卷 《隋志》:"梁又有游擊將軍《索靖集》三卷,亡。"靖字幼安,敦煌人,《晋書》有傳。

索靖集二卷

閻纂集二卷 《隋志》:"梁又有隴西太守《閻纂集》二卷,《録》一卷,亡。"纂字續伯,巴西安漢人,《晋書》有傳。

閻纂集二卷

張輔集二卷 《隋志》:"梁又有泰州刺史《張輔集》二卷,《録》一卷,亡。"輔字世偉,南陽西鄂人。今存三篇。

張輔集二卷

殷巨集二卷 《隋志》:"梁又有交阯太守《殷巨集》二卷,《録》一卷,亡。"巨字元大。今存二篇。

殷巨集二卷

陶佐集五卷 《隋志》:"梁又有太子洗馬《陶佐集》五卷,《録》一卷,亡。"佐,始末未詳。

陶佐集五卷

仲長敖集二卷 《隋志》:"梁又有《仲長敖集》二卷,亡。"敖,始末未詳。

仲長敖集二卷

虞浦集二卷　《隋志》:"梁又有東晉鄱陽太守《虞溥集》二卷,《録》一卷,亡。"溥字允源,高平昌邑人,《晉書》有傳。

虞浦集二卷

吴商集五卷　《隋志》:"梁又有益陽令《吴商集》五卷,亡。"商,見禮類。今存七篇。

吴商集五卷

劉弘集三卷　《隋志》:"梁又有晉太常卿《劉弘集》三卷,《録》一卷,亡。"弘字和季,沛國相人,《晉書》有傳。今存十篇。

劉弘集三卷

山簡集二卷　《隋志》:"梁又有開府《山簡集》二卷,《録》二卷,亡。"簡字季倫,懷人,濤子,見《晉書·山濤傳》。今存二篇。

山簡集二卷

宗岱集三卷　《隋志》:"梁又有兗州刺史《宗岱集》二卷。"岱,見易類。

宗岱集三卷

王曠集五卷　《隋志》:"梁又有濟陽内史《王曠集》五卷,《録》一卷。"曠,羲之父,淮南太守。

王曠集五卷

王峻集二卷　《隋志》:"梁又有侍中《王峻集》二卷,《録》一卷,亡。"峻,始末未詳,或以爲即王浚,司空王沈子,未知是否。

王峻集二卷

棗嵩集二卷　《隋志》:"晉散騎常侍《棗嵩集》二卷,梁二卷,《録》一卷。"嵩字臺産,潁川長社人,據弟,見《晉書·文苑·棗據傳》。

棗嵩集二卷

劉琨集十卷　《隋志》:"晉太尉《劉琨集》九卷,梁十卷,《劉琨别集》十二卷。"今存二十三篇。

劉琨集十卷

盧諶集十卷　《隋志》:"晉司空從事中郎《盧諶集》十卷,梁有《録》一卷。"諶,見禮類。今存十九篇。

盧諶集十卷

傅暢集五卷 《隋志》:"晋祕書丞《傅暢集》五卷,梁有《録》一卷。"暢,見雜史類。

傅暢集五卷

顧榮集五卷 《隋志》:"梁又有驃騎將軍《顧榮集》五卷,《録》一卷,亡。"榮字彦先,吴國吴人,《晋書》有傳。今存五篇。

顧榮集五卷

荀組集二卷 《隋志》:"梁又有東晋太尉《荀組集》三卷。"組字大章,勖子,見《晋書·荀勖傳》。

荀組集二卷

周顗集二卷 《隋志》:"梁又有光禄大夫《周顗集》二卷,《録》一卷,亡。"顗字伯仁,見《晋書·周浚傳》。今存二篇。

周顗集二卷

周嵩集三卷 《隋志》:"梁又有大鴻臚《周嵩集》三卷,《録》一卷,亡。"嵩字仲智,見《晋書·周浚傳》。今存二篇。

周嵩集三卷

王導集十卷 《隋志》:"晋丞相《王導集》十一卷,梁十卷,《録》一卷。"導字茂宏,瑯琊臨沂人,《晋書》有傳。今存一十二篇。《舊志》誤作"道"。

王道集十卷

荀邃集二卷 《隋志》:"梁又有金紫光禄大夫《荀邃集》二卷,《録》一卷,亡。"邃字道玄,勖孫,見《晋書·荀勖傳》。《舊志》"邃"作"遂"。

荀遂集二卷

王敦集五卷 《隋志》:"晋大將軍《王敦集》十卷。"敦字處仲,瑯琊人,見《晋書·叛逆傳》。今存十篇。

王敦集五卷

謝琨集二卷 《隋志》:"晋太常卿《謝鯤集》二卷,梁六卷。"鯤字幼輿,陳國陽夏人,《晋書》有傳。謹按"琨"即"鯤",晋人。

謝鯤集二卷

張抗集二卷 《隋志》:"梁又有散騎常侍《張抗集》二卷,《録》一卷,亡。"抗字季陽,安平人,見《晋書·張載傳》。

張抗集二卷

賈霖集三卷　《隋志》:"梁又有車騎長史《賈彬集》三卷,《録》一卷,亡。"彬即霖,始末未詳。今《初學記》有《筝賦》一篇。

賈霖集三卷

劉隗集三卷　《隋志》:"梁又有鎮北將軍《劉隗集》二卷,亡。"隗字大連,彭城人,《晋書》有傳。今存九篇。

劉隗集三卷

應詹集五卷　《隋志》:"梁又有鎮西大將軍《應瞻集》五卷,亡。""瞻"當作"詹"。詹,見舊事類。今存七篇。

應詹集五卷

陶侃集二卷　《隋志》:"梁又有大司馬《陶侃集》二卷,《録》一卷,亡。"侃,見舊事類。今存十二篇。

陶侃集二卷

王洽集三卷　《隋志》:"晋中書令《王洽集》五卷,《録》一卷。"洽字敬和,導子,見《晋書·王導傳》。

王洽集三卷

張闓集三卷　《隋志》:"梁又有金紫光禄大夫《張闓集》二卷,《録》一卷,亡。"闓字敬緒,丹陽人,《晋書》有傳。今存三篇。

張闓集三卷

卞壼集二卷　《隋志》:"梁又有驃騎將軍《卞壼集》二卷,《録》一卷,亡。"壼字望之,濟陽宛句人,《晋書》有傳。今存十一篇。

卞壼集二卷

劉超集二卷　《隋志》:"梁又有衛尉卿《劉超集》二卷,亡。"超字世瑜,瑯琊臨沂人,《晋書》有傳。

劉超集二卷

楊方集二卷　《隋志》:"梁有高涼太守《楊方集》二卷,亡。"方,見論語類。今存二篇。

楊方集二卷

傅純集二卷　《隋志》:"梁有散騎常侍《傅純集》二卷,《録》一卷,亡。"純,始末未詳。今存四篇。

傅純集二卷

郗鑒集十卷 《隋志》:"晋太尉《郗鑒集》十卷,《録》一卷。"鑒,見舊事類。今存四篇。

郗鑒集十卷

温嶠集十卷 《隋志》:"晋大將軍《温嶠集》十卷,梁《録》一卷。"嶠字太真,太原祁人,《晋書》有傳。今存二十篇。

温嶠集十卷

孔坦集五卷 《隋志》:"晋侍中《孔坦集》十七卷,梁五卷,《録》一卷。"坦字君平,會稽山陰人,愉弟,見《晋書·孔愉傳》。今存五篇。

孔坦集五卷

王濤集五卷 《隋志》:"梁又有晋著作佐郎《王濤集》五卷,亡。"濤,見正史類。

王濤集五卷

王箎集五卷 《隋志》:"梁又有郡主簿《王箎集》五卷,亡。"箎,見雜史類。

王箎集五卷

甄述集五卷 《隋志》:"梁又有征西諮議《甄述集》十二卷,亡。"述,始末未詳。

甄述集五卷

王嶠集二卷 《隋志》:"晋太僕卿《王嶠集》八卷。"嶠字開山,見《晋書·王湛傳》。

戴邈集五卷 《隋志》:"梁又有衛將軍《戴邈集》五卷,《録》一卷,亡。"邈字望元,廣陵人,淵弟,見《晋書·戴淵傳》。

戴邈集五卷

賀循集二十卷

賀循集二十卷

張悛集二卷 《隋志》:"梁又有宗正卿《張俊集》五卷,《録》一卷,亡。""俊"當爲"悛"。悛字士然,吴國人,見《文選·張士然表》注。宋本《隋書》作"悛"。

張悛集二卷

應碩集二卷 《隋志》:"梁又有汝南太守《應碩集》二卷,亡。"碩,始末未詳。

陸沈集二卷 《隋志》:"梁又有揚州從事《陸沈集》二卷,《録》一卷,亡。"謹按沈,疑即揚州刺史陸沖,集二卷,《録》一卷,亡。《唐志》有沈無沖也。

曾瓌集五卷

曾瓌集五卷

熊遠集五卷　《隋志》:"晉御史中丞《熊遠集》二十四卷,梁五卷,《録》一卷。"遠字孝文,豫章南昌人,《晉書》有傳。今存九篇。

熊遠集五卷

郭璞集十卷　《隋志》:"梁又有《郭璞集》十七卷,梁十卷,《録》一卷。"璞,見詩類。今有張溥、嚴可均輯本。

郭璞集十卷

王鑒集五卷　《隋志》:"晉散騎常侍《王覽集》九卷,梁五卷。""覽"當作"鑒"。鑒字茂高,堂邑人,《晉書》有傳。今存二篇。

王鑒集五卷

庾亮集二十卷　《隋志》:"晉太尉《庾亮集》二十一卷,梁二十卷,《録》一卷。"亮,見禮類。今存十篇。

庾亮集二十卷

虞預集十卷　《隋志》:"梁又有《虞預集》十卷,《録》一卷,亡。"預,見正史類。今存九篇。

虞預集十卷

顧和集五卷　《隋志》:"晉尚書《顧和集》五卷。"和字君孝,《晉書》有傳。今存八篇。

顧和集五卷

范宣集十卷　《隋志》:"梁有徵士《范宣集》十卷,《録》一卷,亡。"宣,見易類。謹按此似《范堅集》之誤,宣集别見於後。

范宣集十卷

張虞集五卷　《隋志》:"梁有衛尉《張虞集》十卷,亡。"虞,咸康中東陽太守,累遷爲衛尉卿。

張虞集五卷

庾冰集二十卷　《隋志》:"晉司空《庾冰集》七卷,梁二十卷,《録》一卷。"冰字季堅,《晉書》庾亮附傳。今存七篇。

庾冰集二十卷

庾翼集二十卷 《隋志》:"晋車騎將軍《庾翼集》二十三卷,梁二十卷,《録》一卷。"翼,見春秋類。今存十三篇。

庾翼集二十卷

何充集五卷 《隋志》:"晋司空《何充集》四卷,梁五卷。"充字次遠,盧江江灊人。今存七篇。

何充集五卷

諸葛恢集五卷 《隋志》:"梁有光禄大夫《諸葛恢集》五卷,《録》一卷,亡。"恢字道明,瑯琊人,《晋書》有傳。今存四篇。

諸葛恢集五卷

祖台之集十五卷 《隋志》:"晋光禄大夫《祖台之集》十六卷,梁二十卷。"台之,見雜傳類。今存五篇。

祖台之集十五卷

李充集十四卷 《隋志》:"晋《李充集》二十二卷,梁十五卷,《録》一卷。"充,見論語類。今存十五篇。

李充集十四卷

蔡謨集十卷 《隋志》:"晋司徒《蔡謨集》十七卷,梁四十三卷。"謨,見禮類。今存三十二篇。

蔡謨集十卷

謝艾集八卷 《隋志》:"酒泉太守《謝艾集》七卷,梁八卷。"艾,敦煌人。《舊志》誤作"文"。

謝文集八卷

范汪集八卷 《隋志》:"晋《范汪集》一卷,梁十卷。"汪,見禮類。今存九篇。

范汪集八卷

范寧集十五卷

范寧集十五卷

阮放集五卷 《隋志》:"梁又有廷尉卿《阮放集》十卷,《録》一卷。"放字思度,《晋書》阮籍附傳。

阮放集五卷

王廙集十卷　《隋志》:"晋驃騎將軍《王廙集》十卷,梁三十四卷,《録》一卷。"廙,見易類。今存十篇。

王廙集十卷

王彪之集二十卷　《隋志》:"晋光禄大夫《王彪之集》二十卷,梁有《録》一卷。"彪之字叔武,見《晋書·王廙傳》。

王彪之集二十卷

謝安集五卷　《隋志》:"晋太傅《謝安集》十卷,梁十卷,《録》一卷。"安字安石,《晋書》有傳。今存六篇。

謝安集五卷

謝萬集十卷　《隋志》:"晋散騎常侍《謝萬集》十六卷,梁十卷。"萬,見易類。

謝萬集十卷

王羲之集五卷　《隋志》:"晋金紫光禄大夫《王羲之集》九卷,梁十卷,《録》一卷。"羲之字逸少,瑯琊人,《晋書》有傳。今有張溥、嚴可均輯本。

王羲之集五卷

干寶集四卷　《隋志》:"晋散騎常侍《干寶集》四卷,梁五卷。"寶,見易類。今存九篇。

干寶集四卷

殷融集十卷　《隋志》:"晋太常卿《殷融集》十卷。"融字洪進,陳郡人,仲堪祖,見《晋書·殷仲堪傳》。今存六篇。

殷融集十卷

劉遐集五卷　《隋志》:"梁又有尚書僕射《劉遐集》二卷。"遐,始末未詳。謹按《褚裒傳》,劉遐爲尚書僕射,永和初爲吏部,即此劉遐與?

劉遐集五卷

殷浩集五卷　《隋志》:"晋揚州刺史《殷浩集》四卷,梁五卷,《録》一卷。"浩字深源,陳郡長平人。今存三篇。

殷浩集五卷

劉惔集二卷　《隋志》:"梁又有丹陽尹《劉恢集》二卷,《録》一卷,亡。""恢"即"惔"之誤。

劉惔集二卷

王濛集五卷 《隋志》:“梁又有司徒左長史《王濛集》五卷,亡。”濛,見論語類。

王濛集五卷

謝尚集五卷 《隋志》:“梁有衛將軍《謝尚集》十卷,《録》一卷,亡。”尚字仁祖,陳國陽夏人,《晋書》有傳。今存四篇。

謝尚集五卷

張憑集五卷 《隋志》:“晋司徒長史《張憑集》五卷,梁有《録》一卷。”憑,見論語類。今存五篇。

張憑集五卷

張望集三卷 《隋志》:“晋征西將軍《張望集》十卷,梁十二卷,《録》一卷。”望,始末未詳。今存三篇。

張望集三卷

韓康伯集五卷 《隋志》:“晋太常卿《韓康伯集》十六卷。”康伯,見易類。今存四篇。

韓康伯集五卷

王胡之集五卷 《隋志》:“晋西中郎將《王胡之集》十卷,梁五卷,《録》一卷。”

王胡之集五卷

江霖集五卷 《隋志》:“梁又有護軍將軍《江彬集》五卷,《録》一卷,亡。”“彬”當爲“霖”。

江霖集五卷

范宣集五卷 今存七篇。謹按前爲《范堅集》,此則范宣也。

范宣集五卷

江惇集五卷 《隋志》:“梁又有晋徵士《江淳集》三卷,《録》一卷,亡。”“淳”當爲“惇”。惇,見春秋類。①

江淳集五卷

王述集五卷 《隋志》:“晋尚書僕射《王述集》八卷。”述字懷祖,湛之孫,見《晋書·王湛傳》。

---

① 藕香簃本“類”後有“統次子,見《晋書》統傳”八字。

王述集五卷

郝默集五卷

郝默集五卷

黄整集十卷　《隋志》:“梁又有平越司馬《黄整集》十卷,《録》一卷,亡。”整,始末未詳。

黄整集十卷

王浹集二卷　《隋志》:“梁有青州刺史《王俠集》二卷。”“俠”一作“浹”。謹按《晋書·穆帝紀》:“永和五年,揚州刺史王浹以揚州來降。”與此合。《隋志》作“俠”,其一人與?

王浹集二卷

王度集五卷　《隋志》:“梁又有《王度集》五卷,《録》一卷,亡。”度,見霸史類。

王度集五卷

劉系之集五卷　《隋志》:“梁又有宣城内史《劉系之集》五卷,《録》一卷,亡。”系之,始末未詳。

劉系之集五卷

劉恢集五卷　《隋志》:“梁又有丹陽尹《劉恢集》二卷,《録》 卷,亡。”恢字道生,沛國人,爲車騎司馬。丹陽尹乃劉惔也。

劉恢集五卷

范起集五卷　《隋志》:“梁有黄門郎《范啓集》四卷,亡。”啓字榮期,見《晋書·范堅傳》。謹按“起”當據《隋志》作“啓”。

范起集五卷

殷康集五卷　《隋志》:“梁有吴興太守《殷康集》五卷,《録》一卷,亡。”康,顗之父,見《晋書》顗傳。

殷康集五卷

孫嗣集三卷　《隋志》:“梁有南中郎《桓嗣集》五卷,亡。”嗣字恭祖,龍亢人,見《晋書·桓彝傳》。

孫嗣集三卷

王坦之集五卷　《隋志》:“晋尚書僕射《王坦之集》七卷,梁五卷,《録》一卷,亡。”坦之字文度，述子，見《晋書·王洪傳》。今存六篇。

王坦之集五卷

桓温集二十卷 《隋志》:“晋大司馬《桓温集》十一卷，梁有四十三卷，又有《桓公要集》二十卷，《録》一卷，亡。”温字元子，見《晋書·叛逆傳》。今存十八篇。

桓温集二十卷

郗超集十五卷 《隋志》:“晋中書郎《郗超集》九卷，梁十卷。”超字景興，高平金鄉人，見《晋書·郗鑒傳》。

郗超集十五卷

謝朗集五卷 《隋志》:“梁又有車騎長史《謝朗集》六卷，《録》一卷，亡。”朗字長度，奕弟，見《晋書·謝安傳》。

謝朗集五卷

謝玄集十卷 《隋志》:“梁又有車騎將軍《謝頠集》十卷，《録》一卷，亡。”“頠”當爲“玄”。玄字幼度，見《晋書·謝安傳》。

謝玄集十卷

王珣集十卷 《隋志》:“晋司徒《王珣集》十一卷，并《目録》。梁十卷，《録》一卷。”珣字元琳，洽子，見《晋書·王導傳》。

王珣集十卷

許詢集三卷 《隋志》:“晋徵士《許詢集》三卷，梁八卷，《録》一卷。”詢字玄度，高陽人，見《晋書·王羲之傳》。今存二篇。

許詢集三卷

孫統集五卷 《隋志》:“晋餘姚令《孫統集》二卷，梁九卷，《録》一卷。”今存二篇。

孫統集五卷

孫綽集十五卷 《隋志》:“晋衛尉《孫綽集》十五卷，梁二十五卷。”綽，見論語類。今有張溥、嚴可均輯本。

孫綽集十五卷

孔嚴集五卷 《隋志》:“梁又有吴興太守《孔嚴集》十一卷，《録》一卷，亡。”嚴字彭祖，見《晋書·孔愉傳》。

孔嚴集五卷

江逌集五卷 《隋志》:“晋太常卿《江逌集》九卷。”逌字道載，陳留圉人，《晋書》有傳。今存十篇。

江逌集五卷

車灌集五卷　《隋志》:"梁又有豫章太守《車灌集》五卷,《録》一卷,亡。"灌,見舊事篇。

車灌集五卷

丁纂集二卷　《隋志》:"梁有建安太守《丁纂集》四卷,《録》一卷,亡。"謹按《晋書·蔡謨傳》:"穆帝臨軒遣侍中紀璩、黄門郎丁纂徵謨,拜司徒。"或即此丁纂歟?

丁纂集二卷

曹毗集十五卷　《隋志》:"晋光禄勲《曹毗集》十卷,梁十五卷,《録》一卷。《曹毗集》四卷。"毗,見論語類。今存十三篇。

曹毗集十五卷

蔡系集二卷　《隋志》:"梁又有撫軍將軍《蔡系集》二卷,亡。"系,見論語類。

蔡系集二卷

李顒集十卷　《隋志》:"《李顒集》十卷,《録》一卷。"顒,見易類。今存八篇。

李顒集十卷

顧夷集五卷　《隋志》:"梁有《顧夷集》五卷,亡。"夷,見易類。

顧夷集五卷

袁喬集五卷　《隋志》:"梁又有益州刺史《袁喬集》七卷,亡。"喬,見論語類。今存三篇。

袁喬集五卷

謝沈集五卷　《隋志》:"梁有《謝沈集》十卷,亡。"沈,見經類。今存三篇。

謝沈集五卷

庾闡集十卷　《隋志》:"晋給事中《庾闡集》九卷,梁十卷,《録》一卷。"闡字仲初,潁川鄢陵人,《晋書·文苑》有傳。

庾闡集十卷

王隱集十卷　《隋志》:"晋著作郎《王隱集》十卷,梁二十卷,《録》一卷。"隱,見正史類。

王隱集十卷

殷允集十卷　《隋志》："梁有太常《殷允集》十卷，亡。"允字子思，陳郡人，孝武時爲豫章太守。

殷允集十卷

徐邈集八卷　《隋志》："晋太子前率《徐邈集》九卷，并《目録》。梁二十卷，《録》一卷。"邈，見易類。

徐邈集八卷

殷仲堪集十卷　《隋志》："晋荆州刺史《殷仲堪集》十二卷，并《目録》。梁十卷，《録》一卷，亡。"仲堪，見詩類。今存十七篇。

殷仲堪集十卷

殷叔獻集三卷　《隋志》："晋聘士《殷叔獻集》四卷，并《目録》。梁三卷，《録》一卷。"叔獻字伯通，陳郡人，見《晋書》顗傳。

殷叔獻集三卷

伏滔集五卷　《隋志》："晋《伏滔集》十一卷，并《目録》。梁五卷，《録》一卷。"滔字玄度，平昌安丘人，《晋書·文苑》有傳。今存七篇。

伏滔集五卷

桓嗣集五卷　《隋志》："梁有南中郎《桓嗣集》五卷，亡。"嗣字恭祖，沛國龍亢人，見《晋書·桓彝傳》。

桓嗣集五卷

習鑿齒集五卷　《隋志》："晋滎陽太守《習鑿齒集》五卷。"鑿齒，見古史類。今存二十九篇。

習鑿齒集五卷

鈕滔集五卷　《隋志》："梁又有吴興孝廉《鈕滔集》五卷，《録》一卷，亡。"滔，始末未詳。

鈕滔集五卷

邵毅集五卷　《隋志》："梁又有平固令《邵毅集》五卷，《録》一卷，亡。"毅，始末未詳。

邵毅集五卷

孫盛集十卷　《隋志》："《孫盛集》五卷，殘缺。梁十卷，《録》一卷。"盛，見古史類。今存六十九篇。

孫盛集十卷

袁質集二卷 《隋志》:"梁又有瑯琊内史《袁質集》二卷,《録》一卷,亡。"質,始末未詳。

袁質集二卷

袁宏集二十卷 《隋志》:"晋東陽太守《袁宏集》十五卷,梁二十卷,《録》一卷。"宏,見孝經類。今存十八篇。

袁宏集二十卷

袁邵集三卷 《隋志》:"梁又有太宰從事中郎《袁邵集》五卷,《録》一卷。"邵,始末未詳。

袁邵集三卷

羅含集三卷 《隋志》:"晋中散大夫《羅含集》三卷。"含字君章,桂陽耒陽人,《晋書·文苑》有傳。今存二篇。

羅含集三卷

孫放集十五卷 《隋志》:"晋國子博士《孫放集》一卷,殘缺。梁十卷。"放字齊莊,盛子,見《晋書·孫盛傳》。

孫放集十五卷

辛昞集四卷 《隋志》:"梁又有晋車騎參軍《何瑾之集》十二卷。①"

辛昞集四卷

庾統集二卷 《隋志》:"晋尋陽太守《庾純集》八卷。""純"當爲"統",統字長仁,亮子,見《晋書·庾亮傳》。

庾統集二卷

郭愔集五卷 "郭"当爲"郄"。《隋志》:"晋新安六子《郄愔集》四卷,殘缺。梁五卷。"愔字方回,見《晋书·郄鑒傳》。

郭愔集五卷

滕輔集五卷 《隋志》:"梁又有太學博士《滕輔集》五卷,《録》一卷,亡。"

滕輔集五卷

庾龢集二卷

---

① 原脱"何瑾之集十二卷"七字,藕香簃本同,據武英殿本《隋書》補。

　庾龢集二卷

庾軌集二卷

　庾軌集二卷

庾蒨集二卷 《隋志》:"晋有太宰長史《庾蒨集》二卷,亡。"蒨小字倪,字少彦,冰子,見《晋書·庾冰傳》。

　庾蒨集二卷

庾肅之集二卷 《隋志》:"晋湘東太守《庾肅之集》十卷,《録》一卷。"庾肅之,闡子,見《晋書·文苑·庾闡傳》。

　庾肅之集二卷

王脩集二卷

　王脩集二卷

戴逵集十卷

　戴逵集十卷

桓玄集二十卷 《隋志》:"晋《桓玄集》二十卷。"玄,見易類。今存三十五篇。

　桓玄集二十卷

殷仲文集七卷 《隋志》:"晋東陽太守《殷仲文集》七卷,梁五卷。"仲文,見孝經類。

　殷仲文集七卷

卞湛集五卷 《隋志》:"梁又有驃騎參軍《卞湛集》五卷,亡。"湛,始末未詳。

　卞湛集五卷

蘇彦集十卷 《隋志》:"梁有北中郎參軍《蘇彦集》十卷,亡。"彦,見道家類。今存十一篇。

　蘇彦集十卷

袁豹集十卷 《隋志》:"晋丹陽太守《袁豹集》八卷,梁十卷,《録》一卷。"豹字士蔚,陳郡陽夏人,爲劉毅撫軍將軍。

　袁豹集十卷

王謐集十卷 《隋志》:"晋司徒《王謐集》十卷,《録》一卷。"謐字稚遠,見《晋書·王導傳》。今存七篇。

　王謐集十卷

周祇集十卷 《隋志》:"晉國子博士《周祇集》十卷,梁二十卷,《録》一卷。"祇,見襍史類。

周祇集十卷

梅陶集十卷 《隋志》:"晉光禄大夫《梅陶集》九卷,梁二十卷。"陶,見儒家類。

梅陶集十卷

湛方生集十卷 《隋志》:"晉衛軍諮議《湛方生集》十卷,《録》一卷。"方生,始末未詳。今存十八篇。

湛方生集十卷

劉瑾集八卷 《隋志》:"晉太常卿《劉瑾集》九卷,梁五卷。"瑾字仲章,南陽人,元興末爲太常卿。今存三篇。

劉瑾集八卷

羊徽集一卷 《隋志》:"西中郎將長史《羊徽集》八卷,梁十卷,《録》一卷。"徽字敬猷,泰山南城人,欣弟,見《宋書·羊欣傳》。

羊徽集一卷

卞裕集十四卷 《隋志》:"晉始安太守《卞裕集》十三卷,梁十五卷。"裕,始末未詳。

卞裕集十四卷

王愆期集十卷 《隋志》:"晉散騎常侍《王愆期集》七卷,梁十卷,《録》一卷。"愆期,見春秋類。

王愆期集十卷

孔播之集二卷 《隋志》:"晉右軍參軍《孔璠集》二卷。"璠,亦作孔璠之。璠,始末未詳。

孔播之集二卷

王茂略集四卷

王茂略集四卷

薄肅之集十卷 《隋志》:"晉處士《薄莆之集》九卷。""莆"當作"肅"。肅之,始末未詳。

薄肅之集十卷

滕演集二卷 《隋志》:"晉祕書監《滕演集》十卷,《録》一卷。"演字彦將,南陽西鄂人，見《宋書·傅亮傳》。

滕演集二卷

宋武帝集二十卷 《隋志》："《宋武帝集》十二卷，梁二十卷，《録》一卷。"宋武帝，見《宋書》本紀。今有嚴可均輯本。

宋武帝集二十卷

文帝集十卷 《隋志》："《宋文帝集》七卷，梁十卷，亡。"文帝，見《宋書》本紀。今有嚴可均輯本。

宋文帝集十卷

長沙王義欣集十卷 《隋志》："《宋長沙王道憐集》十卷，《録》一卷。"《隋志》誤當爲義欣。義欣，見《宋書·宗室傳》。

宋長沙王集十卷

臨川王義慶集八卷 《隋志》："《宋臨川王義慶集》八卷。"臨川王，見史部雜傳類。今存六篇。

宋臨川王集八卷

衡陽王義季集十卷 《隋志》："梁又有《宋衡陽王義季集》十卷，《録》一卷，亡。"衡陽王，見《宋書·武三王傳》。

宋衡陽王義季集十卷

江夏王義恭集十五卷 《隋志》："《江夏王義恭集》十一卷，梁十五卷，《録》一卷。"江夏王，見《宋書·武三王傳》。今存三十五篇。

宋江夏王集十五卷

南平王鑠集五卷 《隋志》："《宋南平王鑠集》五卷。"南平王，見《南史·文帝諸子傳》。

宋南平王集五卷

建平王宏集十卷　又　小集六卷 《隋志》："梁有《建平王休祐集》十卷。""休祐"當作"休度"，見《宋書·文九王傳》。

宋建平王集十卷　又　小集六卷

新渝侯義宗集十二卷 《隋志》："梁有《新渝侯義宗集》十二卷，亡。"義宗，長沙景王道憐六子，見《宋書·宗室傳》。

宋劉義宗集十二卷

謝瞻集二卷　《隋志》:"宋豫章太守《謝瞻集》三卷。"瞻字宣遠,陳郡陽夏人,見《南史·謝晦傳》。今存二篇。

謝瞻集三卷

孔琳之集十卷　《隋志》:"宋太常卿《孔琳之集》九卷,并《目録》。梁十卷,《録》一卷。"琳之字彦琳,會稽山陰人,《宋書》有傳。今存七篇。

孔琳之集十卷

王叔之集十卷　《隋志》:"宋《王叙之集》七卷,梁十卷,《録》一卷。"叙之即叔之,見道家。今存九篇。

王叔之集十卷

徐廣集十五卷　《隋志》:"太中大夫《徐廣集》十五卷,《録》一卷。"廣,見詩類。今存十四篇。

徐廣集十五卷

孔寧子集十五卷　《隋志》:"宋侍中《孔寧子集》十一卷,并《目録》。梁十五卷,《録》一卷。"孔寧子,會稽山陰人,見《宋書·王華傳》。今存四篇。

孔寧子集十五卷

蔡廓集十卷　《隋志》:"宋太常卿《蔡廓集》九卷,并《目録》。梁十卷,《録》一卷。"廓字子度,濟考城人,《宋書》有傳。今存六篇。

蔡廓集十卷

傅亮集十卷　《隋志》:"宋尚書令《傅亮集》三十一卷,梁二十卷,《録》一卷。"亮,見雜傳類。今存二十三篇。

傅亮集十卷

孫康集十卷　《隋志》:"梁又有宋征南長史《孫康集》十卷。"康,太原中都人,晋長沙太守放孫,元嘉中爲起部郎,遷征南長史。

孫康集十卷

鄭鮮之集二十卷　《隋志》:"梁又有宋太常卿《鄭鮮之集》十三卷,梁二十卷,《録》一卷。"鮮之,始末無考。

鄭鮮之集二十卷

陶潛集二十卷　又　集五卷　《隋志》:"宋徵士《陶潛集》九卷,梁五卷,《録》一卷。"潛,見雜傳類。

陶淵明集五卷

范泰集二十卷 《隋志》:"宋太常卿《范泰集》十九卷,梁二十卷,《録》一卷。"泰,見雜家類。今存二十篇。

范泰集二十卷

王弘集二十卷 《隋志》:"宋司徒《王弘集》一卷,梁二十卷,《録》一卷。"弘,見儀注類。今存十三篇。

王弘集二十卷

謝惠連集五卷 《隋志》:"宋司徒府《謝惠連集》五卷,《録》一卷。"惠連,見《宋書·謝方明傳》。今有汪士賢、嚴可均輯本。

謝靈運集十五卷 《隋志》:"宋臨川内史《謝靈運集》十九卷,梁二十卷,《録》一卷。"靈運,見正史類。今有汪士賢、張溥、嚴可均輯本。

謝靈運集十五卷

荀昶集十四卷 《隋志》:"宋中書《荀昶集》十四卷,梁十五卷,《録》一卷。"昶,見孝經類。今有汪士賢、張溥、嚴可均輯本。①

荀昶集十四卷

孔欣集十卷 《隋志》:"梁又有國子博士《孔欣集》九卷,亡。"欣,會稽山陰人,宋國子博士,褚淡之以爲參軍。

孔欣集八卷

卞伯玉集五卷 《隋志》:"梁又有《卞伯玉集》五卷,《録》一卷,亡。"伯玉,見易類。

卞伯玉集五卷

王曇首集二卷 《隋志》:"梁又有光禄大夫《王曇首集》二卷,《録》一卷,亡。"曇首,《宋書》有傳。

王曇首集二卷

謝弘微集二卷 《隋志》:"梁又有宋太常卿《謝弘微集》二卷,亡。"謝密字弘微,陳郡陽夏人,《宋書》有傳。

謝弘微集二卷

---

① "今有汪士賢、張溥、嚴可均輯本"十二字原缺,據藕香簃本補。

王韶之集二十卷　《隋志》:"梁又有宋《王韶之集》二十四卷,亡。"韶之,見古史類。

王韶之集二十卷

姚濤之集二十卷　《隋志》:"梁又有國子博士《姚濤之集》二十卷。"濤之,始末未詳。

姚濤之集二十卷

賀道養集十卷　《隋志》:"梁又有宋《賀道養集》十卷,亡。"道養,見春秋類。

賀道養集十卷

衛令元集八卷　《隋志》:"梁有宋南豐主簿《衛令元集》八卷,亡。"令元,始末未詳。

衛令元集八卷

褚詮之集八卷　《隋志》:"梁又有中書舍人《褚詮之集》八卷,《録》一卷,亡。"

褚詮之集八卷

荀欽明集六卷　《隋志》:"梁又有《荀欽明集》六卷,亡。"欽明,見職官類。

荀欽明集六卷

殷淳集三卷　《隋志》:"梁又有《殷淳集》二卷,亡。"淳字粹遠,陳郡長平人,《宋書》有傳。

殷淳集三卷

劉瑀集七卷　《隋志》:"梁又有吴興太守《劉瑀集》七卷,亡。"瑀字茂琳,東莞莒人,見《宋書・劉穆之傳》。今存四篇。

劉瑀集七卷

劉緄集五卷　《隋志》:"梁又有删定郎《劉鯤集》五卷,亡。""鯤""緄"異文,始末未詳。今存二篇。

劉緄集五卷

雷次宗集三十卷　《隋志》:"宋徵士《雷次宗集》十六卷,梁二十九卷,《録》一卷。"次宗,見詩家。

雷次宗集三十卷

宗炳集十五卷　《隋志》:"宋徵士《宗景集》十六卷,梁十五卷。"炳字少文,南陽涅陽人,《宋書・隱逸》有傳。今存八篇。

宗炳集十五卷

伍緝之集十一卷 《隋志》:"宋奉朝請《伍緝之集》十二卷。"緝之,始末未詳。

伍緝之集十一卷

荀雍集十卷 《隋志》:"宋員外郎《荀雍集》二卷,梁四卷。"雍字道雍,潁川人,見《宋書·謝靈運傳》。

荀雍集十卷

袁淑集十卷 《隋志》:"宋太尉《袁淑之集》十一卷,并《目録》。梁十卷,《録》一卷。"淑字陽源,陳郡陽夏人,《宋書》有傳。今存十五篇。

袁淑集十卷

顔延之集三十卷 《隋志》:"宋特進《顔延之集》二十五卷,梁三十卷。又有《顔延之逸集》一卷,亡。"延之,見禮類。今存五篇。

顔延之集三十卷

王微集十卷 《隋志》:"宋祕書監《王微集》十卷,梁有《録》一卷。"微字景玄,《宋書》有傳。今存十卷。

王微集十卷

王僧達集十卷 《隋志》:"宋護軍將軍《王僧達集》十卷,梁有《録》一卷。"僧達,宋征虜將軍。今存七篇。

王僧達集十卷

張暢集十四卷 《隋志》:"宋會稽太守《張暢集》十三卷,殘缺。梁十四卷,《録》一卷。"暢字少微,吴郡吴人,《宋書》有傳。今存四篇。

張暢集十四卷

何偃集八卷 《隋志》:"宋吏部尚書《何偃集》十九卷,梁十六卷。"偃,見詩類。今存六篇。

何偃集八卷

沈懷文集十三卷 《隋志》:"宋侍中《沈懷文集》十二卷,殘缺。梁十六卷。"懷文,見地理類。

沈懷文集十三卷

江智淵集十卷 《隋志》:"宋北中郎長史《江智深集》九卷,并《目》一卷。"智淵,濟陽考城人,《宋書》有傳。

江智泉集十卷

謝莊集十五卷 《隋志》:"宋金紫光禄大夫《謝莊集》十九卷,梁十五卷。"莊字希逸,陳郡陽夏人,《宋書》有傳。

謝莊集十五卷

殷琰集八卷 《隋志》:"宋太子中庶子《殷琰集》七卷。"琰字敬珉,陳郡長平人,《宋書》有傳。

殷琰集八卷

顔竣集十三卷 《隋志》:"宋東揚州刺史《顔峻集》十四卷,并《目録》。""峻"當作"竣",字士遜,延之長子,見《宋書》本傳。今存九篇。

顔竣集十三卷

何承天集二十卷 《隋志》:"宋御史中丞《何承天集》二十卷,梁三十二卷,亡。"承天,見禮類。

何承天集二十卷

裴松之集三十卷 《隋志》:"宋太中大夫《裴松之集》十三卷,梁二十三卷。"松之,見禮類。今存七篇。

裴松之集三十卷

卞瑾集十卷

卞瑾集十卷

邱淵之集六卷 《隋志》:"宋給事中《邱深之集》七卷,梁十五卷。"淵之,《隋書》作"深之",《舊志》作"泉之",避唐諱。淵之,見簿録類。今有張溥、嚴可均輯本。

邱泉之集六卷

顔測集十一卷 《隋志》:"宋大司馬録事《顔測集》十一卷,并《目録》。"測,見《宋書·顔延之傳》。今存三篇。

顔測集十一卷

湯惠休集三卷 《隋志》:"宋宛朐令《湯惠休集》三卷,梁四卷。"惠休字茂遠,見《宋書·徐湛之傳》。今存八篇。

湯惠休集三卷

沈勃集十五卷 《隋志》:"宋司徒左長史《沈勃集》十五卷,梁二十卷。"沈勃,見《宋書·沈演之傳》。

沈勃集十五卷

徐爰集十卷　《隋志》:"宋太中大夫《徐爰集》六卷,梁十卷。"爰,見易類。今存二十四篇。

徐爰集十卷

鮑照集十卷　《隋志》:"宋征虜記室參軍《鮑照集》十卷,梁六卷。"照字明遠,東海人。見《南史·宋臨川武烈王傳》。今存。

鮑照集十卷

庾蔚之集十一卷　《隋志》:"宋《庾蔚之集》十六卷,梁二十卷。"蔚之,見禮類。

庾蔚之集十一卷

虞通之集五卷　《隋志》:"宋黄門侍郎《虞通之集》十五卷,梁二十卷。"通之,見雜傳類。

虞通之集五卷

劉愔集十卷　《隋志》:"宋豫章太守《劉愔集》八卷,梁十卷。"愔之,見《宋書·符瑞志》。

劉愔集十卷

孫緬集十卷　《隋志》:"宋東中郎長史《孫緬集》八卷,并《目録》。梁十一卷。"緬字伯緒,太康人,大明初太常丞,出爲尋陽太守。今存二篇。

孫緬集十卷

袁伯文集十卷　《隋志》:"宋中書郎《袁伯文集》十一卷,并《目録》。"伯文,始末未詳。

袁伯文集十卷

袁粲集十卷　《隋志》:"宋司徒《袁粲集》十一卷,并《目録》。梁九卷。"粲字景倩,陳郡陽夏人,《宋書》有傳。今存四篇。

袁粲集十卷

齊竟陵王集三十卷　《隋志》:"《齊竟陵王子良集》四十卷。"王有《净休子》,見雜家類。

齊竟陵王集三十卷

褚淵集十五卷　《隋志》:"齊太宰《褚彦回集》十五卷。"淵字彦回,河南陽翟人,《齊書》有傳。今存十篇。

褚彦回集十五卷

王儉集六十卷　《隋志》:"齊太尉《王儉集》五十一卷,梁六十卷。"儉,見禮類。今有張溥、嚴可均輯本。

王儉集六十卷

周顒集二十卷　《隋志》:"齊中書郎《周顒集》八卷,梁十六卷。"顒,見易類。今存七篇。

周顒集二十卷

徐孝嗣集十二卷　《隋志》:"齊太尉《徐孝嗣集》十卷,梁七卷。"孝嗣字始昌,東海郯人,《齊書》有傳。今存四篇。

徐孝嗣集十二卷

王融集十卷　《隋志》:"齊中書《王融集》十卷。"融字元長,《齊書》有傳。今存五十八篇。

王融集十卷

謝朓集十卷　《隋志》:"齊吏部《謝朓集》十二卷,《謝朓逸集》一卷。"朓字玄暉,陳郡陽夏人,《齊書》有傳。今存。

謝朓集十卷

孔稚圭集十卷　《隋志》:"齊金紫光禄大夫《孔稚圭集》十卷。"稚珪,見雜傳類。今存十三篇。

孔稚圭集十卷

陸厥集十卷　《隋志》:"齊後軍法曹參軍《陸厥集》八卷,梁十卷。"厥字韓卿,吴郡吴人,《齊書・文學》有傳。

陸厥集十卷

虞羲集十一卷　《隋志》:"齊前軍參軍《虞羲集》九卷,殘缺。梁十一卷。"①羲字士光,見《南史・王僧孺傳》。今存二篇。

虞羲集十一卷

宗躬集十二卷　《隋志》:"齊平西諮議《宗躬集》十三卷。"躬,見雜傳類。

① "一"原作"二",據藕香簃本改。

宗躬集十二卷

江奐集十一卷 《隋志》:"齊中書郎《江奐集》九卷,并《目録》。"奐,始末未詳。

江奐集十一卷

張融 玉海集六十卷 《隋志》:"齊司徒左長史《張融集》二十七卷,梁十卷。又有張融《玉海集》十卷,《大澤集》十卷,《金波集》六十卷,亡。"融,見道家。今存十三篇。《四庫提要》:"集始於東漢,荀況諸集,後人追題也,後人集其文,故謂之集。至融始自名曰《玉海集》、《金波集》。"

張融 玉海集六十卷

梁文帝集十八卷

梁文帝集十八卷

武帝集十卷 《隋志》:"《梁武帝集》二十六卷,梁三十二卷。《梁武帝詩賦集》二十卷,《梁武帝雜文集》九卷,《梁武帝别集目録》二卷。"梁武,見易類。今有張溥、嚴可均輯本。明閻光世《蕭梁文苑》本。

梁武帝集十卷

簡文帝集八十卷 《隋志》:"《梁簡文帝集》八十五卷,陸罩撰,并《録》。"梁簡文帝,見詩家。《蕭梁文苑》本。

梁簡文帝集八十卷

元帝集五十卷 《隋志》:"《梁元帝集》五十二卷,《梁元帝小集》十卷。"梁元帝,見正史類。今有張溥、嚴可均輯本。《蕭梁文苑》本。

梁元帝集五十卷 又 小集十卷

昭明太子集二十卷 《隋志》:"《梁昭明太子集》二十卷。"昭明太子,見經類。今有張溥、嚴可均輯本。《蕭梁文苑》本。

梁昭明太子集二十卷

邵陵王綸集四卷 《隋志》:"《梁邵陵王綸集》六卷。"綸字世調,武帝弟六子,《梁書》有傳。今存十一篇。

梁邵陵王集四卷

武陵王紀集八卷 《隋志》:"《梁武陵王紀集》八卷。"紀字世詢,武帝弟八子。今有嚴可均輯本。《蕭梁文苑》本。

梁武陵王紀集八卷

范雲集十二卷　《隋志》:"梁尚書僕射《范雲集》十一卷。"雲字彦龍,南鄉舞陰人,《梁書》有傳。今存三篇。

范雲集十二卷

江淹前集十卷　後集十卷　《隋志》:"梁金紫光禄大夫《江淹集》九卷,梁二十卷。"淹,見正史類。今存。

江淹前集十卷　後集十卷

任昉集三十四卷　《隋志》:"梁太常《任昉集》三十四卷。"昉,見雜傳類。今有汪士賢、嚴可均輯本。

任昉集三十四卷

宗史集十卷　《隋志》:"梁司徒諮議《宗史集》九卷,并《録》。""史"當爲"夬"。夬字以敭,南陽涅陽人,《梁書》有傳。

宗史集十卷

王暕集二十卷　《隋志》:"梁尚書左僕射《王暕集》二十一卷。"暕　字思晦,儉子,《梁書》有傳。

王暕集二十卷

魏道微集三卷　《隋志》:"梁徵士《魏道微集》三卷。"道微,始末未詳。

魏道微集三卷

司馬褧集九卷　《隋志》:"梁仁威府長史《司馬褧集》九卷。"褧字元素,河内温人,《梁書》有傳。

司馬褧集九卷

沈約集一百卷　又　集略三十卷　《隋志》:"梁特進《沈約集》一百一卷,并《録》。"約,見論語類。今存。

沈約集一百卷　集略三十卷

傅昭集十卷

傅昭集十卷

袁昂集二十卷

袁昂集二十卷

徐勉前集三十五卷　後集十六卷　《隋志》:"梁儀同三司《徐勉前集》三十

五卷,《徐勉後集》十六卷,并序録。”勉,見職官類。今存十五篇。

徐勉前集三十五卷　後集十六卷

陶弘景集三十卷 《隋志》:“梁隱居先生《陶弘景集》三十六卷,《陶弘景内集》十卷。”弘景,見詩類。今本二卷。

陶弘景集三十卷

周捨集二十卷 《隋志》:“梁護軍將軍《周捨集》二十卷。”捨,見禮類。今存一篇。

周捨集二十卷

何遜集八卷 《隋志》:“梁仁威記室《何孫集》七卷。”遜字仲言,東海人,終水部員外郎。今存。

何遜集八卷

謝琛集五卷 《隋志》:“梁通直郎《謝琛集》五卷。”琛,始末未詳。

謝琛集五卷

謝郁集五卷 《隋志》:“豫章世子侍讀《謝郁集》五卷。”郁,始末未詳。

謝郁集五卷

王僧孺集三十卷 《隋志》:“梁中軍府諮議《王僧孺集》三十卷。”僧孺,見譜系類。今存三十篇。

王僧孺集三十卷

張率集三十卷 《隋志》:“梁黄門郎《張率集》三十八卷。”率字士簡,吴郡吴人,《梁書》有傳。今存二篇。

張率集三十卷

楊眺集十卷 《隋志》:“梁征西府長史《楊眺集》十一卷,并《録》。”眺,公則庶長子,見《梁書·楊公則傳》。

楊眺集十卷

鮑畿集八卷 《隋志》:“梁鎮西府記室《鮑畿集》八卷。”畿字景玄,東海人,泉父,見《南史·鮑泉傳》。

鮑畿集八卷

周興嗣集十卷

周興嗣集十卷

蕭洽集二卷　《隋志》:"梁《蕭洽集》十卷。"洽字弘稱,見《梁書·蕭介傳》。

蕭洽集二卷

裴子野集十四卷　《隋志》:"梁鴻臚卿《裴子野集》十四卷。"子野,見禮類。今存十四篇。

裴子野集十四卷

庾曇隆集十卷　《隋志》:"梁光禄大夫《庾曇隆集》十卷,并《録》。"曇隆,始末未詳。今存。謹按《南史·江淹傳》:"齊少帝初,兼御史中丞奏彈永嘉太守庾曇隆。"齊時當居是官。

庾景興集十卷

陸倕集二十卷　《隋志》:"梁太常卿《陸倕集》十四卷。"倕字佐公,吴郡吴人。今存二十四篇。

陸子倕集二十卷

劉之遴前集十一卷　後集二十卷　《隋志》:"梁太常卿《劉之遴前集》十一卷,《後集》二十一卷。"之遴,見雜傳類。今存八篇。

劉之遴前集十一卷　後集二十卷

虞皭集六卷　《隋志》:"梁尚書祠部郎《虞皭集》十卷。"皭,見《金樓子》。

虞皭集六卷

王冏集三卷　《隋志》:"梁南徐州治中《王冏集》三卷。"冏,始末無考。

王冏集三卷

劉孝綽集十二卷　《隋志》:"梁廷尉卿《劉孝綽集》十四卷。"孝綽字孝綽,彭城安上里人,見《南史·劉勔傳》。今存十七篇。

劉孝綽集十二卷

劉孝儀集二十卷　《隋志》:"梁都官尚書《劉孝儀集》二十卷。"孝儀名潛,見《南史》劉勔附傳。今存十九篇。

劉孝儀集二十卷

劉孝威前集十卷　後集十卷　《隋志》:"梁太子詹事《劉孝威集》十卷。"孝威字士章,見《南史》劉勔附傳。今存十六篇。

劉孝威前集十卷　後集十卷

邱遲集十卷 《隋志》:"梁國子博士《邱遲集》十卷,并《録》,梁十一卷。"遲字希範,吴興烏程人,《梁書·文學》有傳。

邱遲集十卷

王錫集七卷 《隋志》:"梁吏部郎《王錫集》七卷,并《録》。"錫字公嘏,琳之弟,見《梁書·王份傳》。

王錫集七卷

蕭子範集三卷 《隋志》:"梁始興内史《蕭子範集》十三卷。"子範字景則,子恪弟,《梁書》有傳。今存十篇。

蕭子範集三卷

蕭子雲集二十卷

蕭子雲集二十卷

蕭子暉集十一卷 《隋志》:"梁《蕭子暉集》九卷。"子暉字景光,子恪弟,見《梁書·蕭子恪傳》。今存二篇。

蕭子暉集十一卷

江革集十卷 《隋志》:"梁都官尚書《江革集》六卷。"革字休映,濟陽考城人,《梁書》有傳。

江革集十卷

吴均集二十卷 《隋志》:"梁奉朝請《吴均集》二十卷。"均,見古史類。今存十三篇。

吴均集二十卷

庾肩吾集十卷 《隋志》:"梁度支尚書《庾肩吾集》十卷。"肩吾,見雜家類。今有張溥輯本。

庾肩吾集十卷

王筠洗馬集十卷　又　中庶子集十卷　左右集十卷　臨海集十卷　中書集十卷　尚書集十一卷 《隋志》:"梁太子洗馬《王筠集》十一卷,并《録》。《王筠中書集》十一卷,并《録》。《王筠臨海集》十一卷,并《録》。《王筠左右集》十一卷,并《録》。《王筠尚書集》九卷,并《録》。"筠字元禮,見《南史》王曇首附傳。今有張溥輯本。

王筠洗馬集十卷　又　中庶子集十卷　左右集十卷　臨海

集十卷　中書集十卷　尚書集十一卷

鮑泉集一卷　《隋志》:“梁平北府長史《鮑泉集》一卷。”泉,見論語類。

鮑泉集一卷

謝璸集十卷　《隋志》:“東陽郡丞《謝璸集》八卷。”璸,始末未詳。

謝璸集十卷

任孝恭集十卷　《隋志》:“梁中書郎《任孝恭集》十卷。”孝恭字孝恭,臨淮人,《梁書·文學》有傳。

任孝恭集十卷

張纘集十卷　《隋志》:“梁雍州刺史《張纘集》十一卷,并《録》。”纘字伯緒,弘策子,見《南史·弘策傳》。

張纘集十卷

陸雲公集四卷　《隋志》:“梁黄門郎《陸雲公集》十卷。”雲公字子龍,吴郡人,《梁書·文學》有傳。今存三篇。

陸雲公集四卷

張綰集十卷　《隋志》:“梁尚書僕射《張綰集》十一卷,并《録》。”綰字孝卿,見《南史》張弘策附傳。

張綰集十卷

甄玄成集十卷　《隋志》:“梁護軍《甄玄成集》十卷,并《録》。”玄成字敬平,中山人,仕後梁,見《周書》蕭詧附傳。

甄玄成集十卷

蕭欣集十卷　《隋志》:“梁安成蕃王《蕭欣集》十卷。”欣仕後梁,見《周書》蕭詧附傳。

蕭欣集十卷

沈君攸集十二卷　《隋志》:“梁散騎常侍《沈君攸集》十三卷。”“攸”當爲“游”。君游,吴興人,仕後梁,見《周書》蕭詧附傳。

沈君攸集十二卷

後梁明帝集一卷

後梁明帝集一卷

後魏文帝集四十卷　《隋志》:“《後魏孝文帝集》三十九卷。”孝文帝,見《魏書》本紀。今有嚴可均輯本。

後魏文帝集四十卷

高允集二十卷 《隋志》:"後魏司空《高允集》二十一卷。"允,見天文家。今存十二篇。

高允集二十卷

宗欽集二卷 《隋志》:"晋《宗欽集》二卷。"欽,見霸史類。《隋志》入之晋代,誤。

宗欽集二卷

李諧集十卷 《隋志》:"後魏司農卿《李諧集》十卷。"諧,見地理類。

李諧集十卷

韓宗集五卷 《隋志》:"後魏著作郎《韓顯宗集》十卷。"顯宗,見霸史類。《舊志》因諱去"顯"字,此《志》因之。

韓宗集五卷

袁躍集九卷 《隋志》:"後魏司空祭酒《袁躍集》十三卷。"躍字新曜翻,陳郡項人,見《魏書·文苑傳》。①

袁躍集九卷

薛孝通集六卷

薛孝通集六卷

温子昇集三十五卷 《隋志》:"後魏散騎常侍《温子昇集》三十九卷。"子昇,見地理類。今存二十五篇。

温子昇集三十五卷

盧元明集六卷 《隋志》:"後魏太常卿《盧元明集》十七卷。"元明字幼章,范陽涿人,見《魏書·盧玄傳》。

盧元明集六卷

陽固集三卷 《隋志》:"後魏太常《陽固集》三卷。"固字敬安,北平無終人,見《魏書·陽尼傳》。

陽固集三卷

---

① 按《魏書·文苑傳》袁躍傳云:"袁躍字景騰,陳郡人,尚書飜弟也。"此處考證有誤。

魏孝景集一卷

魏孝景集一卷

北齊陽休之集三十卷

北齊陽休之集三十卷

邢卲集三十卷　《隋志》:"北齊特進《邢子才集》三十一卷。"卲字子才,河間鄚人,《北齊書》有傳。今有張溥輯本。

邢卲集三十卷

魏收集七十卷　《隋志》:"北齊尚書僕射《魏收集》六十八卷。"收字伯起,見正史類。今有明張溥輯本。

魏收集七十卷

劉逖集四十卷　《隋志》:"北齊儀同《劉逖集》二十六卷。"逖字子長,彭城叢亭里人,《北齊書·文苑》有傳。

劉逖集四十卷

後周明帝集五十卷　《隋志》:"《後周明帝集》九卷。"明帝,見《周書》本紀。今存十四篇。周明帝,《隋志》九卷,《舊志》十卷,此《志》五十卷。"一"是"十"之誤,"五十"似衍"五"字。

後周明帝集五十卷

趙平王集十卷　《隋志》:"《後周趙王集》八卷。"趙王名招,字豆盧突,見《周書·文帝十三子傳》。

後周趙王集十卷

滕簡王集十二卷　《隋志》:"《後周趙簡王集》八卷。"滕王名逌,字爾固突,見《周書·文帝十三子傳》。

後周滕王集十二卷

宗懔集十卷　《隋志》:"後周儀同《宗懔集》十二卷,并《録》。"懔字元懔,南陽涅陽人,《周書》有傳。

宗懔集十卷

王褒集二十卷　《隋志》:"後周小司空《王褒集》二十一卷,并《録》。"褒,見雜傳類。

王褒集三十卷

蕭撝集十卷　《隋志》:"少傅《蕭撝集》十卷。撝字智遐,蘭陵人,秀子,《周書》有傳。

蕭撝集十卷

庾信集二十卷　《隋志》:"後周開府儀同《庾信集》二十一卷,并《録》。"信字子山,南陽新野人,《北史·文苑》有傳。今存。

庾信集二十卷

王衡集三卷

王衡集三卷

陳後主集五十五卷　《隋志》:"《陳後主集》三十九卷。"後主,見《陳書》本紀。今有明張溥輯本。謹按《隋志》三十九卷,此作"五十五卷",似并《沈后集》十卷在内也。

陳後主集五十卷

沈炯前集六卷　後集十三卷　《隋志》:"陳侍中《沈炯前集》七卷,《後集》十三卷。"炯字初明,吴興武康人,《陳書》有傳。今存張溥輯本。

陳沈炯前集六卷　後集十三卷

周弘正集二十卷　《隋志》:"陳尚書僕射《周弘正集》二十卷。"弘正,見易類。

周弘正集二十卷

周弘讓集十八卷　《隋志》:"陳金紫光禄大夫《周弘讓集》九卷,《後集》十二卷。"弘讓,見傳記類。今存四篇。

徐陵集三十卷　《隋志》:"陳尚書左僕射《徐陵集》三十卷。"陵,見雜家類。今存。

徐陵集三十卷

張正見集四卷　《隋志》:"陳尚書度支郎《張正見集》十四卷。"正見字見賾,清河東武城人,《陳書·文學》有傳。

張正見集四卷

陸珍集五卷　《隋志》:"陳少府《陸玠集》十卷。"謹按"珍"當改"玠",玠字潤玉,《陳書·文學》有傳。

陸珍集五卷

陸瑜集十卷　《隋志》:"陳光禄卿《陸瑜集》十一卷。"瑜字幹玉,琰弟,《陳書·文學》有傳。

陸瑜集十卷

沈不害集十卷

　沈不害集十卷

張式集十三卷　《隋志》:"陳右衛將軍《張式集》十四卷。"式,見雜家類。

　張式集十三卷

褚介集十卷　《隋志》:"陳御史中丞《褚玠集》十卷。""介"即"玠",玠字温理,河南陽翟人,《陳書·文學》有傳。

　褚介集十卷

顧越集二卷

　顧越集二卷

顧覽集五卷

　顧覽集五卷

姚察集二十卷

　姚察集二十卷

隋煬帝集三十卷　《隋志》:"《煬帝集》五十五卷。"煬帝,見《隋書》本紀。今有嚴可均輯本。

　煬帝集三十卷

盧思道集二十卷　《隋志》:"武陽太守《盧思道集》三十卷。"思道,見雜傳類。今存十三篇。

　盧思道集二十卷

李元操集二十二卷　《隋志》:"金州刺史《李元操集》十卷。"孝貞字元操,趙郡柏人人,《隋書》有傳。

　李元操集二十二卷

辛德源集三十卷　《隋志》:"蜀王府記室《辛德源集》三十卷。"德源,見雜家類。今存二篇。

　辛德源集三十卷

李德林集十卷　《隋志》:"懷州刺史《李德林集》十卷。"德林字公輔,博陵安平人,《隋書》有傳。今存十八篇。

　李德林集十卷

牛弘集十二卷 《隋志》:"吏部尚書《牛弘集》十二卷。"弘,見正史類。今存十篇。

牛弘集十二卷

薛道衡集三十卷 《隋志》:"司隸大夫《薛道衡集》三十卷。"道衡字玄卿,河東汾陰人,《隋書》有傳。今存八篇。

薛道衡集三十卷

何妥集十卷 《隋志》:"國子祭酒《何妥集》十卷。"①妥,見易類。今存五篇。

何妥集十卷

柳顧言集十卷 《隋志》:"祕書監《柳䛒集》五卷。"䛒字顧言,河東人。今存四篇。

柳顧言集十卷

江總集二十卷 《隋志》:"開府《江總集》三十卷,《江總後集》二卷。"總字總持,濟陽考城人,《隋書》有傳。今有嚴可均輯本。

江總集二十卷

殷英童集三十卷

殷英童集三十卷

蕭慤集九卷 《隋志》:"記室參軍《蕭慤集》九卷。"慤字仁祖,《隋書·文苑》有傳。

蕭慤集九卷

魏澹集四卷 《隋志》:"著作郎《魏彥深集》三卷。"澹,見正史類。

魏澹集四卷

尹式集五卷

尹式集五卷

諸葛潁集十四卷 《隋志》:"著作郎《諸葛潁集》十四卷。"潁,見地理類。

諸葛潁集十四卷

王冑集十卷 《隋志》:"著作郎《王冑集》十卷。"冑字承基,《隋書·文苑》有傳。

王冑集十卷

虞茂世集五卷

---

① "何"原作"河",據藕香簃本改。

虞茂代集五卷

劉興宗集三卷

劉興宗集三卷

李播集三卷

李播集三卷

道士江旻集三十卷

道士江旻集三十卷

僧曇諦集六卷

沙門曇諦集六卷

惠遠集十五卷

沙門惠遠集十五卷

支遁集十卷　《隋志》:“晋沙門《支遁集》八卷。”遁字道林,本姓關氏,陳留人,見《高僧傳》。今存二篇。

沙門支遁集

惠琳集五卷

沙門惠琳集五卷

曇瑗集六卷　《隋志》:“陳沙門《釋瑗集》六卷。”當作“釋曇瑗”。曇瑗,見儀注類。

沙門曇瑗集六卷

靈裕集二卷　《隋志》:“陳沙門《釋靈裕集》四卷。”《法苑珠林》:“靈裕姓趙氏,定州曲陽人,居相州大慈寺。”

沙門靈裕集二卷

亡名集十卷　《隋志》:“後周沙門《釋忘名集》十卷。”“忘”當爲“亡”。釋亡名姓宋氏,南郡人,見《法苑珠林》。今存三篇。

沙門亡名集十卷

曹大家集二卷

曹大家集二卷

鍾夫人集二卷　《隋志》:“梁有婦人晋司徒王渾妻《鍾夫人集》五卷。”夫人名琰,潁川人，見《晋書・列女傳》。

鍾夫人集二卷

劉臻妻陳氏集五卷

劉臻妻陳氏集五卷

左九嬪集一卷 《隋志》："梁有晋武帝《左九嬪集》四卷，亡。"左九嬪名芬，見《晋書・后妃傳》。今存二十四篇。

左九嬪集一卷

臨安公主集三卷

臨安公主集三卷

范靖妻沈滿願集三卷

范靖妻沈滿願集三卷

徐悱妻劉氏集六卷

徐悱妻劉氏集六卷

太宗集四十卷 《崇文總目》："《唐太宗集》一卷。"唐太宗，見本紀。今存一卷。

太宗集四十卷 《崇文總目》："《唐太宗集》一卷。"唐太宗，見本紀。今存一卷。

高宗集八十六卷 高宗皇帝，見本紀。

高宗集八十六卷

中宗集四十卷 中宗皇帝，見本紀。

中宗集四十卷

睿宗集十卷 睿宗皇帝，見本紀。

睿宗集十卷

武后 垂拱集一百卷 又 金輪集十卷 則天皇后，見本紀。

武后 垂拱集一百卷 金輪集十卷

陳叔達集十五卷 叔達字子聰，陳宣帝弟十六子，本書有傳。

唐陳叔達集十五卷

竇威集十卷 竇威字文蔚，扶風平陵人，太穆皇后從父之兄，本書有傳。

竇威集十卷

褚亮集二十卷　褚亮字希明,杭州錢塘人,本書有傳。

褚亮集二十卷

虞世南集三十卷　世南字伯施,餘姚人,本書有傳。

虞世南集三十卷

蕭瑀集一卷　蕭瑀字時文,後梁明帝子,《舊書》有傳。

蕭瑀集一卷

沈齊家集十卷

沈齊家集十卷

薛收集十卷　薛收,蒲州汾陰人,道衡子,本書有傳。

薛收集十卷

楊師道集十卷　師道字景猷,華陰人,隋宗室,本書有傳。

楊師道集十卷

庾抱集十卷　《全唐詩話》:"庾抱,潤州江寧人。"

庾抱集十卷

孔穎達集五卷　穎達字仲達,冀州衡水人,本書《儒學傳》。

孔穎達集五卷

王勣集五卷　《崇文總目》:"《東皋子集》二卷。"《全唐詩・傳》:"勣字無功,絳州龍門人,文中子之弟,棄家歸東皋著書,號東皋子。"今存三卷。

王勣集五卷

郎楚之集三卷　郎楚之,定州新樂人,郎餘令之祖。

郎楚之集三卷

魏徵集二十卷　《全唐詩・傳》:"徵字元成,魏州曲城人,封鄭國公,謚文貞。"

魏徵集二十卷

許敬宗集八十卷　《崇文總目》:"《許恭宗集》十卷。""敬"作"恭",避翼祖諱。敬宗字延族,杭州新城人,善心子,本書有傳。

許敬宗集八十卷

于志寧集四十卷　志寧字仲謐,高陵人,本書有傳。

于志寧集四十卷

上官儀集三十卷　上官儀字游韶，陝州陝人，本書有傳。儀工詩，綺錯婉媚，謂之上官體。

上官儀集三十卷

李義府集四十卷　李義府，瀛州饒陽人，本書有傳。

李義府集四十卷

顔師古集六十卷　師古名籀，①雍州萬年人，齊黄門侍郎之推之孫，本書有傳。

顔師古集六十卷

岑文本集六十卷　岑文本字景仁，鄧州棘陽人，本書有傳。

岑文本集六十卷

劉子翼集二十卷　子翼字小心，常州晉陵人，禕之父，本書附禕之傳。

劉子翼集二十卷

殷文禮集一卷

殷文禮集一卷

陸士季集十卷

陸士季集十卷

劉孝孫集三十卷　《全唐詩・傳》："劉孝孫，荆州人，貞觀中太子洗馬。"

劉孝孫集三十卷

鄭世翼集八卷　《全唐詩・傳》："鄭世翼，滎陽人，武德中揚州録事參軍。"

鄭世翼集八卷

崔君寔集十卷

崔君寔集十卷

李百藥集三十卷　李百藥字重規，定州安平人，德林子，本書有傳。

李百藥集三十卷

孔紹安集五十卷　《全唐詩・傳》："孔紹安，越州山陰人，陳尚書奂子，與詞人孫

---

① "名"原作"字"，藕香簃本同，據《舊唐書》本傳改。

篤壽時人謂之孫孔。詔撰《梁史》,未成而卒。"《舊史・文苑傳》。

孔紹安集五十卷

高季輔集二十卷 高季輔名馮,以字行,常州晉陵人,本書有傳。

高季輔集二十卷

温彦博集二十卷 温彦博字大臨,大雅弟,本書附《大雅》傳。

温彦博集二十卷

李玄道集十卷 李玄道,本書附《褚亮傳》。

李玄道集十卷

謝偃集十卷 《全唐詩・傳》:"謝偃,衛縣人,本姓直勒氏。工賦,李百藥工詩,時人謂之李詩謝賦。"①

謝偃集十卷

沈叔安集二十卷 《全唐詩・傳》:"沈叔安,官刑部尚書。"

沈叔安集二十卷

陸楷集十卷

陸楷集十卷

曹憲集三十卷 曹憲,揚州江都人,本書《儒學傳》。

曹憲集三十卷

蕭德言集二十卷 蕭德言字文行,雍州長安人,本書《儒學傳》。

蕭德言集二十卷

潘求仁集三卷

潘求仁集三卷

殷芋集三卷

殷芋集三卷

蕭鈞集三十卷 蕭鈞,瑀從子,本書附《瑀傳》。

蕭鈞集三十卷

---

① "李詩"原誤作"李師",據藕香簃本改。

袁朗集十四卷 袁朗，雍州長安人，樞子，本書《文藝傳》。

　袁朗集十四卷

楊續集十卷 《全唐詩·傳》："楊續，師道之兄。"

　楊續集十卷

王約集一卷

　王約集一卷

任希古集十卷 見《崇文總目》。《全唐詩·傳》："任希古字敬臣，棣州人。"

　任希古集十卷

凌敬集十四卷

　凌敬集十四卷

王德簡集十卷

　王德簡集十卷

徐孝德集十卷

　徐孝德集十卷

杜之松集十卷 《全唐詩·傳》："杜之松，博陵曲阿人。"

　杜之松集十卷

宋令文集十卷

　宋令文集十卷

陳子良集十卷

　陳子良集十卷

顏頵集十卷

　顏頵集十卷

劉熲集十卷

　劉熲集十卷

司馬儉集十卷

　司馬儉集十卷

鄭秀集十二卷

鄭秀集十二卷

耿義褒集七卷

耿義褒集七卷

楊元亨集五卷

楊元亨集五卷

劉綱集三卷

劉綱集三卷

王歸一集十卷

王歸一集十卷

馬周集十卷 《全唐詩·傳》:"馬周字賓王,清河茌平人,累遷中書令。"

馬周集十卷

薛元超集三十卷 《全唐詩·傳》:"薛元超,收之子,上元初,同中書門下平章事。"

薛元超集三十卷

高智周集五卷 高智周,常州晉陵人,本書有傳。

高智周集五卷

褚遂良集二十卷 褚遂良字登善,亮子。本書有傳。

褚遂良集二十卷

劉禕之集七十卷 劉禕之字希美,常州晉陵人,本書有傳。

劉禕之集七十卷

郝處俊集十卷 郝處俊,安州安陸人,本書有傳。

郝處俊集十卷

崔知悌集五卷

崔知悌集五卷

李安期集二十卷 李安期,百藥子,本書附《百藥傳》。

李安期集二十卷

唐覲集五卷

唐觀集五卷

張大素集十五卷 张大素，見正史類。

張大素集十五卷

鄧玄挺集十卷

鄧玄挺集十卷

劉允濟集二十卷 劉允濟，《紀事》作“元濟”，洛州鞏人，舉本州進士，後爲弘文館學士。

劉允濟集二十卷

駱賓王集十卷 見《崇文總目》。晁氏《讀書志》：“賓王，義烏人，臨海丞，後爲僧。”今存十卷。

駱賓王集十卷

盧照鄰集二十卷　又　幽憂子三卷 《崇文總目》：“《盧照鄰集》十卷，《幽憂子》二卷。”晁氏《讀書志》：“盧照鄰《幽憂子》十卷，照鄰字昇之，范陽人，自號幽憂子。”謹按《崇文總目》兩收，晁氏則合爲一，或者併省與。今存七卷。

盧照鄰集二十卷

楊炯　盈川集三十卷 《崇文總目》：“《盈川集》二十卷。”晁氏《讀書志》：“楊炯，華陰人，顯慶六年舉神童，授校書郎，終盈川令。”今存十卷，《附録》一卷。

楊炯盈川集三十卷

王勃集三十卷 《崇文總目》：“《王勃集》三十卷。”晁氏《讀書志》：“《王勃集》二十卷，勃字子安，通之孫，對策高等，授朝散郎。”今存十卷。

王勃集三十卷

狄仁傑集十卷 狄仁傑字懷英，并州太原人，本書有傳。

狄仁傑集十卷

李懷遠集八卷 《全唐詩・傳》：“李懷遠，邢州柏仁人，擢四科第，神龍初兵部尚書同中書門下三品。”

李懷遠集八卷

盧受采集二十卷

盧受采集二十卷

王適集二十卷　《全唐詩・傳》:"王適,幽州人,官至雍州司功參軍。"

王適集二十卷

喬知之集二十卷　《全唐诗・傳》:"喬知之,同州馮翊人,則天時累除右補闕,遷左司郎中。"

喬知之集二十卷

蘇味道集十五卷　《全唐詩・傳》:"蘇味道,趙州欒城人,與李嶠齊名,時人謂之蘇李。"

蘇味道集十五卷

薛耀集二十卷　《全唐詩・傳》:"薛耀,元超子,尚平陽郡主。"

薛耀集二十卷

郎餘慶集十卷　郎餘慶,定州新樂人,餘令兄,本書附《餘令傳》。

郎餘慶集十卷

盧光容集二十卷

盧光容集二十卷

崔融集六十卷　《崇文總目》:"《崔融表集》四卷。"《全唐詩・傳》:"崔融字安成,齊州全節人,擢八科高第。"

崔融集六十卷

閻鏡機集十卷

閻鏡機集十卷

李嶠集五十卷　《全唐詩・傳》:"李嶠字巨山,趙州贊皇人,弱冠擢進士第,累遷守兵部尚書同中書門下平章事。"

李嶠集五十卷

喬備集六卷　《金唐詩・傳》:"喬備,知之弟,預修《三教珠英》,終襄陽令。"本書附《知之傳》。

喬備集六卷

陳子昂集十卷　《崇文總目》:"《陳拾遺集》十卷。"《讀書志》:"陳子昂字伯玉,梓州人,文明初舉進士,擢拾遺。"今存十卷。

陈子昂集十卷

元希聲集十卷　《全唐詩·傳》:"元希聲,河南人,景龍初進吏部侍郎。"

元希聲集十卷

李適集十卷　《全唐詩·傳》:"李適字子玉,京兆萬年人,擢進士第,終工部侍郎。"

李適集十卷

沈佺期集十卷　見《崇文總目》。《讀書志》:"《沈佺期集》五卷,字雲卿,相州人,及進士第,由協律郎遷弘文館直學士。"

沈佺期集十卷

徐彦伯前集十卷　後集十卷　《全唐詩·傳》:"徐彦伯名洪,以字行,兖州瑕丘人,對策高等,官至太子賓客。"

徐彦伯前集十卷　後集十卷

宋之問集十卷　見《崇文總目》。《讀書志》:"《考功集》十卷,宋之問,延清汾州人,爲考功員外郎,與沈佺期齊名,號爲沈宋。"

宋之問集十卷

杜審言集十卷　《讀書志》:"《杜審言集》一卷,字必簡,襄陽人,預之後,擢進士,與李嶠、崔融、蘇味道爲文章四友。"

杜審言集十卷

谷倚集十卷　谷倚,魏郡人,與富嘉謨、魏少微,稱北京三傑,本書附《富嘉謨傳》。

谷倚集十卷

張柬之集十卷　《全唐詩·傳》:"張柬之字孟將,襄陽人,擢天官尚書,封漢陽王。"

張柬之集十卷

桓彦範集三卷　桓彦範字士則,潤州丹陽人,本書有傳。

桓彦範集三卷

韋承慶集六十卷　《全唐詩·傳》:"韋承慶字延休,鄭州陽武人,舉進士,官至黄門侍郎。"

韋承慶集六十卷

閭丘均集二十卷　《全唐詩·傳》閭丘均,益州成都人。"

閭丘均集二十卷

郭元振集二十卷　郭元振名震,以字行,魏州貴鄉人,本書有傳。

郭元振集二十卷

魏知古集二十卷　《全唐詩·傳》:“魏知古,深洲人,同平章事。”

魏知古集二十卷

閻朝隱集五卷　《全唐詩·傳》:“閻朝隱字友倩,趙州欒城人,連中進士、孝弟廉讓科。”

閻朝隱集五卷

蘇瓌集十卷　蘇瓌字昌容,雍州武功人,本書有傳。

蘇瓌集十卷

員半千集十卷　《全唐詩·傳》:“員半千,晋州臨汾人,本名餘慶,其師王義方器之曰:‘五百歲一賢者,生子宜當之。’因改名半千。”

員半千集十卷

李乂集五卷　《全唐詩·傳》:“李乂字尚真,趙州房子人,第進士,官至刑部尚書,與兄尚一、尚貞有《李氏花萼集》。”

李乂集五卷

姚崇集十卷　姚崇字元之,以元之乂更今名,陝州硤石人,本書有傳。

姚崇集十卷

邱悦集十卷　《全唐詩·傳》:“邱悦,開元時中。”

邱悦集十卷

劉子玄集三十卷　名知幾,字子玄,本書有傳。

劉子玄集三十卷

盧藏用集三十卷　盧藏用字子潛,幽州范陽人,本書有傳。

盧藏用集三十卷

玄宗集　玄宗皇帝,見本書本紀。

德宗集　卷亡。　德宗皇帝,見本書本紀。

濮王泰集二十卷　濮王泰,太宗子,見本書《諸王傳》。

上官昭容集二十卷　上官婉兒、上官昭容,本書有傳。

令狐德棻集三十卷　令狐德棻,熙子,見正史類。

褚亮集二十卷 重出。

許彦伯集十卷 許彦伯,敬宗孫,附《敬宗傳》。

劉洎集十卷 劉洎字思道,荆州江陵人,本書有傳。

來濟集三十卷 來濟,揚州江都人,本書有傳。

杜正倫集十卷 杜正倫,相州洹水人,本書有傳。

李敬玄集三十卷 《全唐詩·傳》:"李敬玄,亳州譙人,儀鳳中爲中書令。"

裴行儉集二十卷 裴行儉字守約,絳州聞喜人,本書有傳。

崔行功集六十卷 崔行功,恒州井陘人,本書有傳。

张文琮集二十卷 张文琮,貝州武城人,本書附兄《文瓘傳》。

麴崇裕集二十卷

劉憲集三十卷 劉憲字元度,宋州寧陵人,本書有傳。

薛稷集三十卷 薛稷字嗣通,蒲州汾陰人,收從子,本書附《收傳》。

宋璟集十卷 宋璟,邢州南和人,本書有傳。

蔣儼集五卷 蔣儼,常州義興人,本書有傳。

趙弘智集二十卷 趙弘智,河南新安人,本書有傳。

賀德仁集二十卷 賀德仁,越州山陰人,本書見《文藝傳》。

許子儒集十卷 許子儒字文舉,本書附《叔牙傳》。

蔡允恭集二十卷 蔡允恭,荆州江陵人,本書有傳。

張昌齡集二十卷 張昌齡,冀州南宫人,本書有傳。

杜易簡集二十卷 杜易簡,審言從兄,本書附《審言傳》。

顔元孫集三十卷 顔元孫,杲卿父,本書附《杲卿傳》。

姚璹集七卷 姚璹字令璋,吴興武康人,本書附《思廉》傳。

杜元志集十卷① 字道寧,開元考功郎中,杭州刺史。

楊仲昌集十五卷 楊仲昌字蔓,虢州閿鄉人,本書有傳。

崔液集十卷 裴耀卿纂。 崔液字潤甫,小名海子,定州安喜人,湜弟,本書

① "志"原作"忠",藕香簃本同,據中華書局點校本《新唐書》改。

有傳。

張説集三十卷　張説字道濟,河南洛陽人,本書有傳。今存三十卷。

徐堅集三十卷　徐堅,見類書類。

元海集十卷　字休則,開元臨河尉。

李邕集七十卷　李邕字泰和,揚州江都人,本書《文藝傳》。

王澣集十卷

張九齡集二十卷　張九齡字子壽,韶州曲江人,本書有傳。今存。

康國安集十卷　以明經高第直國子監,教授三館進士,授右典戎衛録事參軍、太學崇文助教,遷博士,白獸門内供奉、崇文館學士。

孫逖集二十卷　孫逖,博州武水人,本書附《文藝傳》。今存一卷。

趙冬曦集　卷亡。　趙冬曦,定州彭城人,本書附《儒學傳》。

苑咸集　卷亡。京兆人,開元末上書,拜司經校書,中書舍人,貶漢東郡司户參軍,復起爲舍人,永陽太守。　《全唐詩・傳》以爲成都人。

毛欽一集三卷　字傑,荆州長林人。　《崇文總目》:"《毛欽一文集》三卷。"

王助　雕蟲集一卷　王助字子功,本書附《勃傳》。

王維集十卷　王維字摩詰,太原人,本書有傳。今存十卷。

康希銑集二十卷　字南金,開元中台州刺史。

張均集二十卷　張均,説子,本書附《説傳》。

權若訥集十卷　開元梓州刺史。

白履忠集十卷　白履忠,汴州浚儀人,居大梁城時,號梁邱子。本書有傳。

鮮于向集十卷

康玄辯集十卷　字通理,開元瀘州刺史。

嚴從集三卷　從卒,詔求其稾,吕向集而進焉。　《讀書志》:"從,開元中爲著作郎,春宫侍讀集賢院,自號中黄子。"

陶翰集　卷亡。潤州人,開元禮部員外郎。　今存詩一卷。

崔國輔集 卷亡。應縣令舉授許昌令，集賢直學士，禮部員外郎，坐王鉷近親，貶竟陵郡司馬。 今存詩一卷。

高適集二十卷 高適字達夫，滄州渤海人，本書有傳。

賈至集二十卷　別十五卷 蘇冕編。 賈至字幼隣，河南洛陽人，曾子，本書附《曾傳》。

張孝嵩集十卷 字仲山，南陽人，開元河東節度使，南陽郡公。

儲光羲集七十卷 儲光羲，兖州人，登開元中進士第。今存四卷。

蘇源明　前集三十卷 蘇源明字弱夫，京兆武功人，本書有傳。

李白　草堂集二十卷 李陽冰録。 李白字太白，本書有傳。今存。

杜甫集六十卷　小集六卷 涯州刺史樊冕集。 《崇文總目》："《杜甫集》二十卷。"字子美，本書附《審言傳》。今存二十卷。

岑參集十卷 見《崇文總目》。《全唐詩》小傳："岑參，南陽人，天寶中舉進士，爲嘉州刺史。"今存八卷。

盧象集十二卷 字緯卿，左拾遺、膳部員外郎，授安禄山僞官，[①]貶永州司户參軍，起爲主客員外郎。

蕭穎士　游梁新集三卷　文集十卷 《崇文總目》："《蕭穎士文集》十卷。"

李華　前集十卷　中集二十卷 《崇文總目》："《李華集》二十卷。"華字遐叔，贊皇人，本書《文藝傳》。今存。

李翰　前集三十卷 李翰，華子，本書附《華傳》。

王昌齡集五卷 王昌齡字少伯，江寧人，本書見《文藝·孟浩然傳》。

元結　文編十卷 元結字次山，瀼州人，本書有傳。

邵説集十卷 邵説，相州安陽人，本書見《文藝傳》。

裴倩集五卷　又　溢城集五卷 均之父。 裴倩字容卿，本書附《行儉傳》。

劉彙集三卷 劉彙，子元子，本書附《餗傳》。

樊澤集十卷 樊澤字安時，河中人，本書有傳。

---

① "授"原作"受"，藕香簃本同，據中華書局點校本《新唐書》改。

崔良佐集十卷

湯貢集十五卷 字文叔,潤州丹陽人,貞元宋州刺史。

劉迥集五卷 劉迥,子元子,本書附《子元傳》。

武就集五卷 元衡父。

王休烈集十卷

元載集十卷 元載字公輔,鳳翔岐山人,本書有傳。

張薦集三十卷 張薦字孝舉,深州陸澤人,本書有傳。

劉長卿集十卷 字文房,至德監察御史,以檢校祠部員外郎爲轉運使判官,知淮西鄂岳轉運留後、鄂岳觀察使。吴仲孺誣奏,[①]貶潘州南巴尉。會有爲辨之者,除睦州司馬,終隋州刺史。

戎昱集五卷 衞伯玉镇荆南從事,後爲辰州、虔州二刺史。

崔祐甫集三十卷 崔祐甫字貽孫,長安人,本書有傳。

常衮集十卷 《崇文總目》:"《常衮文集》二十卷。"衮,京兆人,本書有傳。今存十卷。

又詔集六十卷 今存十卷。

楊炎集十卷 又 制集十卷 蘇弁編。《崇文總目》:"《楊炎文集》一卷。"炎字公南,鳳翔天興人。本書有傳。

顔真卿 吴興集十卷 又 廬集十卷 臨川集十卷 顔真卿字清臣,瑯琊臨沂人,本書有傳。今存十五卷。

歸崇敬集二十卷 歸崇敬字正禮,蘇州吴人,本書有傳。

劉太真集三十卷 太真,宣州人,本書有傳。

于邵集四十卷 于邵字相門,京兆萬年人,本書《文藝》有傳。

梁肅集二十卷 梁肅字敬之,一字寬中,本書有傳。

獨孤及 毗陵集二十卷 見《崇文總目》。及字至之,河南洛陽人,本書有傳。今存。

---

① "孺"原作"儒",據藕香簃本改。

竇叔向集七卷 字遺直，與常衮善，衮爲相，用爲左拾遺，内供奉，及貶，亦出溧水令。 群叔父，本書附《群傳》。

邱爲集 卷亡。 蘇州嘉興人，事繼母孝，嘗有靈芝生堂下。累官太子右庶子，時年八十餘，而母無恙，給俸禄之半。及居憂，觀察使韓滉以致仕官給禄所以惠養老臣，不可在喪爲異，惟罷春秋羊酒。初還鄉，縣令謁之，爲候門磬折，令坐，乃拜，里胥，立庭下，既出，乃敢坐。經縣署，降馬而趨，卒年九十六。

柳渾集十卷 柳渾字夷曠，一字惟深，本書有傳。

李泌集二十卷 李泌，京兆人，本書有傳。

張建封集二百三十篇 建封字本立，鄧州南陽人，本書有傳。

顧况集二十卷 况字，①蘇州人，本書附《李泌傳》。

鮑溶集五卷 《讀書志》："溶字德源，元和四年進士第，與韓文公同時。"

齊抗集二十卷 齊抗字遐舉，定州義豐人，本書有傳。

鄭餘慶集五十卷 餘慶字居業，鄭州滎陽人，本書有傳。

崔元翰集三十卷 元翰名鵬，以字行，本書有傳。

楊巖集二十卷 楊凝字懋功，虢州弘農人，憑弟，本書有傳。

欧阳詹集十卷 見《崇文總目》。今存十卷。

李觀集三卷 陸希聲纂。 李觀字元賓，洛陽人，華從子，本書附《華傳》。今存。

吕温集十卷 吕温字和叔，河中人，本書附《渭傳》。

穆員集十卷 穆員字與直。寧子。② 本書附《穆寧傳》。

竇常集十八卷 竇常字中行，群兄，本書附《群傳》。

鄭絪集三十卷 鄭絪字文明，餘慶從父，本書有傳。

---

① 整理者按，"字"下缺文，藕香簃本同。

② "子"，原缺，藕香簃本同，據《新唐書・穆寧傳》補。

符載集十四卷　見《崇文總目》。

郗純集六十卷

戴叔倫　述藁十卷　叔倫字幼公,潤州金壇人,本書有傳。

張登集六卷　貞元漳州刺史。《文苑英華》載其文。

陸迅集十卷　德宗時監察御史裏行。

柳冕集　卷亡。

姚南仲集十卷　姚南仲,華州下邽人,本書有傳。

李吉甫集二十卷　李吉甫字洪憲,贊皇人,本書附《栖筠傳》。

武元衡集十卷　元衡字伯蒼,平一孫,本書有傳。

權德輿　童蒙集十卷　又　集五十卷　制集五十卷　德輿字載之,皋子,本書有傳。

韓愈集四十卷　韓愈字退之,鄧州南陽人,本書有傳。今存。

柳宗元集三十卷　宗元字子厚,河東人,本書有傳。今存。

韋貫之集三十卷　貫之,本名純,本書有傳。

李絳集二十卷　李絳字深之,系本贊皇,本書有傳。

令狐楚　漆匳集一百三十卷　又　梁苑文類三卷　表奏集十卷　自稱《白雲孺子表奏集》。楚字慤士,本書有傳。

韋武集十五卷

皇甫鏞集十八卷　鏞字穌卿,涇州臨涇人,本書有傳。

樊宗師集二百九十一卷　宗師字紹述,澤子,本書附《澤傳》。

武孺衡集二十五卷　又　制集二十卷　孺衡字廷碩,元衡從父弟,本書有傳。

李道古　文輿三十卷　李道古,皋子,本書附《李明傳》。

董侹　武陵集　卷亡。侹字庶中,元和荆南從事。

劉禹錫集四十卷　劉禹錫字夢得,系出中山,本書有傳。

元氏長慶集一百卷　又　小集十卷　元稹。字微之,河南人,本書有傳。今存。

白氏長慶集七十五卷 白居易。 字樂天，太原人，自號醉吟先生，本書有傳。

白行簡集二十卷 行簡字居退，居易弟，本書附《居易傳》。

張仲方集三十卷 仲方，九齡弟，本書附《九齡傳》。

鄭澣集三十卷 鄭澣，餘慶子，本書附《餘慶傳》。

馮宿集四十卷 馮宿字拱之，婺州東陽人，本書有傳。

劉伯芻集三十卷 劉伯芻字素芝，本書有傳。

段文昌集三十卷 文昌字墨卿，一字景初，齊州臨淄人，本書有傳。①

又　詔誥二十卷

韋處厚集七十卷 處厚字德載，京兆萬年人，本書有傳。

劉栖楚集二十卷 栖楚，本書有傳。

李翺集十卷 李翺字習之，本書有傳。今存十卷。

温造集八十卷 温造字簡輿，佶子，本書附《大雅傳》。

滕珦集② 卷亡。珦，東陽人，歷茂王傅。太和初以右庶子致仕四品。給券還鄉自珦始。

王起集一百二十卷 王起字舉之，本書附《王播傳》。

崔咸集二十卷 大和人。 咸字重易，博州博平人，本書有傳。今存。

皇甫湜集三卷今存。 湜字持正，睦州新安人，本書有傳。③

舒元輿集一卷 元輿，婺州東陽人，本書有傳。

李德裕　會昌一品集二十卷　又　姑臧集五卷　窮愁志三卷

雜賦二卷 李德裕字文饒，吉甫子，本書有傳。今存卷。④

杜牧　樊川集二十卷 牧字牧之，佑孫，從郁子，本書附《佑傳》。今存。

沈亞之集九卷 亞之，本書《文藝》有傳。

---

① "有"字原脱，據藕香簃本補。

② "珦"原誤作"向"，藕香簃本同，據中華書局點校本《新唐書》改。

③ "今存"二字原脱，據藕香簃本補。

④ "卷"字前原有缺文。

羅讓集三十卷 羅讓字景宣,珦子,本書附《珦傳》。

王涯集十卷 王涯字廣津,太原人,本書有傳。

魏謩集十卷 魏謩字申之,魏州曲成人,徵五世孫,本書有傳。

秣陵子集一卷 來擇字無擇,寶曆應賢良科。

柳仲郢集二十卷 仲郢字諭蒙,京兆華原人,本書有傳。

陳商集十七卷

歐陽衮集二卷 衮,福州閩縣人,歷侍御史。

温庭筠　握蘭集三卷　又　金荃集十卷　詩集五卷　漢南真藁十卷 庭筠初名歧,字飛卿,本書附《大雅傳》。《讀書志》:"庭筠《金荃集》七卷,《外集》一卷。"

陳陶　文録十卷 《讀書志》:"陶字嵩伯,鄱陽人,大中時隱洪州西山,自號三教布衣。"

劉蜕　文泉子十卷 字復愚,咸通中書舍人。 今存。

鄭畋　玉堂集五卷　又　鳳池藁草三十卷　續鳳池藁草三十卷 鄭畋字台文,本書有傳。

孫樵　經緯集三卷 字可之,大中進士第。 《讀書志》:"樵字隱之,大中九年進士,官職方員外郎。"

周慎辭　寧蘇集五卷 字若訥,咸通進士第。 見《崇文總目》。

皮日休集十卷　又　胥臺集七卷　文藪十卷　詩一卷 《讀書志》:"日休字襲美,一字逸少,襄陽人,隱鹿門山,自號醉吟先生。"今存《文藪》十卷。

陸龜蒙　笠澤叢書三卷　又　詩編十卷　賦六卷 龜蒙字魯生,蘇州吴人,本書見《隱逸傳》。今存《叢書》七卷。

楊夔集五卷　又　冗書十卷　冗餘集一卷

沈栖遠　景臺編十卷 字子鸞,咸通進士第。

鄭誠集 卷亡。字申虞,福州閩縣人,大中國子司業,郢、安二州刺史,江西節度副使。

司空圖　一鳴集三十卷 圖字表聖,河中人,本書有傳。今存十卷。

陸扆集七卷 陸扆字祥文,陜州人,本書有傳。

李嶠　雜詠詩十二卷　見《崇文總目》。嶠,見前。以下是詩集。

劉希夷詩集四卷　希夷,汝州人,本書附《文苑・喬知之傳》。

崔顥詩一卷　汴州人,才俊無行,娶妻不愜即去之者三四,歷司勳員外郎。

綦毋潛詩一卷　字孝通。開元中,繇宜壽尉入集賢院待制,遷右拾遺,終著作郎。

祖詠詩一卷

李頎詩一卷　並開元進士第。

孟浩然詩集三卷　弟洗然。宜誠王士源所次,皆三卷也。士源别爲七類。　見《崇文總目》。《全唐詩・傳》:"浩然字浩然,襄陽人,少隱鹿門山。"今存。

包融詩一卷　潤州延陵人,歷大理司直。二子何、佶齊名,世稱"二包"。何,字幼嗣,大曆起居舍人。融與儲光羲皆延陵人,曲阿有餘杭尉丁仙芝、緱氏主簿蔡隱丘、監察御史蔡希周、渭南尉蔡希寂、處士張彦雄、張潮、校書郎張暈、吏部常選周瑀、長洲尉談戭,句容有忠王府倉曹參軍殷遥、硤石主簿樊光、横陽主簿沈如筠,江寧有右拾遺孫處玄、處士徐延壽,丹徒有江都主簿馬挺、武進尉申堂構,十八人皆有詩名。殷璠彙次其詩,爲《丹陽集》者。

皇甫冉詩集三卷　字茂政,潤州丹陽人,祕書少監集賢院修撰林姪也。天寶末無錫尉,避亂居陽羡,後爲左金吾衛兵曹參軍、左補闕,與弟曾齊名。曾字孝常,歷侍御史,坐事貶徙舒州司馬,陽翟令。　本書《文藝》有傳。今存二卷。

嚴維詩一卷　字正文,越州人,祕書郎。

張繼詩一卷　字懿孫,襄州人,大曆末,檢校祠部員外郎,分掌財賦於洪州。　《全唐詩・傳》:"繼登天寶進士第,詩體清迥。"

李嘉祐诗一卷　别名從一,袁州、台州二州刺史。　見《崇文總目》。

《全唐詩·傳》:"嘉祐,趙州人,天寶七年擢第,授祕書正字。"今存。

郎士元诗一卷 字君胄,中山人。寶應元年,選畿縣官,詔試中書,補渭南尉,歷拾遺、郢州刺史。 《全唐詩·傳》:"與錢起齊名,语曰:'前有沈宋,后有钱郎。'"今存一卷。

张南史诗一卷 字季直,幽州人。以試參軍避亂居揚州揚子,再召之,未赴,卒。《全唐詩·傳》:"南史字季直,幽州人。"

暢當詩二卷 《全唐詩·傳》:"當,河東人,登大曆七年進士第,終果州刺史,與弟諸同名。"

鄭常詩一卷

蘇涣詩一卷 涣,少喜剽盜,善用白弩,巴蜀商人苦之,號弩跖,以比莊蹻。後折節讀書,進士及第,湖南崔瓘辟從事,瓘遇害,涣走交廣,與哥舒晃反,伏誅。

朱灣詩集四卷 李勉,永平從事。 《全唐詩·傳》:"灣字巨川,蜀人,自號滄洲子。"

吉中孚詩一卷 楚州人,始爲道士,後官校書郎,登宏辭,諫議大夫、翰林學士、户部侍郎、判度支。貞元初卒。[①] 《全唐詩·傳》:"大曆十才子之一。"

朱放詩一卷 字長通,襄州人,隱居剡溪,嗣曹王皋鎮江西,辟節度參謀。貞元初,召爲拾遺,不就。 今存一卷。

劉方平詩一卷 河南人,與元魯山善,不仕。 今存一卷。

常建詩一卷 肅、代時人。

麴信陵詩一卷 《全唐詩·傳》:"麴信陵登貞元進士第,爲舒州望江令。"

章八元诗一卷 睦州人,大曆進士第。 《全唐詩·傳》:"貞元中調句容主簿。"

秦系詩一卷 《全唐詩·傳》:"系字公緒,會稽人。建中初,客泉州,南安有九日山,大松百餘章,結廬其上,穴石爲研。注《老子》。自號東海釣客,南安號其山爲高士

---

① "卒"原作"年",據藕香簃本改。

峰。"今存詩一卷。

陳詡詩集十卷 字載初,福州閩縣人,貞元户部郎中,知制誥。

錢起詩一卷 見《崇文總目》。《全唐詩·傳》:"起字仲文,吴興人,天寶十年登進士第,官秘書省校書郎,終尚書考功郎。"今存一卷。

李端詩集三卷 見《崇文總目》。《全唐詩·傳》:"端字正己,趙郡人,大曆五年進士,與盧綸、吉中孚、韓翃、錢起、司空曙、苗發、崔峒、耿湋、夏侯審唱和,號大曆十才子。"今存三卷。

韓翃詩集五卷 見《崇文總目》。《全唐詩·傳》:"翃字君平,南陽人,登天寶十三載進士第。"今存三卷。

司空曙詩集二卷 見《崇文總目》。《全唐詩·傳》:"曙字文明,廣平人,登進士第,終虞部郎中,大曆十才子之一。"今存詩一卷。

盧綸詩集十卷 《全唐詩·傳》:"綸字允言,①河中蒲人,舉進士不第,元載取其文以進,補閿鄉尉,累遷檢校户部郎中。"今存五卷。

耿湋詩集二卷 《全唐詩·傳》:"湋字洪源,河東人,登寶應元年進士第,官右拾遺,大曆十才子之一。"今存二卷。

崔峒詩一卷 《全唐詩·傳》:"峒,博陵人,大曆十才子之一。"

韋應物詩集十卷 見《崇文總目》。《全唐詩·傳》:"應物,京兆長安人,少以三衛郎事明皇,晚更折節讀書,終蘇州刺史。"今存。

許經邦詩集一卷 建中左武衛冑曹參軍。

韋渠牟詩集十卷 諫議大夫時集。《全唐詩·傳》:"渠牟,京兆萬年人,初爲道士,後爲僧,韓滉表試校書郎,終太常卿。"

劉商詩集十卷 貞元比部郎中。 見《崇文總目》。《全唐詩·傳》:"商字子夏,彭城人,登大曆進士第,終汴州觀察判官。"

王建集十卷 大和陜州司馬。 見《崇文總目》。《全唐詩·傳》:"建字仲初,潁川人,登大曆進士第,樂府與張籍齊名。"今存。

張碧　歌行集二卷 貞元時人。《書録解題》:"張碧字太碧撰。"

雍裕之詩一卷 見《書録解題》。

---

① "允"原誤作"元",藕香簃本同,據中華書局標點本《全唐詩》改。

楊巨源詩一卷 字景山,大和大中少尹。 《全唐詩·傳》:“巨源,河中人,登貞元進士第,終河中少尹。”今存詩一卷。

孟郊詩集十卷 見《崇文總目》。《全唐詩·傳》:“郊字東野,湖州武康人,登進士第,調溧陽尉,與韓愈爲忘形交,私謚貞曜先生。”今存。

張籍詩集七卷 見《崇文總目》。《全唐詩·傳》:“籍字文昌,和州烏江人,登貞元進士第,歷水部員外郎,主客郎中,終國子司業。”今存。

李涉詩一卷 《全唐詩·傳》:“涉,洛陽人,與弟渤同隱廬山,自號清溪子。”①

李賀集五卷 《全唐詩·傳》:“賀字長吉,仕爲協律郎。”今存。

李紳 追昔游詩三卷 李紳字公垂,客潤州,本書有傳。

又 批答一卷

章孝標詩一卷 《全唐詩·傳》:“孝標,桐廬人,登元和進士第,除祕書省正字,大和中試大理評事。”今存一卷。

殷堯藩詩一卷 元和進士第。

李敬方詩一卷 字中虔,大和歙州刺史。 《全唐詩·傳》:“敬方,登長慶進士第。”

玉川子詩一卷 盧仝。 見《崇文總目》。《全唐詩·傳》:“仝,范陽人,隱小室山,自號玉川子。”今存。

裴夷直詩一卷 《全唐詩·傳》:“夷直字禮卿,河東人,擢進士第,文宗時歷右拾遺,終散騎常侍。”

施肩吾詩集十卷 《全唐詩·傳》:“肩吾字希聖,洪州人,登元和進士第,隱洪州之西山。”

姚合詩集十卷 見《崇文總目》。《全唐詩·傳》:“合,陝州硤石人,崇曾孫,登元和進士第,授武功主簿,詩名重於時人,稱姚武功云。”今存。

韓琮詩一卷 字成封,大中湖南觀察使。

李商隱 樊南甲集二十卷 乙集二十卷 玉溪生詩三卷 又賦一卷 文一卷 見《崇文總目》。《全唐詩·傳》:“商隱字義山,懷州河内人,擢開成進士第,調弘農尉,又試拔萃中選,卒不遇。”今存文十卷,詩三卷。

---

① “傳”原誤作“歸”,藕香簃本同。據本書體例改。

賈島　長江集十卷　又　小集三卷 《全唐詩・傳》:"島字浪仙,范陽人,初爲浮屠,名無本,韓愈加以冠巾,舉進士,官長江主簿。"今存。

張祜詩一卷 字承吉,爲處士,①大中中卒。 《讀書志》:"祜,清河人,嘗客淮南,爱丹陽曲阿地,築室卜隱之。"今存。

許渾　丁卯集二集 字用晦,圉師之後,大中睦州、郢州二刺史。 見《崇文總目》。《書録解題》:"渾,大和五年進士。丁卯者,其所居之地有丁卯橋。"今存。

李遠詩集一卷 字求古,大中建州刺史。 見《崇文總目》。《全唐詩・傳》:"遠,蜀人,大和中進士第,終御史中丞。"

雍陶詩集十卷 字國鈞,大中八年,自國子《毛詩》博士出爲簡州刺史。 《全唐詩・傳》:"陶,成都人,大和中進士第。"

朱慶餘詩一卷 名可久,以字行,寶曆進士第。 見《崇文總目》。《全唐詩・傳》:"慶徐,越州人。"

喻鳬詩一卷 開成進士第,烏程令。 《全唐詩・傳》:"鳬,毘陵人,終烏程尉。"

馬戴詩一卷 字虞臣,②會昌進士第。 見《崇文總目》。《全唐詩・傳》:"戴爲龍陽尉,終大學博士。"

李群玉詩三卷　後集五卷 字文山,澧州人。裴休觀察湖南,厚延致之。及爲相,以詩論薦,授校書郎。 見《崇文總目》。

崔櫓　無機集四卷

郁渾　百篇集一卷 渾常應百篇,舉壽州刺史,李紳命百題試。

姚鵠詩一卷 字居雲,會昌進士第。 《全唐詩・傳》:"鵠,蜀人。"

項斯詩一卷 字子遷,江東人,登會昌進士第,丹徒尉。 今存一卷。

孟遲詩一卷 字遲之,會昌進士第。

顧非熊詩一卷 況之子,大中盱眙簿,棄官隱茅山。

章碣詩一卷 《全唐詩・傳》:"碣,孝標之子,登乾符進士第。"今存一卷。

① "處"字下原脱"士"字,藕香簃本同。據武英殿本《新唐書》補。

② "臣"原作"目",據藕香簃本改。

趙嘏　渭南集三卷　又　編年詩二卷 字承祐,大中渭南尉。

《全唐詩·傳》:"嘏,山陽人,登會昌進士第,杜牧愛其'長笛一聲人倚樓'之句。人目爲趙倚樓。"

薛逢詩集十卷　又　別紙十三卷　賦集十四卷

于武陵詩一卷 《全唐詩·傳》:"武陵,會昌時人。"

李頻詩一卷 《全唐詩·傳》:"頻字德新,睦州壽昌人,登大中進士第,調祕書郎,終建州刺史,號《黎岳集》。"今存。

李郢詩一卷 字楚望,大中進士第,侍御史。《全唐詩·傳》:"楚望,長安人。"

曹鄴詩三卷 字鄴之,大中進士第,洋州刺史。《全唐詩·傳》:"鄴,桂州人。"今存。

劉滄詩一卷 字蘊靈。《全唐詩·傳》:"滄,魯人,登大中進士第,調華原尉,遷龍門令。"今存一卷。

崔珏詩一卷 字夢之,大中進士第。《全唐詩·傳》:"珏寄家荆州,由幕府拜祕書郎,爲淇縣令,官至侍御史。"

劉得仁詩一卷 見《崇文總目》。《全唐詩·傳》:"得仁,貴主之子,長慶中以詩名。"今存一卷。

高蟾詩一卷 乾寧御史中丞。

高駢詩一卷 《全唐詩·傳》:"駢,崇文之孫,終淮南節度副大使。"

薛能詩集十卷　又　繁城集一卷 《全唐詩·傳》:"能字太拙,汾州人,登會昌進士第,官至忠武節度使。"今存。

陸希聲　頤山詩一卷 《全唐詩·傳》:"希聲,吴人,初隱義興,後召爲右拾遺,累官同中書門下平章事。"

鄭嵎　津陽門詩一卷 《讀書志》:"嵎字賓光,大中五年進士。津陽即華清宫之外闕。嵎開成中過之,聞逆旅主人道承平故實,明日馬上成長句一千四百言,自爲之序。"

于濆詩一卷 字子漪。《全唐詩·傳》:"濆,咸通中登進士第,終泗州判官。"

許棠詩一卷 字文化。

公乘億詩一卷 字壽山,並咸通進士第。

聶夷中詩二卷 字坦之,咸通華陰尉。《全唐詩·傳》:"夷中,河東人,登咸通中進士。"今存一卷。

于鄴詩一卷 《全唐詩·傳》:"鄴,唐末進士。"

于部詩一卷

鄭谷　雲臺編三卷　又　宜陽集三卷 字守愚,袁州人,爲右拾遺,乾寧中以都官郎中卒于家。本書《文藝》有傳。今存三卷。

朱朴詩四卷　又　雜表一卷 見《崇文總目》。

玄英先生詩集十卷 方干。《全唐詩·傳》:"干字雄飛,新定人,舉進士不第,隱於鑑湖。宰臣張文蔚奏名儒不第者五人,請賜一官以慰其魂,干其一也。私謚曰玄英先生。"今存。

李洞詩一卷 《全唐詩·傳》:"洞字才江,京兆人,慕賈島爲詩,鑄象事之。"今存。

吴融詩集四卷　又　制誥一卷 《全唐詩·傳》:"融字子華,越州山陰人,登龍紀中進士第,官至翰林承旨。"今存詩四卷。

韓偓詩一卷　又　香匳集一卷 《全唐詩·傳》:"偓字致堯,京兆萬年人,登龍紀中進士第,官至兵部侍郎,依王審知而卒。"今存。

曹唐詩三卷 字堯賓。《讀書志》:"曹唐字堯賓,桂州人,初爲道士,咸通中爲府從事,卒。作《游仙詩》百餘篇。"

周賀詩一卷 《全唐詩·傳》:"賀字南卿,東洛人,初爲浮屠,名清塞,姚合加以冠巾,改名。"

劉于詩一卷

崔塗詩一卷 字禮山,光啓進士第。今存一卷。

唐彦謙詩集三卷 《全唐詩·傳》:"彦謙字茂業,并州人,登咸通進士第,累官至閬、壁、絳三州刺史,號鹿門先生。"今存。

張喬詩集二卷 《全唐詩·傳》:"喬,池州人,登咸通進士第,黄巢之亂隱九華山。"今存一卷。

王駕詩集六卷 字大用。《全唐詩·傳》:"駕,河中人,登大順進士第,仕至禮部員外郎,自號守素先生。"

吴仁璧詩一卷 字廷寶,並大順進士第。錢鏐辟不應,鏐怒沈之江。

王貞白詩一卷 字有道。《全唐詩·傳》:"貞白,永豐人,登乾寧進士第,有

《靈溪集》十卷。”

張蠙詩集二卷 字象文。 《全唐詩·傳》:“蠙字象文,清河人,登乾寧進士第,入蜀終全堂令。”

翁承贊詩一卷 字文堯。 《全唐詩·傳》:“承贊,閩人,登乾寧進士第,又擢宏詞科,終福建鹽铁副使。”

褚載詩三卷 字厚之,並乾寧進士第。 《崇文總目》:“褚載《詠史詩》三卷。”

王轂詩集三卷 字虛中,乾寧進士第,郎官致仕。 《全唐詩·傳》:“轂,宜春人。”

曹松詩集三卷 字夢徵,天復進士第,校書郎。

羅鄴詩一卷 《全唐詩·傳》:“鄴,餘杭人,累舉不第。光化中,以韋莊奏追賜進士及第。”今存一卷。

趙摶歌詩二卷 見《崇文總目》。

周朴詩二卷 朴稱處士。 《全唐詩·傳》:“朴字太朴,吴興人,死黄巢之難。”今存一卷。

朱景元詩一卷 見《崇文總目》。

崔道融 申唐诗三卷 見《崇文總目》。

陳光詩一卷 《全唐詩·傳》:“光,唐末人。”

王德輿詩一卷 見《崇文總目》。

湯緒 潛陽雜題詩三卷 見《崇文總目》。

韋靄詩一卷 見《崇文總目》。

張爲詩一卷 《全唐詩·傳》:“爲,唐末江南詩人。”

羅浩源詩一卷 見《崇文總目》。

薛瑩 洞庭詩集一卷 見《崇文總目》。

謝蟠隱 雜感詩二卷 見《崇文總目》。

譚藏用詩一卷 見《崇文總目》。《全唐詩·傳》:“名用之,唐末人。”

劉言史歌詩六卷

黄滔集十五卷 字文江,光化四門博士。 《全唐詩·傳》:“滔,莆田人,登乾寧进士第,終威武軍節度推官。”今存十卷。

鄭良士　白巖集十卷 字君夢,昭宗時獻詩五百篇,授補闕。

嚴郾詩二卷 見《崇文總目》。

劉威詩一卷 見《崇文總目》。

鄭雲叟詩三卷 見《崇文總目》。

來鵬詩一卷 見《崇文總目》。豫章人。

陸元皓　詠劉子詩三卷 《崇文總目》:“一卷。”

任翻詩一卷 《全唐詩・傳》:“翻,唐末詩人。”

李山甫詩一卷 《全唐詩・傳》:“山甫依魏博幕府,爲從事。”今存一卷。

道士吴筠集十卷 《崇文總目》:“《吴筠集》五卷。”

僧惠蹟集八卷 姓李,江陵人。

僧玄範集二十卷

僧法琳集三十卷

僧靈徹詩集十卷 姓湯,字源澄,越州人。《全唐詩・傳》:“靈徹,會稽人,雲門寺律僧,少從嚴維學爲詩。”

皎然詩集十卷 字清晝,姓謝,湖州人,靈運十世孫,居杼山。顏真卿爲刺史,集文士撰《韻海鏡源》,預其論著。貞元中,集賢御書院取其集以藏之,刺史于頔爲序。今存《杼山集》十卷。

盧獻卿　愍征賦一卷 見《崇文總目》。以下賦。

謝觀賦八卷 見《崇文總目》。

盧肇　海潮賦一卷　又　通屈賦一卷　注林絢大統賦二卷 字子發,袁州人,咸通歙州刺史。《崇文總目》:“《海潮賦》一卷,盧肇撰,《大統賦》二卷,林絢撰,盧肇注,安裕重箋。”

高邁賦一卷

皇甫松　大隱賦一卷 見《崇文總目》。

崔葆　數賦一卷 乾寧進士,王克昭注。見《崇文總目》。

宋言賦一卷 字表文。見《崇文總目》。

陳汀賦一卷 字用濟，並大中進士第。

樂朋龜　綸閣集十卷　又　德門集五卷　賦一卷 　字兆吉，僖宗翰林學士，太子少保致仕。 見《崇文總目》。

蔣凝賦三卷 字仲山，咸通進士第。 見《崇文總目》。

公乘億賦集十二卷 見《崇文總目》。

林嵩賦一卷 字降臣，乾符進士第。 見《崇文總目》。

王翃賦一卷 字雄飛，大順進士第。

賈嵩賦三卷

李山甫賦二卷 山甫，見前。

陸贄　論表疏集十二卷　又　翰苑集十卷 韋處厚纂。 贄字敬輿，嘉興人，本書有傳。今存奏疏。以下雜著。

王仲舒　制集十卷 仲舒字宏仲，并州祈人，本書有傳。

李虞仲制集四卷 見《崇文總目》。

封敖翰藁八卷 見《崇文總目》。

崔嘏　制誥集十卷 字乾錫，邢州刺史。會劉稹反，歸朝，授考功郎中、中書舍人。李德裕之謫，嘏草制，不盡書其過，貶端州刺史。 本書附《李德裕傳》。

獨孤霖　玉堂集二十卷 見《崇文總目》。

劉崇望　中和制集十卷 見《崇文總目》。崇望字希徒，本書有傳。

李磎制集四卷 見《崇文總目》。磎字景望，栻子，本書附《鄘傳》。

錢珝　舟中録二十卷

薛延珪　鳳閣書詞十卷

郭元振　九諫書一卷 見《崇文總目》。元振，見前。

李絳　論事集二卷 蔣偕集。 李絳字深之，贊皇人，本書有傳。《祕書省四庫缺書目》:"《李絳論事》七卷。"今存。

李磎表疏一卷 見前。

張濬表狀一卷 見《崇文總目》。

臨淮尺題二卷　武元衡西川從事撰。　見《崇文總目》。

李程表狀一卷　見《崇文總目》。程字表臣,①本書有傳。

劉三復表狀十卷　三復,本書附《鄴傳》。

問遺雜録三卷　見《崇文總目》。

趙璘　表狀集一卷　見《崇文總目》。

張次宗集六卷

吕述　東平小集三卷　見《崇文總目》。

段金緯集二十卷　見《崇文總目》。

劉鄴　甘棠集三卷　鄴字漢藩,潤州句容人,本書有傳。

王虬集十卷　字希龍,泉州南安人。大順初舉進士第。

崔致遠　四六一卷　又　桂苑筆耕二十卷　高麗人,賓貢及第,高駢淮南從事。　見《崇文總目》。今存。

鄭準　渚宫集一卷　字不欺,乾寧進士第。　《全唐詩·傳》:"爲成汭所害。"

李巨川　四六集二卷　韓建華州從事。　巨川字下已,本書有傳。

胡曾　安定集十卷

陳蟠隱集五卷

張澤　飲河集十五卷

黄台　江西表狀二卷　鍾傳從事。

太宗　凌煙閣功臣讃一卷　見《崇文總目》。

崔融　賓圖讃一卷　王起注。　融字安成,齊州全節人,國子司業,本書有傳。

盧鋋　武成王廟十哲讃一卷

李靖　霸國箴一卷　靖字藥師,本書有傳。

魏徵　時務策五卷　見《崇文總目》。

郭元振　安邦策一卷　見《崇文總目》。

---

①　"臣"原作"目",據藕香簃本改。

劉蕡策一卷 蕡，見《崇文總目》。蕡字去華，幽州昌平人，本書有傳。

王勃 舟中纂序五卷 才命論一卷 張鷟撰，郗昂注。一作"張説撰，潘詢注"。

杜元穎五題一卷 見《崇文總目》。

李甘文一卷 甘字和鼎，①本書附《李中敏傳》。

南卓文一卷 《黔誌》："南中丞卓爲黔中經略使。"

劉軻文一卷

陸鸞文一卷 字雜祥，咸通進士第。 見《崇文總目》。

吴武陵書一卷 見《崇文總目》。

夏侯韞 大中年與涼州書一卷 見《崇文總目》。

駱賓王 百道判集一卷 見《崇文總目》。賓王，見前。

張文成 龍筋鳳髓十卷 見《崇文總目》。今存。

崔鋭判一卷 大曆人。 見《崇文總目》。

鄭寛 百判一卷 元和拔萃。 見《崇文總目》。

右别集類，七百三十六家，七百五十部，七千六百六十八卷。 失名姓一家。玄宗以下不著録一百六家，五千一十二卷。

摯虞 文章流别集三十卷 《隋志》："《文章流别集》四十一卷，梁六十卷，《志》二卷，《論》二卷，摯虞撰。《文章流别志論》二卷，摯虞撰。"虞，見儀注類。謹按史部簿録類有摯虞《文章志》四卷，與本傳所載同，似即此《七録》所有之《志》二卷。今存十二條。

文章流别集三卷 摯虞撰。

杜預 善文四十九卷 《隋志》："《善文》五十卷，杜預撰。"預，見經類。

善文四十九卷 杜預撰。

謝沈 名文集四十卷 《隨志》："梁有《文章志録雜文》八卷，謝沈撰。又《名士雜文》八卷，亡。"沈，見書類。謹按《隋書》只云八卷，此四十卷似後人增益。

---

① "鼎"，原作"稚"，藕香簃本作"雅"，據《新唐書》改。

名文集四十卷 謝沈撰。

孔逭　文苑一百卷 《隋志》:"《文苑》一百卷,孔逭撰。"逭,見《南史·文學·邱巨源附傳》。《玉海·藝文志》:"《中興書目》:'逭集漢以後諸儒文章,賦、頌、騷、銘、評、吊、典、書、表、論凡十屬目録,有校正官吏姓名。龍朔二年著,唐祕書本。'"謹按此即《文選》之先河。

文苑一百卷 孔逭撰。

梁昭明太子　文選三十卷 《隋志》:"《文選》三十卷,梁昭明太子撰。"昭明太子,見别集類。《四庫簡明目録》:"《文選》爲文章淵藪,古人總集以是書爲弁冕矣。"今存卷子本。

文選三十卷 梁昭明太子撰。

又　古今詩苑英華二十卷 《隋志》:"《古今詩苑英華》十九卷,梁昭明太子撰。"《南史》本傳:"又撰五言詩之善者爲《英華集》二十卷。"

古今詩苑英華集二十卷 梁昭明太子撰。

蕭該　文選音十卷 《隋志》:"《文選音》三卷,蕭該撰。"該,見正史類。今有臧庸堂輯本。

文選音十卷 蕭該撰。

僧道淹　文選音義十卷

文選音義十卷 釋道流撰。

小辭林五十三卷 《隋志》:"《詞林》五十三卷。"《隋書·魏澹傳》:"澹除太子舍人,注《庾信集》,復撰《笑苑詞》,世稱其博物。"謹按《詞林》即澹所撰。

小詞林五十三卷

集古今帝王正位文章九十卷

集古今帝王正位文章九十卷

蕭圓　文海集三十六卷 《隋志》:"《文海》五十卷。"不著撰人。《周書·蕭圓肅傳》:"圓肅又撰時人詩集爲《文海》四十卷。"即此。兩《志》奪"肅"字。

文海集三十六卷 蕭圓撰。

康明貞　辭苑麗則二十卷

詞苑麗則二十卷 康明貞撰。

庾自直　類文三百七十七卷 《宋志》:"庾自直《類文》三百六十二卷,少十五卷。”

宋明帝　賦集四十卷　《隋志》:“《賦集》九十二卷,謝靈運撰。”靈運,見正史類。

賦集四十卷　宋明帝撰。

皇帝瑞應頌集十卷　謹按《隋志》:“《皇德瑞應賦頌》十六卷。”似即此編之原書。

皇帝瑞應頌集十卷

五都賦五卷　《隋志》:“《五都賦》六卷。”謹按張平子《西京》、《東京》二賦,左太冲《蜀都》、《吴都》、《魏都》三賦也。

五都賦五卷

卞鑠　獻賦集十卷　《隋志》:“《献賦》十八卷。”鑠,見别集類。《舊志》“鑠”作“鏗”。

獻賦集十卷　卞鑠撰。

司馬相如　上林賦一卷　《隋志》:“梁有郭璞《注子虚上林賦》一卷,亡。”璞,見詩類。相如,見别集類。

上林賦一卷　司馬相如撰。

曹大家　注班固幽通賦一卷　大家,見别集類。《文選注》引曹大家語最多。

幽通賦一卷　班固撰,曹大家注。

項岱　注幽通賦一卷　梁有項氏《注幽通賦》。岱,見正史類。

又一卷　項岱撰。

張衡　二京賦二卷　衡,見天文類。今存。

二京賦二卷　張衡撰。

薛綜　二京賦音二卷　《隋志》:“梁有薛綜《注張衡二京賦》二卷,亡。”綜,見别集類。

二京賦音二卷　薛琮撰。

三都賦三卷　謹按《三都賦》三卷,上脱“左太冲”三字。今存。

三都賦三卷

左太冲　齊都賦一卷　《隋志》:“梁又有《齊都賦》二卷并音,左思撰,亡。”思,見别集類。《隋志》脱“李軌”二字。

齊都賦一卷　左太冲撰。

李軌　齊都賦音一卷 見上。

齊都賦音一卷 李軌撰。

褚令之　百賦音一卷 《隋志》:"《百賦音》十卷,宋御史褚詮之撰。"詮之,見别集類。"令之"應作"詮之"。

百賦音一卷 褚令之撰。

郭微之　賦音二卷 《隋志》:"梁有《賦音》二卷,郭微之撰,亡。"微之,或作"徵之",始末未詳。

賦音二卷 郭微之撰。

綦毋邃　三京賦音一卷 《隋志》:"梁又有《二京賦》二卷,李軌、綦毋邃撰,亡。"此則存綦毋邃一家。

三京賦音一卷 綦毋邃撰。

木連理頌二卷 《隋志》:"梁有《木連理頌》二卷,太元十九年群臣上之。"

木連理頌二卷

李暠　靖恭堂頌一卷 《隋志》:"《靖恭堂頌》一卷,晋涼王李暠撰。"暠,見霸史類。

靖恭堂頌一卷 李暠撰。

諸郡碑一百六十六卷 《隋志》有:"《碑集》二十九卷,《雜碑集》二十九卷,《雜碑集》二十二卷,梁有《碑集》十卷,《釋氏碑文》三十卷。"想彙集此中與?

諸郡碑一百六十六卷

雜碑文集二十卷

雜碑文集二十卷

殷仲堪　雜論九十五卷 仲堪。

雜論九十五卷 殷仲堪撰。

劉楷　設論集三卷 《隋志》:"《設論集》二卷。"

設論集三卷 劉楷撰。

謝靈連　設論集五卷

又五卷 謝靈運撰。

又　連珠集五卷 《隋志》:"梁有《設論連珠》十卷。"似并爲一,然梁又有謝靈運

《連珠集》五卷。

連珠集五卷 謝靈運撰。

梁武帝 制旨連珠四卷 《隋志》:"梁武帝《制旨連珠》十卷。"今存三條。

制旨連珠四卷 梁武帝撰。

陸緬 注制旨連珠十一卷 《隋志》:"梁武帝《制旨連珠》十卷,陸緬注。"緬,見《南史·陸慧曉傳》,慧曉之孫。

又十一卷 陸緬撰。

謝莊 讚集五卷 《隋志》:"《讚集》五卷,謝莊撰。"莊,見別集類。

讚集五卷 謝莊撰。

張湛 古今箴銘集十三卷 《隋志》:"《古今箴銘集》十四卷,張湛撰,《録》一卷。"湛,見道家類。

古今箴銘集十三卷 張湛撰。

衆賢誡集十五卷 《隋志》:"梁有《衆賢誡集》九卷,殘缺。"

衆賢誡集十五卷

雜誡箴二十四卷 《隋志》:"梁有《雜誡箴》二十四卷,亡。"不著撰人。

雜誡箴二十四卷。

李德林 霸朝雜集五卷 《隋志》:"《霸朝集》三卷,李德林撰。"德林,見別集類。

霸朝雜集五卷 李德林撰。

王履 書集八十卷 《隋志》:"《書集》八十八卷,晋散騎常侍王履撰。"履,始末未詳。

書集八十卷 王履撰。

夏赤松 書林六卷 《隋志》:"梁有《應璩書林》八卷,夏赤松撰。"赤松,見《南史·蕭惠基傳》。謹按此蓋赤松重編應氏之書,或删節,或注釋。

書林六卷 夏赤松撰。

山濤啓事十卷 《隋志》:"《山公啓事》三卷。"濤,見別集類。

山濤啓事三卷

范寧啓事十卷 寧,見書類。《新書》脱。

梁中書表集二百五十卷　《隋志》:"《梁中書表》十一卷。"謹按《梁書》、《南史·王筠傳》:"敕撰《中書表奏》三十卷。"①《陳·姚察傳》:"察在祕書省,奏撰《中書表》。"蓋即其類,似梁朝故府留貽者。

梁中書表集二百五十卷

薦文集七卷　《隋志》:"梁有《薦文集》七卷,亡。"不著撰人。

薦文集七卷

宋元嘉策五卷　《隋志》:"《宋元嘉策孝秀文》十卷。"不著撰人。

宋元嘉策五卷

又　元嘉宴會游山詩集五卷

元嘉宴會游山詩集五卷

宋伯宜　策集六卷　《隋志》:"《策集》六卷。"不著撰人。宋伯宜,始末未詳。《舊志》以爲謝靈運。

策集六卷　謝靈運撰。

卞氏　七林集十二卷　《隋志》:"《七林》十卷,梁十二卷,《録》二卷,卞景撰。"景,始末未詳。

七林集十二卷　卞氏撰。

顔之推　七悟集一卷　《隋志》:"《七悟》一卷,顔之推撰。"之推,見小學家。

七悟集一卷　顔延之撰。

袁淑　俳諧文十五卷　《隋志》:"《誹諧文》十卷。"淑,見别集類。今存五篇。

誹諧文十五卷　袁淑撰。

顔竣　婦人詩集二卷　竣,見别集類。

婦人詩集二卷　顔竣撰。

殷淳　婦人集三十卷　《隋志》:"梁有《婦人集》三十卷,殷淳撰。"淳,見别集類。

江邃　文釋十卷

文釋十卷　江邃撰。

干寶　百志詩集五卷　《隋志》:"《百志詩》九卷,干寶撰,梁五卷。"寶,見易類。

---

① "表奏"原誤作"奏奏",據藕香簃本改。

百志詩集五卷 干寶撰。

崔光 百國詩集二十九卷 《隋志》:"《百國詩》四十三卷。"不著撰人。《魏書·崔光傳》:"光又爲《百三郡國詩》,國别爲卷,爲百三卷。"

百國詩集二十九卷 崔光撰。

應璩 百一詩八卷 《隋志》:"梁有應貞《注應璩百一詩》八卷,亡。"璩,見别集類。

百一詩八卷 應璩撰。

李夔 百一詩集二卷 《隋志》:"梁又有《百一詩》三卷,晋蜀郡太守李彪撰,亡。"夔即彪,亦似注本。

百一詩集二卷 李夔撰。

晋元正宴會詩集四卷 伏滔、袁豹、謝靈運集。

晋元氏宴會遊集四卷 伏滔、袁豹、謝靈運等撰。

顔延之 元嘉西池宴會詩集三卷

元嘉西池宴會詩集三卷 顔延之撰。

清溪集三十卷 齊武帝敕撰。 《隋志》:"《清溪詩》三十卷,齊讌會作。"《五行志》:"世祖起青溪舊宫,改爲芳林苑。"

清溪集三十卷 齊武帝命撰。

齊釋奠會詩集二十卷 《隋志》:"《齊釋奠會詩》一十卷。"不著撰人。釋奠,見《南齊書·武帝本紀》。

齊釋奠會詩集二十卷

徐伯陽 文會詩集四卷 《隋志》:"《文會詩》三卷,陳仁威記室徐伯陽撰。"伯陽字隱忍,東海人,《陳書·文學》有傳。

文會詩集四卷 徐伯陽撰。

文林詩府六卷 北齊後主作。 《隋志》:"《文林館詩府》八卷,後齊文林館作。"謹按《文林館》,武平四年製,待詔自祖珽至段孝言六十二人。

文林詩府六卷 北齊後主作。

蕭淑 西府新文十卷 《隋志》:"《西府新文》十一卷并《録》,梁蕭淑撰。"淑,蘭陵人,見《齊書·蕭介傳》。謹按梁《金樓子·著書篇》所載諸人,有自撰,有使顔協、劉緩、蕭賁諸人撰者,此書當亦元帝使爲之。

西府新文十卷　蕭淑撰。

新文要集十卷

宋明帝詩集新撰三十卷　《隋志》:"梁又有《詩集》四十卷,宋明帝撰,亡。"宋明帝,見别集類。

詩集新撰三十卷　宋明帝撰。

詩集二十卷

詩集二十卷　宋明帝撰。

謝靈運　詩集五十卷　《隋志》:"《詩集》五十卷,謝靈運撰。梁五十二卷。"靈運,見别集類。

詩集五十卷　謝靈運撰。

又　詩集鈔十卷　《隋志》:"《詩集鈔》十卷,謝靈運撰。"

詩異鈔十卷　謝靈運撰。

詩英十卷　《隋志》:"《詩英》九卷,謝靈運集。梁十卷。"

詩英十卷　謝靈運撰。

回文詩集一卷　《隋志》:"梁又有《迴文集》十卷,謝靈運撰,亡。"

迴文詩集一卷

七集十卷　《隋志》:"《七集》十卷,謝靈運撰。"

劉和詩集二十卷　《隋志》:"梁又有《雜詩》二十卷,宋太子洗馬劉和撰,亡。"謹按馮氏《詩紀》有晋劉和妻王氏,不知是此人否?

詩集二十卷　劉和撰。

顔竣　詩集一百卷　《隋志》:"梁有《詩集》一百卷,并例二卷,顔竣撰,亡。"竣,見别集類。

又　一百卷　顔竣撰。

許淩　六代詩集鈔四卷　《隋志》:"《六代詩集鈔》四卷。"不著撰人。謹按《舊志》惟有許淩一家,《新志》又别出徐淩一家,疑是徐陵。陵有《文府》十卷,殆從《文府》中析出别行者。陵,見别集類。

六代詩鈔四卷　徐淩撰。

詩林英選十一卷

　詩林英選十一卷

虞綽等　類集一百一十三卷

　類集一百一十三卷 虞綽等撰。

詩纘十二卷 《隋志》:“《詩纘》十二卷。”不著撰人。

　詩纘十二卷

詩録二十卷

文苑詞英八卷

　又　詞英八卷

徐陵　六代詩集鈔四卷 見前。

　六代詩鈔四卷 徐凌撰。

又　玉臺新詠十卷 《隋志》:“《玉臺新詠》十卷,徐陵撰集。”是書作自梁時,簡文稱皇太子,元帝稱湘東王。今存。

謝混　集苑六十卷 《隋志》:“《集苑》四十五卷,梁六十卷。”《舊志》作“琨”。

　集苑六十卷 謝琨撰。

宋臨川王義慶　集林二百卷 《隋志》:“《集林》一百八十一卷,宋臨川王劉義慶撰,梁二百卷。”義慶,見雜傳家,事見《義慶傳》。

　集林二百卷 劉義慶撰。

邱遲　集鈔四十卷 《隋志》:“梁有《集鈔》四十卷,邱遲撰,亡。”遲,見别集類。

　集鈔四十卷

李善　注文選六十卷 善,江都人,淹冠古今,人號書簏,爲《文選注》,敷析賅洽,①表上,傳其業,號“文選學”。今存。

　文選六十卷 李善注。

公孫羅　注文選六十卷 公孫羅,江都人,官沛王府參軍事,《舊書》附《文學·曹憲傳》。

　又　六十卷 公孫羅撰。

---

① “賅”原作“貽”,據藕香簃本改。

又　音義十卷

又　十卷 公孫羅撰。

劉允濟　金門待詔集十卷 允濟字允濟,河南鞏人,本書附《文藝·李適傳》。《宋志》止五卷。

文館辭林一千卷 許敬宗、劉伯莊等撰。 今存二十九卷。

類文三百士館詞林一千卷 許敬宗撰。

麗正文苑二十卷

麗正文苑二十卷 許敬宗撰。

芳林要覽三百卷　許敬宗、顧胤、許圉師、上官儀、楊思儉、孟利貞、姚璹、竇德玄、郭瑜、董思恭、元思敬集。

芳林要覽三百卷 許敬宗撰。

僧惠浄　續古今詩苑英華集二十卷 《崇文總目》云十卷。《讀書志》:"惠浄輯梁武大同年中《會三教篇》至劉孝孫《成皋》、《望河》之作,一百五十四人,歌詩五百四十八篇,孝孫爲之序。"

續古今詩苑英華二十卷 釋惠静撰。

劉孝孫　古今類聚詩苑三十卷 孝孫,荆州人,本書附《褚亮傳》。

古今類序詩苑三十卷 劉孝孫撰。

郭瑜　古今詩類聚七十九卷

古今詩類聚七十九卷 郭瑜撰。

歌録集八卷 《隋志》:"《歌録》十卷。"不著撰人。謹按《文選注》引群書有《歌録集》,郭茂倩《樂府詩集》亦數引之。

歌録集八卷

李淳風　注顔之推稽聖賦一卷 淳風,見天文類。

張庭芳　注庾信哀江南賦一卷

崔令欽　注一卷 令欽曾撰《教坊記》。

竇嚴　東漢文類三十卷 《崇文總目》:"《東漢文類》三十卷,竇嚴編。"舊本譌作"儼",《宋志》同。

李善　文選辨惑十卷

五臣注文選三十卷 衢州常山尉吕延濟，都水使者劉承祖男良，處士張銑、吕向、李周翰注。開元六年工部侍郎吕延祚上之。

今存。《宋志》有《五臣注文選》三十卷，又有吕延祚三十卷，似重出。

曹憲　文選音義 卷亡。 《舊書・文學傳》："憲，江都人，仕隋爲祕書學士。貞觀中以宏文館學士召，年百五歲。憲始以昭明《文選》授諸生，而同郡魏模、公孫羅、李善相繼傳授。"

康國安　注駁文選異義二十卷

許淹　文選音十卷 淹，句容人，諸生，《舊書》附《曹憲傳》。

孟利貞　續文選十三卷 利貞，見類書類。

崔玄暐　訓注文館辭林策二十卷 玄暐，見别集類。①

康顯　辭苑麗則三十卷

又　海藏連珠三十卷② 希銑之兄，脩書學士。

卜長福　續文選二十卷 開元十七年上，授富陽尉。 《祕書省四庫闕書目》云三十卷。謹按《宋志》，卜鄰《續文選》二十三卷，似即此書連目耳。

卜隱之　擬文選三十卷 開元處士。

朝英集三卷 開元中張孝嵩出塞，張九齡、韓休、崔沔、王翰、胡皓、賀知章所撰送行歌詩。

張楚金　翰苑三十卷 楚金，見前。③

王方慶　王氏神道銘二十卷 方慶，見前。

徐堅　文府二十卷 開元中，詔張説括《文選》外文章，乃命堅與賀知章、趙冬曦分討，會詔徙之，堅乃先集詩賦二韻爲《文府》上之。餘不能就而罷。 堅，見類書類。

裴潾　大和通選三十卷

---

① "類"原作"穎"，據藕香簃本改。

② "連"原作"運"，據藕香簃本改。

③ "前"字下原闕，藕香簃本同，據本書體例補。子部雜家類有張楚金《紳誡》三卷。

李康　玉臺後集十卷　見《崇文總目》。《劉後村詩話》引之。

元思敬　詩人秀句二卷

孫季良　正聲集三卷　見《崇文總目》。

珠英學士集五卷　崔融集。武后時修《三教珠英》,學士李嶠、張説等詩。[①]　《讀書志》:"武后修《三教珠英》,預修書者凡四十七人,融編集其所賦詩,各題爵里,以官職爲次,融爲之序。"

搜玉集十卷　見《崇文總目》。今存。

曹恩　起予集五卷　大曆人。　見《崇文總目》。

元結　篋中集一卷　見《崇文總目》。結,見別集類。今存。録沈千運、王季友、于逖、孟雲卿、張彪、趙微明、元季川七人之詩。

奇章集四卷　見《崇文總目》。《宋志》:"《奇章集》四卷,李林甫至崔囗百餘家詩。"

劉明素　麗文集五卷　興元中集。　見《崇文總目》。

李吉甫　古今文集略二十卷　吉甫,本書有傳。

又　國朝哀策文四卷

梁大同古銘記一卷

麗則集五卷　《讀書志》:"唐李氏撰,集《文選》以後至唐開元詞人詩,凡三百二十首,分門編類,貞元中鄭銈慶爲序。"

類表五十卷　亦名《表啓集》。　《崇文總目》云:"曹恩編。"《宋志》亦云李吉甫。

柳宗直　西漢文類四十卷　《書録解題》:"唐柳宗元之弟,宗直嘗輯此書,宗元爲序。"

柳玄　司題集十卷[②]

竇常　南薰集三卷　見《崇文總目》。《讀書志》:"集韓翃至皎然三十人,約三百六十篇。"

殷璠　丹陽集一卷　見《崇文總目》。《書録解題》:"璠,丹陽人,唐進士。"

---

① "學"字下原脱"士"字,藕香簃本同,據武英殿本《新唐書》補。

② "司",中華書局點校本《新唐書》作"同"。

又　河岳英靈集二卷　見《崇文總目》。今存。

王起　文場秀句一卷

姚合　極玄集一卷　見《崇文總目》。合,見别集類。今存。

高仲武　中興間氣集二卷　《讀書志》:"輯至德迄大曆中錢起以下二十六人詩,亦爲序,或又題孟彦深撰。"今存。

李戡　唐詩三卷

顧陶　唐詩類選二十卷 大中校書郎。　見《崇文總目》。《書録解題》:"《唐詩類選》二十卷,唐太子校書郎顧陶集,凡一千三百二十三首,自爲序,大中丙子歲。"

劉餗　樂府古題解一卷　餗字鼎卿,本書附《劉子元傳》。

李氏花萼集二十卷 李乂、尚一、尚貞。

韋氏兄弟集二十卷　韋會、弟弼。

竇氏聯珠集五卷 竇群、常、牟、庠、鞏。　《書録解題》:"唐褚藏言以序竇常兄弟五人詩,各有小序。"

集賢院壁記詩二卷　《宋志》有《唐集賢院諸廳壁記詩》二卷,李吉甫、武元衡、常兖題詠集。

翰林歌辭一卷

大曆年浙東聯倡集二卷　《崇文總目》云:"李逢吉、令狐楚撰。"

斷金集一卷 李逢吉、令狐楚倡和。《讀書志》:"開成初裴夷直序。"

元白繼和集一卷 元稹、白居易。

三州倡和集一卷 元稹、白居易、崔玄亮。見《崇文總目》。

劉白倡和集三卷 劉禹錫、白居易。見《崇文總目》。《宋志》同。

汝洛集一卷 裴度、劉禹錫倡和。《宋志》有《汝洛倡和集》三卷。

洛中集七卷 《宋志》同。

彭陽倡和集三卷 令狐楚、劉禹錫。《宋志》同。

吴蜀集一卷 劉禹錫、李德裕倡和。

裴均　壽陽倡詠集十卷

又　渚宫倡和集二十卷

峴山倡詠集八卷

荆潭倡和集一卷

盛山倡和集一卷

荆夔倡和集一卷

僧廣宣與令狐楚倡和一卷

名公倡和集二十三卷

漢上題襟集十卷 段成式、温庭筠、余知古。　見《崇文總目》。《書録解題》又有逢皓、韋蟾、徐商三人倡和詩及往來簡牘。

袁皓　集道林寺詩二卷 見《崇文總目》。

松陵集十卷 皮日休、陸龜蒙倡和。　《讀書志》:"龜蒙編次之,日休爲序。"松陵,平江地名也。今存。

廖氏家集一卷 廖光圖,唐末人。　見《崇文總目》。

盧懷　抒情集二卷 《崇文總目》作"盧瓌"。

孟啓　本事詩一卷 見《崇文總目》。《書録解題》:"唐司勳郎中孟棨撰。"今存。

劉松　宜陽集六卷 松字穉美,袁州人,集其州天寶以後詩四百七十篇。　見《崇文總目》。

蔡省風　瑶池新詠二卷 集婦人詩。　見《崇文總目》。《讀書志》:"集唐世能詩婦人李秀蘭至程長文二十三人,詩一百十五首,各爲小序。"

僧靈徹　酬倡集十卷 大曆至元和中名人。

吴兢　唐名臣奏十卷 《宋志》:"《唐名臣奏》七卷。"兢,見政書類。

馬總　奏議集三十卷 《宋志》:"馬總《奏議集》二十卷。"總,見别史類。

臧嘉猷　羽書三卷 處士。　《宋志》:"臧家猷《羽書集》三卷。""家"與"嘉"異,又有《續羽書》。

沈常　總戎集三十卷 《宋志》同。

唐稟　貞觀新書三十卷 稟,袁州萍鄉人。集貞觀以前文章。

黄滔　泉山秀句集三十卷 編閩人詩,[1]自武德,盡天祐末。

---

① "編"原誤作"締",藕香簃本同,據中華書局點校本《新唐書》改。

周仁滔　古今類聚策苑十四卷　《宋志》:"周仁瞻《古今類聚策苑》十四卷。""滔"、"瞻"略異,即一書。

五子策林十卷　集許南客而下五人策問。　見《崇文總目》。

元和制策三卷　元稹、獨孤郁、白居易。　見《崇文總目》。

李太華　掌記略十五卷　見《崇文總目》。

新掌記略九卷　《崇文總目》亦云太華編。

林逢　續掌記略十卷　見《崇文總目》。

李充　翰林論三卷　《隋志》:"《翰林論》三卷,李充撰,梁五十四卷。"充,見論語類。

翰林論二卷　李充撰。

劉勰　文心雕龍十卷　《隋志》:"《文心雕龍》十卷,梁兼東宫通事舍人劉勰撰。"勰字彦和,東莞莒人,《梁書・文學》有傳。今存。

文心雕龍十卷　劉勰撰。

顔竣　詩例録二卷　竣,見别集類。

詩例録二卷　顔竣撰。

鍾嶸　詩評三卷　《隋志》:"《詩評》三卷,鍾嶸撰,或曰《詩品》。"嶸字仲偉,潁川長社人,《梁書・文學》有傳。今存。見《崇文總目》。

劉子玄　史通二十卷　子玄,本書有傳。今存。

柳氏　釋史十卷　柳璨。一作"《史通析微》。"　璨,本書有傳。

劉餗　史例三卷　餗,見總集類。

沂公　史例十卷　田弘正客撰。

裴傑　史漢異義三卷　河南人,開元十七年上,授臨濮尉。

李嗣真　詩品一卷

元兢　宋約　詩格一卷　《宋志》作"《元兢詩格》一卷"。

王昌齡　詩格二卷　見《崇文總目》。

晝公　詩式五卷　見《崇文總目》。《宋志》:"僧浩然《詩式》五卷,又《詩評》一卷。"今存。

詩評三卷　僧皎然。　謹按僧皎然《詩式》,今尚存只一卷。

王起　大中新行詩格一卷

姚合　詩例一卷 見《崇文總目》。《宋志》同。

賈島　詩格一卷 《宋志》:"賈島《詩格密旨》一卷。"

炙轂子　詩格一卷 見《崇文總目》。《宋志》:"王叡《炙轂詩格》一卷。"

元兢　古今詩人秀句二卷 見《崇文總目》。《宋志》同。

李洞　集賈島句圖一卷 《宋志》:"李洞《賈島詩句圖》一卷。"脱"集"字。

張仲素　賦樞三卷 見《崇文總目》。《宋志》:"張仲素《賦樞》一卷。"

范傳正　賦訣一卷 見《崇文總目》。

浩虚舟　賦門一卷 見《崇文總目》。《宋志》同。

倪宥　文章龜鑑一卷 見《崇文總目》。

劉蘧　應求類二卷

孫郃　文格二卷 見《崇文總目》。郃,見總集類。

右總集類,七十五家,九十九部,四千二百二十三卷。李淳風以下不著録七十八家,八百一十三卷。　**總七十九家,一百七部**。

右集録楚詞七家,帝王二十七家,太子諸王二十一家,七國趙楚各一家,前漢二十家,後漢五十家,魏四十六家,蜀二家,吴十四家,西晋一百一十九家,東晋一百四十四家,宋六十家,南齊十二家,梁五十九家,陳十四家,後魏十家,北齊四家,後周五家,隋十八家,唐一百一十二家,沙門七家,婦人七家,總集一百二十四家,大凡八百九十二部[1],一萬二千二十八卷。

---

① "家大"原作"大家",據藕香簃本乙正。

二十五史藝文經籍志考補萃編總目